Barbara Epstein

·

The Minsk Ghetto, 1941–1943

Jewish Resistance and Soviet Internationalism

University of California Press

Berkeley / Los Angeles / London

2008

Барбара Эпштейн

·

Минское гетто, 1941–1943

Еврейское Сопротивление и советский интернационализм

Academic Studies Press

Бостон

2025

УДК 94(47).084.8
ББК 63.3(2)622,5
Э73

Перевод с английского Егора Позднякова

Серийное оформление и оформление обложки Ивана Граве

Фотография на обложке: Эрнст Херманн.
Группа еврейских женщин и детей идет по улице. 1941 год.

Эпштейн, Барбара.

Э73   Минское гетто, 1941–1943. Еврейское Сопротивление и советский интернационализм / Барбара Эпштейн ; [пер. с англ. Е. Позднякова]. — Бостон: Academic Studies Press, 2025. — 438 с. — (Серия «Современная иудаика» = «Contemporary Judaica»).

ISBN 979-8-887199-74-0 (Academic Studies Press)

Опираясь на свидетельства выживших, Барбара Эпштейн рассказывает о героической, но малоизвестной главе в истории Холокоста — о возглавляемом коммунистами движении сопротивления в Минском гетто, которое позволило тысячам евреев бежать в окрестные леса, где они присоединились к партизанским отрядам, сражавшимся с немцами. Автор также показывает, как и почему это движение сопротивления, в отличие от более известных групп в таких местах, как Варшава, Вильно и Ковно, нашло поддержку у тех, кто находился за стенами гетто. Автор приходит к выводу, что интернационалистская этика, воспитанная двумя десятилетиями советской власти, сделала возможной эту необычную историю.

УДК 94(47).084.8
ББК 63.3(2)622,5

ISBN 979-8-887199-74-0

Саманте

А также памяти Ларри Левина и Эли Каца

Список иллюстраций

КАРТЫ

Карта 1. План Минского гетто с указанием его первоначальных границ. Приводится на основе [Zhits 2000: 5]; дополнительная информация см. [Рубенчик 1999: 184–185; Рубенчик 2006: 252].

Карта 2. Восточная Европа с указанием границ государств накануне 1 сентября 1939 года. На основе: Chief of Engineers, US Army, Army Map Service, June 1943.

Карта 3. Белоруссия в 1943 году. Копия карты, которой пользовались партизанские бригады и отряды в Белоруссии в 1943 году. Взята из: Всенародная борьба в Белоруссии против немецко-фашистских захватчиков в годы Великой Отечественной войны. Т. 2. Минск: Беларусь, 1984. С. 177.

Иллюстрации

1. Мира Рудерман после войны.
2. Раиса Хасеневич и Мария Жлоба в отпуске вскоре после окончания войны.
3. Улица в гетто после войны.
4. Гетто.
5. Забор гетто.
6. Здание юденрата.
7. Михаил Трейстер.
8. Гирш Смоляр, Миша Гебелев и Мотя Пруслин.
9. Исай Казинец и его подруга Елена (Леля) Ревинская.
10. Хася Менделеевна Пруслина в 1941 году.

11. Иван Семенович Удод, Михаил Сидорович Полонейчик и капитан Николай Иванович Иванов.

12. Глафира Васильевна Суслова.

13. Броня Гофман с другими партизанками.

14. Сара Голанд в 1929 году.

15. Белла и Яков Гринштейны.

16. Вера Леонардовна Спарнинг.

17. Абрам Розовский.

18. Ёха [Йохевед Рубенчик] и Фаня Каплан.

19. Сима Фитерсон после войны.

20. Лея (Лиза) Гуткович с первым мужем до войны.

21. Вилли Шульц и Ильза Штейн.

22. Сергей Герин.

23. Хася Менделеевна Пруслина в 1950-х годах.

Благодарности

Многие люди помогали мне создавать эту книгу, и каждый из них внес свой вклад. Одни участвовали в поиске героев для интервью и источников, вторые помогали мне учить языки, третьи — комментировали черновики и т. д. На самом деле поддержка большинства из них не ограничивалась чем-то одним, но, чтобы рассказать обо всем, мне бы потребовалась отдельная глава. Так что, за редким исключением, я буду называть их имена по одному разу. Этот проект продлился почти семь лет, и за это время к нему успели приложить руку многие люди. Надеюсь, меня простят, если я забуду кого-то упомянуть.

Крестными родителями этой книги стали Галина и Франк Шварц. Огромная роль, которую они сыграли в ее создании, описана во введении. Здесь я просто замечу, что это исследование во многом стало возможно благодаря им, так как именно супруги Шварц нашли для меня переводчиков, указали на нужные архивы, познакомили меня с людьми, которые помогли получить доступ к этим архивам, и открыли для меня многие другие двери. Галина участвовала как переводчик во многих минских интервью, перевела бесчисленное количество архивных документов, познакомила меня со многими другими источниками и показала мне Минск. Вместе с Франком они представили меня людям, которые сыграли большую роль в работе над этим проектом. Григорий (Гриша) Хосид был моим переводчиком в ходе двух первых раундов интервью с бывшими узниками Минского гетто, а также встречался со мной в Израиле и переводил интервью с теми выжившими, которые там проживали. Его контакты в этой среде, а также непосредственное знание жизни в белорусских гетто и партизанских отрядах сыграли жизненно важную роль в этом проекте. Н. А. Яцкевич, заведующая научно-экспозиционным отделом Белорусского государственного музея истории Великой Отечественной войны в Минске, щедро поделилась со мной своим временем и помогала на протяжении всего проекта. Полина Лысюк перевела для меня многие архивные документы, особенно на раннем этапе работы; позже эти обязанности взяла на себя Галина.

Яцкевич познакомила меня с Е. И. Барановским, директором Национального архива Республики Беларусь, также оказавшим широкую поддержку этому проекту. Он указал мне на нужные документы, объяснил их контекст и предоставил материалы из личной коллекции. Сотрудники Национального архива всегда были готовы прийти мне на помощь. Я также обращалась в Белорусский государственный архив-музей литературы и искусства и Белорусский государственный архив кинофотофонодокументов в Дзержинске и высоко оценила помощь работников обоих учреждений. Сотрудники Центрального архива Комитета государственной безопасности Республики Беларусь нашли и перевели для меня хранящиеся у них документы; особенно я хочу отметить вклад Игоря Валахановича, благодаря которому это стало возможным.

Через Гришу Хосида, Франка и Галину я познакомилась с Михаилом Канторовичем и Михаилом Трейстером, руководителями Белорусского общественного объединения евреев — бывших узников гетто и нацистских концлагерей, и Фридой Лосик (Рейзман), возглавлявшей Белорусскую ассоциацию бывших несовершеннолетних узников фашизма; обе организации расположены в Минске. Они предоставили имена и телефоны выживших в Минском гетто, любезно предложили свою помощь и помогали советами во время работы над проектом. Михаил Канторович и Михаил Трейстер также оказали мне неоценимую поддержку, комментируя черновики отдельных глав. Зинаида Алексеевна Никодимова предоставила мне доступ к документам своей матери, Хаси Менделеевны Пруслиной, и поделилась своими воспоминаниями о ней. Раиса Андреевна Черноглазова, автор-составитель многих сборников документов, связанных со Второй мировой войной и ее последствиями в Белоруссии, не раз великодушно находила для меня время, показывая фотографии и источники из своей коллекции. Татьяна Егорова также нашла и перевела для меня архивные документы. Елена Гапова поделилась своими воспоминаниями о том, что говорили о минском подполье в 1970-х годах. Саша Милантай была моим переводчиком во время нескольких интервью и во многих других случаях.

В Израиле сотрудники проекта «Устная история» Института современного еврейства Еврейского университета в Иерусалиме, а также архивов Яд Вашем[1] помогли мне получить доступ к документам и стенограммам интервью. Большим подспорьем стали для меня рекомендации Мордехая Альтшулера, Брони Клебанской, Даниэля Романовского и Леонида Смиловицкого. А Рути Баркай, Номи Лондон, Далия Офер и Кэрол Земель сделали мои поездки в Израиль гораздо более приятными.

Саша Лилли и Аника Вальке оказали мне неоценимую помощь в проведении исследования. Рукопись заметно выиграла от критических замечаний тех, кто прочел ее целиком или частично. Особенно подробными и полезными были комментарии Аники Вальке, Саши Лилли и Йони Вайнриба. Дэвид Биал, Даг Бевинтон, Кэролин Берк, Джим Клиффорд, Мартин Дин, Крис Диксон, Макс Эльбаум, Ричард Флэкс, Майкл Гольдхабер, Питер Кенез, Лео Панич, Шейла Роуботэм, Лиза Рубинс, Джон Санбонмацу, Ребекка Шейн, Алексис Шотвелл, Джон Саймон, Джин Тепперман, Майкл Урбан, Дайан Вулф, Хелена Уортен, Нэнси Зиглер, покойный Реджинальд Зельник и аспиранты двух семинаров также поделились ценными замечаниями. Покойный Гэри Лиз перевел для меня довольно объемные мемуары, опубликованные на немецком языке, хотя изначально они были написаны на русском. Кеппи Коутс разработала дизайн карт. Хай

---

[1] Яд Вашем (ивр. יָד וָשֵׁם — «память и имя») — мемориальный комплекс истории холокоста в Израиле, основанный в 1953 году, главной задачей которого является увековечивание памяти о миллионах жертв холокоста. — *Примеч. ред.*

Вольф из CYCO — Центральной культурной организации идиша в Нью-Йорке — и Кэтрин Мэдсен из Национального центра книг на идише в Амхерсте нашли для меня написанную на идише литературу о Минске. Ицхок Ниборский, директор библиотеки «Медем» в Идишском культурном центре в Париже, помог с получением разрешения на использование фотографий. Безграничную поддержку оказала мне Шейла Пьюз, заведующая моей кафедрой в Калифорнийском университете[2]. Многие друзья помогали мне придумать название для книги, но особенно я хочу поблагодарить Энн Свидлер, Лизу Рубенс и Дэнни Бигла, а также Корнелию Левин. Ларри Левин, который много лет назад был моим научным руководителем, научил меня мыслить и писать об истории. Несмотря на болезнь и усталость, он слушал мои рассказы и призывал продолжать работу. К сожалению, он скончался до того, как смог увидеть эту книгу.

Для успешной реализации проекта требовалось умение читать документы и другие тексты на идише и иврите. Эли Кац не только научил меня идишу, но и всегда находил время, чтобы перевести слова, которые нельзя было найти ни в одном словаре, или расшифровать рукописные материалы, а также объяснить значение культурных отсылок. Знание языка и культуры, которое я почерпнула от Эли, сыграло в данном исследовании ключевую роль. К сожалению, он тоже умер до публикации этой книги. Кроме того, я изучала идиш в рамках летней программы в Вильнюсе с Давидом Кацем, который был первым, кто предложил мне отправиться с исследовательской поездкой в Белоруссию, и в Исследовательском институте идиша у Мордхе Шехтера. Кружок для чтения на идише тоже помог моему знанию языка. Во время работы над проектом я также изучала иврит с Анат Волинс, а Илана Броди потратила немало часов, разбирая со мной мемуары из Минска и истории из Каунасского гетто, чтобы помочь научиться на нем читать. Йони Вайнриб аналогичным образом работал со мной над другими текстами на иврите. Благодаря

---

2   Имеется в виду кафедра истории сознания гуманитарного факультета Калифорнийского университета в Санта-Крузе. — *Примеч. ред.*

усилиям Анат, Иланы и Йони я научилась самостоятельно читать на этом языке. А Яэль Хавер набирала за меня письма на иврите, когда я обнаружила, что мой «Ворд» не может справиться с этой задачей.

Свою первую поездку в Минск для поиска и интервью с выжившими узниками гетто я осуществила благодаря щедрому дару Джанет Кранцбург. Без этой своевременной помощи проект, скорее всего, навсегда бы остался на уровне нереализованной идеи. Мои следующие поездки, а также академический отпуск, который я брала для исследовательской работы и написания статей, стали возможны благодаря поддержке Международного исследовательского института по проблемам еврейских женщин в Брандейском университете, Мемориального фонда еврейской культуры, Центра культурных исследований и Комитета по научным исследованиям ученого совета Калифорнийского университета в Санта-Крузе. Эти поездки также были бы невозможны без моих друзей и студентов, присматривавших за моим домом и моей кошкой: Джули Бигл, Дага Бевинтона, Шона Бернса, Скута Калверта, Криса Диксона, Саши Лилли, Сандры Меуччи, Криса Оуэна, Даны Сондерс и Алексис Шотуэлл.

Мой литературный агент Сайдел Крамер помогла найти прекрасное место для моего проекта в издательстве UC Press, где редактор Стэн Холвиц мастерски провел рукопись через финальные стадии подготовки и довел ее до публикации.

На всем пути мне придавала сил поддержка друзей, коллег и родственников, терпевших мою рассеянность и одержимость Минским гетто, о котором они слышали явно намного чаще, чем хотели. Особенно мне хочется отметить Джей Джея и Эву Беар-Джонсон, Криса Диксона, Майкла Голдхабера, Элинор Голлай, Стивена Джозефа, Давида Коца, Сашу Лилли, Айлин Филипсон, Лизу Рубенс, Джона Сандборнмацу, Морин Салливан, Кей Тримбергер, Нэнси Зиглер и Стэйси Росс, не дожившую до завершения этой книги. Помимо этого, на протяжении всего проекта я чувствовала постоянную молчаливую поддержку моей любимой кошки Саманты, которая прощала мне мои отлучки и составляла мне компанию, сидя на коленях или на столе рядом с компьютером, пока я писала книгу. Она умерла незадолго до того, как я закончила вносить финальные правки в рукопись. Мне ее очень не хватает.

Однако прежде всего я в долгу у всех тех, кто выжил в гетто и пережил войну, у евреев и неевреев, которые приглашали меня в свои дома и погружались, иногда неоднократно, в болезненные воспоминания, пока я продолжала свое исследование. Надеюсь, эта книга оправдает доверие, которое они мне оказали.

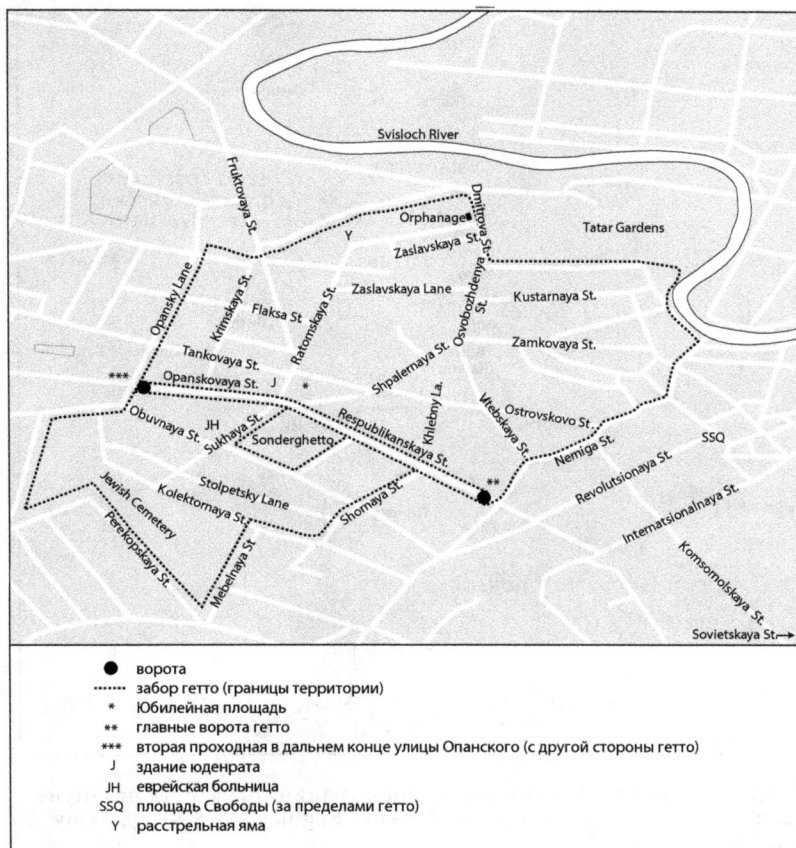

Карта 1. План Минского гетто с указанием его первоначальных границ. Приводится на основе [Zhits 2000: 5]; дополнительная информация см. [Рубенчик 1999: 184–185; Рубенчик 2006: 252].

Карта 2. Восточная Европа с указанием границ государств накануне 1 сентября 1939 года. На основе: Chief of Engineers, US Army, Army Map Service, June 1943.

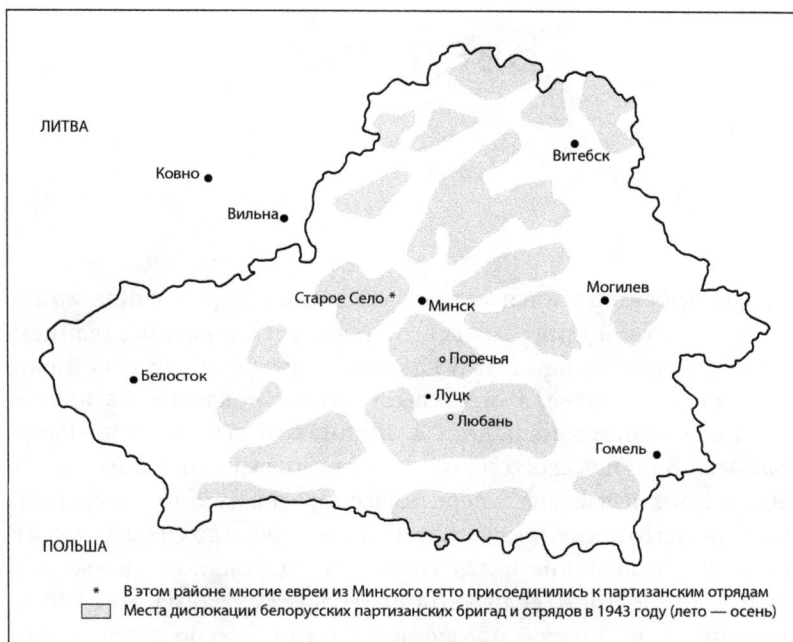

Карта 3. Белоруссия в 1943 году. Копия карты, которой пользовались партизанские бригады и отряды в Белоруссии в 1943 году. Взята из: Всенародная борьба в Белоруссии против немецко-фашистских захватчиков в годы Великой Отечественной войны. Т. 2. Минск: Беларусь, 1984. С. 177.

Введение

Этот проект родился летом 1997 года, когда я учила идиш в рамках летней программы в Вильнюсе. Основным заданием моей группы было написать исследовательскую работу по истории вильнюсских евреев, а затем выступить с докладом на идише перед классом. Я нашла двух женщин, которые были членами подполья Вильнюсского гетто, взяла у них интервью и написала работу. Когда я выступала перед классом, одна из моих сокурсниц, женщина из Минска, рассказала, что в ее городе до сих пор живут люди, участвовавшие в деятельности подпольного движения в Минском гетто, и, если меня интересует эта тема, мне стоит отправиться в Минск и поговорить с ними. Это показалось мне необычным: большинство выживших участников Сопротивления в польских и литовских гетто эмигрировали в Израиль и Северную Америку. К тому же мне было известно, что о движении Сопротивления в Минском гетто написано совсем немного. Осенью 1999 года я взяла академический отпуск и отправилась в Минск.

Я никого не знала ни в этом городе, ни во всей Беларуси. Русский язык я учила в колледже, но к тому времени могла разве что читать на кириллице. Узнав о существовании в Минске ассоциации бывших узников гетто, я нашла адрес электронной почты для белорусских эмигрантов и попросила помочь мне связаться с ее членами. Мне посоветовали обратиться к главному раввину одной из двух минских синагог (ортодоксальных, как и все синагоги в Восточной Европе) и прислали адрес другой почты, которая вывела меня на Франклина Шварца, директора небольшой организации — фонда еврейского наследия в Восточной Европе, которая занималась благотворительностью и восстановлением еврейской культуры и в то время сотрудничала с минской синагогой на улице Даумана. Как оказалось, Франклин Шварц был американцем, проживавшим в Минске вместе со своей белорусской женой Галиной, которая была профессиональным переводчиком.

Франк и Галина взяли мой проект под свое крыло, и только благодаря им он вообще стал возможен. Они нашли для меня переводчика, Григория (или Гришу) Хосида, который спрыгнул с поезда, увозившего его из Гродненского гетто в Аушвиц, и присоединился к партизанскому отряду братьев Бельских — крупнейшему еврейскому партизанскому отряду в Белоруссии. Гриша свободно говорил на идише, русском, иврите, польском, немецком и английском и специально приехал в Минск, чтобы поработать со мной. Он был знаком с руководителями двух ассоциаций бывших узников гетто в Минске, так что мы легко заручились их поддержкой. Обе организации предоставили нам списки с именами, телефонами и адресами бывших участников Сопротивления — как тех, кто жил в гетто, так и тех, кому удалось сбежать и присоединиться к партизанам. Мы встретились с членами правления более крупного из двух объединений, и одна из женщин предложила мне взглянуть на бумаги ее матери, Хаси Пруслиной, входившей в число лидеров подполья Минского гетто. Должна заметить, что руководившие этой ассоциацией Михаил Канторович и Михаил Трейстер, дочь Пруслиной, Зинаида Никодимова, и глава другой организации, Фрида Рейзман, все сами бывшие узники гетто, оказывали мне невероятную поддержку на протяжении всего исследования.

Франк и Галина также организовали мое проживание в синагоге на улице Даумана. Во время моей первой поездки в Минск я остановилась в маленькой комнатке на чердаке, которой обычно пользовались те, кто посещал пятничные вечерние службы и жил слишком далеко, чтобы идти домой пешком. Синагога занимает одно из немногих зданий в Минске, уцелевших после войны. Это массивное трехэтажное здание бывшего царского полицейского участка, в котором находятся офисы нескольких еврейских организаций, храм, кабинеты работников синагоги, а также кухня и общественная столовая. На третьем этаже расположен молодежный центр, которым руководит американец из Иешива-университета[1]. Здесь молодых белорусских евреев знакомят с иудаизмом и ивритом. Пятничные и субботние утренние службы посещает большое количество людей, в основном пожилых, которые остаются на бесплатную субботнюю трапезу; многие приносят с собой пластиковые контейнеры, чтобы забрать остатки еды домой. Каждое утро, пока я жила в синагоге, туда приезжали несколько пожилых мужчин, которые оставались в ней на весь день; некоторых из них обычно можно было встретить у входа, где они пили чай, общались и приветствовали посетителей. Среди них были и бывшие узники гетто, у которых я позднее взяла интервью. Проживание в синагоге позволило мне погрузиться в различные языки, в практике которых я нуждалась. Практически никто, за исключением молодого американца из Иешива-университета, не говорил по-английски. Зато все говорили на русском. Кроме того, многие старики говорили на идише, а молодежь хотя бы немного знала иврит.

Вместе с Гришей мы ездили по Минску и брали интервью у бывших узников гетто. Несколько человек из нашего списка отказались от беседы, но таких было совсем мало. Выжившие в Минском гетто составляют относительно сплоченное сообщество, так что слухи о нашем проекте быстро распространились. А когда Гриша представлялся бывшим партизаном, сражавшимся вместе с братьями Бельскими, перед нами открывались любые двери, на столах появлялись изысканные блюда, а мне давали книги, документы и новые контакты. Наверняка помогло и то, что в моем распоряжении был небольшой грант, позволявший платить за первое интервью по 50 долларов в валюте каждому собеседнику. Со многими людьми я общалась по несколько раз. Проблема прежде всего была в языке. Некоторые собеседники начинали на идише, что было мне на руку, но почти все неосознанно переходили на русский, погружаясь в свои истории.

---

[1] Иешива-университет — одно из старейших и крупнейших еврейских высших учебных заведений и основной учебный центр ортодоксального иудаизма в Нью-Йорке, США. — *Примеч. ред.*

Я записывала разговор, Гриша переводил, а я задавала вопросы и делала заметки.

Каждое интервью начиналось одинаково: дата рождения, образование (сколько классов окончили, учились на идише, белорусском или русском языке), на каком языке говорили дома (идиш или другой), соблюдались ли в семье религиозные обряды (только бабушками-дедушками, другими родственниками или вообще никем), состояли ли до войны в политических организациях (комсомол или нигде не состояли). Кроме того, я спрашивала, где находились и чем занимались интервьюируемые, когда началась война, и что происходило с ними в последующие годы. Все собеседники с готовностью отвечали на эти вопросы, но стоило начаться их рассказу, как уже они выходили на первый план. Я могла что-то спрашивать, но было бессмысленно пытаться контролировать то, как они рассказывают о военных годах. Возраст интервьюируемых варьировался от 70 до 90 с небольшим лет, и они были детьми, подростками или двадцатилетними, когда шла война. Некоторые состояли в подпольных организациях, но большинство членов подполья к тому времени уже умерло. Многие из опрашиваемых в той или иной степени участвовали в Сопротивлении, стихийно возникавшем в гетто; несколько человек были членами коммунистического подполья. Почти все они выжили лишь благодаря тому, что бежали из гетто и присоединились к партизанам.

Я прочитала две книги о Минском гетто и его подполье, написанные Гиршем Смоляром — одним из лидеров подпольной организации, которому удалось пережить войну. Его первый сокращенный рассказ «Фун минскер гетто» («Из минского гетто») был опубликован на идише в Москве в 1946 году, а через год переведен на русский язык и вышел под заголовком «Мстители гетто» [Смоляр 1947]. Несмотря на то что огромное внимание в этой книге уделялось лояльности евреев советской власти, тираж был конфискован, но ее удалось переиздать на английском под заголовком «Resistance in Minsk» («Сопротивление в Минске») [Smolar 1966]. Позднее Смоляр написал более подробный рассказ, который вышел сначала в Израиле, а затем и в США под названием «The Minsk Ghetto: Soviet Jewish Partisans Against the Nazis» («Минское гетто: советские еврейские партизаны против нацистов») [Smolar 1989]. В этой книге, написанной Смоляром уже в эмиграции, подчеркивались еврейское самосознание жителей гетто и относительная независимость подполья от белорусских союзников за его пределами. Мне показалось, что здесь есть место для еще одного исследования, так как Смоляр не сравнивал Сопротивление в Минском гетто с еврейскими движениями в других городах. Кроме того, его книги читали так мало людей, что почти никому, кроме историков холокоста, не было известно о массовом Сопротивлении в Минском гетто.

Лишь несколько интервьюируемых были участниками коммунистического подполья гетто, так как большинству из них во время войны в лучшем случае едва исполнилось 20 лет. Почти все члены коммунистического подполья были старше, поэтому их уже не было в живых, когда я начала свой проект. Услышанные истории поразили меня тем, насколько они отличались от рассказов о еврейском Сопротивлении в Варшаве и других гетто Польши и Литвы. Теперь мне кажется, что с моей стороны было глупо не ожидать различий. Но мне, как и, без сомнения, многим людям с Запада — евреям и неевреям, — всегда казалось, что еврейское Сопротивление во время войны было обособленным и изолированным. Однако в историях, которые рассказывали интервьюируемые, их усилия регулярно переплетались с действиями белорусов. Поначалу мне даже казалось, что ничего из найденного мной нельзя назвать еврейским Сопротивлением. Но затем я поняла, что в Минске оно было другим и об этом стоило разузнать подробнее.

Осенью 1999 года, во время моей первой поездки в Минск, я взяла 18 интервью, а следующим летом — еще 17. Помимо этого, я отправилась в Израиль и обнаружила там ассоциацию бывших узников Минского гетто. В Израиле меня встретил Гриша, и мы проинтервьюировали 11 человек, живших в разных частях страны. У еще троих я взяла интервью до Гришиного приезда. Часть интервью проводилась на иврите, часть — на русском, лишь несколько — на идише. Нам очень помогло, что Гриша свободно говорил на всех трех языках (я могла читать на идише и в какой-то степени — на иврите, но проводить на них интервью было за пределами моих возможностей). Находясь в Израиле, я встретилась с сотрудниками проекта «Устная история» Еврейского университета в Иерусалиме и сняла фотокопии с написанных на идише стенограмм интервью, взятых в конце 1960-х годов у эмигрировавших сюда бывших узников Минского гетто. Мне не позволили скопировать всю коллекцию, так что я просмотрела интервью и сняла копии только с тех, что относились к Сопротивлению в гетто. Кроме того, я посетила архивы Яд Вашем и обнаружила множество письменных воспоминаний выживших членов Минского подполья, в основном на русском, но часть из них была на идише. Сделанный на иврите электронный каталог тем, которые затрагивались в мемуарах, помог мне определить наиболее полезные для меня документы и снять с них фотокопии. В Минске мне сказали, что, учитывая отношение советской власти к минскому подполью, ни один его участник в здравом уме не стал бы оставлять письменных свидетельств, так что искать что-то в архивах бессмысленно. Но в Яд Вашем обнаружилось множество воспоминаний подпольщиков из Минского гетто, и в большинстве случаев это были копии документов из Национального архива Республики Беларусь. Первую из нескольких поездок обратно в Минск я совершила для того, чтобы изучить эти архивы, а также провести дополнительные интервью, нередко с людьми, с которыми я уже общалась, чтобы задать им вопросы, которые пришли мне в голову после нашего первого разговора.

Тогда же Франк и Галина настояли на том, чтобы я остановилась у них, а не в синагоге, и вскоре Галина стала моим основным переводчиком. Поначалу документы из национального архива переводила для меня Полина Лысюк — учительница английского языка, с которой я познакомилась через Франка и Галину, но у нее больше не было времени, и тогда ее сменила Галина. Мы провели бесчисленное количество дней в здании национального архива в центре Минска, перебирая кипы документов. Галина переводила те, которые казались наиболее полезными, а я вводила переводы в свой ноутбук. Франк и Галина также познакомили меня со своими многочисленными друзьями и коллегами. Несколько раз мы с Галиной ходили к ее подруге Раисе Черноглазовой, выпустившей, помимо прочего, сборник документов о Минском гетто. Она лично знала многих выживших членов подполья и подсказала, где искать документы и с кем еще мне нужно сделать интервью, параллельно угощая нас с Галиной всевозможными русскими лакомствами со своей кухни. Помимо этого, с Галининой помощью я проинтервьюировала трех белорусских женщин, которые в детстве помогали своим родителям выводить евреев из гетто во время войны. Аника Вальке — немецкая студентка, с которой я познакомилась благодаря ее исследованию истории холокоста на оккупированных советских территориях, — провела для меня еще два интервью с женщинами, которые помогали спасать евреев. Их контакты я получила у бывших узников гетто и Черноглазовой. Мне хотелось понять, чем руководствовались неевреи, спасавшие евреев, но в то же время мне требовались собеседники, рекомендованные самими узниками гетто или другими надежными источниками, а не просто люди, заявлявшие, что они помогали евреям во время войны.

Франк и Галина стали главной опорой моего исследования. Навыки Галины как переводчика и посредника в общении с сотрудниками различных архивов сыграли важнейшую роль в этом проекте, к тому же с ее помощью я научилась ориентироваться в Минске, несмотря на мое жалкое знание русского языка. Когда Галина была занята, мне помогали ее дочь Саша или другие друзья. Как-то Галина в шутку назвала свой дом колхозом, и это сравнение показалось мне крайне удачным. Маленькая квартира, в которой они с Франком жили с двумя детьми студенческого возраста, Галининой мамой (проводившей там большую часть времени) и собакой, которая возникла однажды на пороге и стала частью семьи, находилась в большом осыпающемся здании в бедном районе Минска. Она напоминала штаб-квартиру неофициальной неправительственной организации, центр разветвленной сети белорусов и иностранцев, вовлеченных в огромное количество благотворительных, социальных и исследовательских проектов, связанных с еврейской и нееврейской Беларусью. Друзья и коллеги приходили туда, чтобы попросить о помощи, предложить свою поддержку или просто по-дружески пообщаться, а в итоге засиживались до позднего вечера за разговорами под вино с тортом. Благодаря общению с Франком и Галиной, а также бесчисленным вечерам с их друзьями и званым ужинам с участием сотрудников посольств, белорусских и зарубежных академиков, работников местных социальных служб и благотворительных организаций и бывших узников гетто я начала понимать местную культуру. Просто общаясь с Франком и Галиной, я узнала о Минске и Беларуси больше, чем могла бы узнать каким-либо другим способом.

В дополнение к мемуарам, найденным мной в Яд Вашем, мы с Галиной обнаружили множество письменных воспоминаний в Национальном архиве Республики Беларусь. Во времена советской власти они были переданы на хранение в архивы коммунистической партии и были недоступны для иностранцев. Воспоминания были сданы на хранение в архивы в три этапа: сразу после войны, в конце 1950-х — начале 1960-х годов и в начале 1980-х годов. Директор Национального архива Республики Беларусь Е. И. Барановский объяснил мне, что первые мемуары поступили в ответ на призыв коммунистического руководства рассказать о деятельности Сопротивления в годы войны, так как люди надеялись, что за это им продлят партийные билеты. Второй этап совпал с реабилитацией минского подполья: мемуары присылали в надежде получить статус партизана и сопутствующие ему привилегии и уважение. Мемуары, поступившие на хранение в начале 1980-х годов, служили обоснованием для ходатайств о присуждении пенсии, положенной партизанам.

Помимо национального архива, я обращалась и к другим источникам. Восстанавливая историю осуждения минского подполья советской властью и последовавших за этим репрессий, я обратилась в расположенный в Минске Комитет государственной безопасности (КГБ) за разрешением ознакомиться с делами членов подполья, которые оказались после войны в тюрьмах или трудовых лагерях. Научные сотрудники Центрального архива КГБ Республики Беларусь нашли 20 таких дел и скомпилировали для меня материалы. Аника Вальке, которая, как отмечалось выше, уже занималась историей холокоста на оккупированных советских территориях, изучила для меня немецкие архивы в поисках документов о Минском гетто и его подполье. Найденные ею отчеты оказались весьма полезными, но все же достаточно разрозненными. В то же время минчанка Татьяна Егорова — знакомая Галины, которая получила образование в Германии и проверяла для меня данные, а также искала материалы в национальном архиве, — наткнулась на коробку с немецкими документами времен войны. Среди них был приказ рейхскомиссара Генриха Лозе, озаглавленный «Временные директивы по обращению с евреями на территории рейхскомиссариата Остланд», который предписывал излагать поручения юденратам[2] не в письменном виде, а устно[3]. Если подобная политика распространялась не только на юденраты и местным немецким административным органам приказывали воздерживаться от письменных отчетов о том, как они обращаются с евреями, это объясняет скудость немецких документов о Минском гетто.

За время работы над проектом я сравнительно легко научилась читать на идише и иврите, хотя последний давался мне медленнее и труднее. Мой русский улучшился настолько, что я могла самостоятельно проверять детали, например биографические данные, и определять документы, которые требуют перевода, но не переводить самой. Все документы из Национального архива Республики Беларусь, а также многие другие, найденные мной в Минске, были написаны на русском языке, и почти все они были переведены для меня Галиной Шварц или Полиной Лысюк. В конце 1960-х годов бывшие узники гетто, эмигрировавшие в Израиль, были проинтервьюированы на идише в рамках проекта «Устная история» Еврейского университета. Стенограммы этих бесед стали еще одним источником для моего проекта. Особенно по-

---

[2] Юденрат (нем. Judenrat — «еврейский совет») — в годы Второй мировой войны административный орган еврейского самоуправления, который по инициативе немецких оккупационных властей в принудительном порядке учреждался в каждом гетто для обеспечения исполнения нацистских приказов, касавшихся евреев. — *Примеч. ред.*

[3] НАРБ. Ф. 378. Оп. 1. Д. 698. Л. 7–11.

лезными оказались два обширных интервью на идише, взятые сотрудниками Яд Вашем у руководителя подполья в гетто Гирша Смоляра и Зелика Яфо, сына второго председателя минского юденрата Моше Иоффе. Некоторые из участников проекта «Устная история» также опубликовали свои мемуары в изданной в Израиле на иврите мемориальной антологии еврейской жизни Минска «Minsk, ir ve-em» («Минск — родной город») [Even-Shoshan 1975–1985]. Кроме того, я пользовалась воспоминаниями других узников Минского гетто: написанными на идише мемуарами Реувена Лионда и Абраши Слуховского и вышедшими на иврите воспоминаниями Анатолия Рубина и Якова Гринштейна (правда, в случае с Гринштейном я читала рукопись на идише, которая хранится в архиве Яд Вашем, а не опубликованный перевод на иврите). Пригодился мне также роман еще одного бывшего узника гетто и подпольщика Гирша (Григория) Добина «Сила жизни», опубликованный в Москве на русском языке в 1965 году [Добин 1965] и на идише в 1969 году. Книга Шолома Холявского «В буре истребления» на иврите [Cholavsky 1988], посвященная еврейству Восточной Белоруссии во Второй мировой войне, помогла мне вписать события в национальный контекст. Мои источники также включают в себя документы Хаси Пруслиной: несколько версий ее мемуаров, рассказ о ее борьбе за реабилитацию минских подпольщиков и черновик работы Гирша Смоляра о гетто и его подполье. В своей книге «The Minsk Ghetto: Soviet Jewish Partisans Against the Nazis» («Минское гетто: советские еврейские партизаны против нацистов») Смоляр отмечает, что писал о массовых убийствах евреев в гетто, но Народный комиссариат внутренних дел (НКВД) после войны не дал рукописи хода, и она так и не была опубликована [Smolar 1989: 107]. Возможно, именно об этом черновике и шла речь.

Общее число использованных мной документов из национального архива и других источников слишком велико, чтобы перечислять их здесь. Из наиболее важных — обширные мемуары на немецком (перевод с русского оригинала) бывшей узницы Минского гетто Анны Красноперко, найденные мной в архивах Мемориального музея холокоста в США. Мой покойный коллега

Гэри Лиз любезно перевел для меня этот документ. Помимо этого, я пользовалась материалами из двух книг о Минском гетто, вышедших ограниченными тиражами: «На перекрестках судеб», опубликованного в Минске сборника интервью и воспоминаний бывших узников гетто и белорусов, которые помогали евреям [Аркадьева и др. 2001], и «Дети Минского гетто» Григория Розинского, эмигрировавшего в Израиль российского журналиста [Розинский 2004]. Вторая книга вышла в Тель-Авиве, обе были написаны на русском языке. Наконец, особенно полезными оказались три официальных советских документа о подполье в гетто и минском подполье в целом. В 1981 году научный работник Института истории партии при ЦК КП Белоруссии[4] Анна Купреева написала две тщательно проработанные статьи о Минском гетто. Их так и не опубликовали, но рукописи можно найти в национальном архиве. В 1959 году в ходе официального пересмотра статуса минского подполья группа исследователей, связанных с Институтом истории, написала работу, которая также не была опубликована, но послужила основой для признания минского подполья коммунистической партией. Этот неопубликованный документ, который научный руководитель национального архива Е. И. Барановский великодушно разрешил мне скопировать, был тщательно изучен и широко цитируется.

В некоторых случаях мои источники пересекались: я находила письменные воспоминания бывших узников гетто, у которых брала интервью, или опубликованные рассказы тех, чьи интервью попадались мне в коллекции проекта «Устная история». Это было даже полезно, так как позволяло сверять современные свидетельства с тем, что было написано или сказано десятилетиями ранее. В некоторых случаях ранние свидетельства оказывались более четкими и подробными. Иногда разные аспекты истории излагались в одних случаях подробнее, чем в других, и я могла составить полную картину пережитого человеком, опираясь на несколько источников.

---

[4]   С октября 1990 года — Институт историко-политических исследований. — *Примеч. ред.*

Эта книга основана главным образом на свидетельствах выживших о том, что происходило в годы войны. В связи с этим неизбежно возникают вопросы о точности и правдивости таких рассказов. Проводя интервью и читая письменные мемуары, я отдавала себе отчет в том, что воспоминания этих людей могут быть далеки от идеала и что некоторые из них могут преувеличивать или даже выдумывать какие-то вещи. Чтобы выявить подобные изъяны, я сверяла рассказы разных людей об одних и тех же событиях. В большинстве случаев мне удавалось найти не меньше двух разных свидетельств. Помогало и то, что бывшие узники Минского гетто знали друг друга и часто были знакомы уже во время войны: я могла проверить чей-то рассказ, попросив другого человека рассказать о том, что он помнит или думает о произошедшем. В Израиле бывшие узники Минского гетто не образуют такого тесного сообщества, как те, кто остался в Белоруссии, но даже среди них мне попадались небольшие группы людей, знавших друг друга со времен войны, и, сверяя их истории, я могла прояснить непонятные мне детали. В целом я заметила, что и в интервью, и в письменных мемуарах люди достаточно точно описывали события, в которых сами участвовали. Больше всего неточностей обнаруживалось, когда они рассказывали о том, что узнали из вторых или третьих рук. Кроме того, я заметила, что иногда люди специально опускают некоторые моменты, полагая, что меня не интересуют детали. Порой, просматривая записи, я находила описание событий, последовательность которых казалась мне бессмысленной. Тогда я возвращалась к тем, у кого брала интервью, и объясняла им проблему. Всякий раз я получала более подробный рассказ об интересующих меня событиях, который ее решал.

Однажды я интервьюировала женщину, которая в красках рассказала мне о своей жизни в гетто, побеге и последовавших за ним приключениях в качестве связной партизан. К тому времени я уже слышала достаточно историй от бывших узников гетто, чтобы иметь представление о жизни в нем и за его пределами, и что-то в ее рассказе меня насторожило. Я встретилась с этой женщиной, потому что она была в моем списке участников Сопротивления. Тогда я отправилась к Фриде Рейзман, возглавлявшей одну из ассоциаций бывших узников гетто, перечислила ей тех, у кого уже взяла интервью, и спросила, есть ли в этом списке те, к чьим словам мне стоит относиться с подозрением. Стоило мне назвать имя этой женщины, Рейзман воскликнула: «Она что, сказала, что была в гетто? Она не провела там ни единого дня!» Она рассказала, что упомянутая мной женщина всю войну пряталась у родственников мужа, который не был евреем, в деревне за пределами Минска. «Так врать историку — это уже перебор! Я обязательно позвоню ей и скажу все, что об этом думаю», — возмущалась Рейзман. Она уже собиралась взять со стола телефон, но я остановила ее, сказав, что рада тому, что меня предупредили, и что я не стану включать рассказ этой женщины в свою книгу, но мне не хотелось бы, чтобы у нее были из-за этого проблемы.

Это, конечно, радикальный пример, так как вся история оказалась выдумкой; заметить отдельные придуманные или скрытые детали было бы гораздо сложнее. Тем не менее этот случай показывает, что ложь нередко не очень убедительна, и служит неплохой демонстрацией того, как много можно узнать, общаясь с людьми из одного круга. В какой-то момент я осознала, что чем больше я узнавала о Минском гетто и Сопротивлении, тем лучше понимала то, о чем мне рассказывают, и могла соединять фрагменты одной или разных историй. Люди, с которыми я разговаривала, нередко опускали детали, которые считали неважными; чем больше я узнавала о гетто и его подполье, тем лучше у меня получалось задавать правильные вопросы.

Закончив свое исследование и набросав значительную часть этой книги, я привезла черновики в Минск. Во время этой поездки мы с Галиной несколько раз встречались с Михаилом Трейстером и Михаилом Канторовичем — бывшими узниками гетто и главами самой крупной организации, которая их объединяла. Галина переводила рукопись, они делали замечания, а я их записывала. Те части черновика, которые Галина им зачитывала, касались не отдельных свидетельств, а моего описания жизни в гетто и Минске военного времени, побегов в лес и отношений между евреями и белорусами. Их комментарии были чрезвычайно полезны.

Глава 1

Еврейско-белорусская солидарность в Минске во время Второй мировой войны

В своей книге «Соседи: история уничтожения еврейского местечка» Ян Гросс рассказывает о том, что случилось с этнически наполовину еврейским, наполовину польским городом Едвабне (современная Польша), когда его захватили немцы [Гросс 2002]. Оккупанты дали понять польскому мэру города, что он и его сторонники могут делать с евреями все, что им заблагорассудится. После этого мэр устроил в городе резню, в ходе которой банды поляков убили практически всех проживавших в Едвабне евреев. Книга Гросса наделала много шума в Польше и за ее пределами, продемонстрировав масштабы сотрудничества местных жителей с нацистскими антисемитами. Она также подчеркнула идею, которая уже заняла центральное место в истории холокоста: у евреев было мало надежных союзников, если они вообще были. Во время оккупации остальные либо помогали немцам, либо стояли в стороне, пока те уничтожали евреев.

Примеры тому можно найти во многих уголках оккупированной Восточной Европы. Крупные еврейские подпольные движения в Варшаве, Белостоке, Вильнюсе и Каунасе почти не нашли союзников за пределами гетто. Были отдельные неевреи, которые рисковали жизнью, помогая евреям бежать или оказывая поддержку еврейским подпольщикам. Существовали также небольшие организации, которые пытались содействовать. Однако устойчивой и организованной поддержки гетто извне не было ни в Польше, ни в Литве. Да, Совет помощи евреям (Польша), более известный под своим кодовым названием «Жегота», спас жизни тысячам евреев. Он состоял из небольшого числа высокопоставленных членов подполья, полных решимости сделать все возможное, чтобы помочь евреям. Но, к сожалению, такие настроения были не слишком распространены в польском подполье. Конечно, маловероятно, что массовые расправы над евреями удалось бы предотвратить одними лишь внутренними усилиями. Большинство еврейского населения Восточной Европы было уничтожено в 1942 году, когда немцы были на пике могущества и убивали не только евреев, но и поляков, белорусов, украинцев и представителей многих других народов. Но если нееврейские организации, обладавшие значительным влиянием и ресурсами, сделали бы все, что было в их силах, удалось бы выжить гораздо большему числу евреев, а оптимистичные представления о храбрости и благородстве человеческого духа могли бы пережить войну почти нетронутыми.

Немецкая армия заняла Едвабне по пути к изначальным территориям Советского Союза (к которым не относились западные регионы, занятые Советами после 1 сентября 1939 года). Менее чем через неделю, 27 июня 1941 года, немцы достигли Минска, столицы БССР. Коммунистическое правительство бежало на восток вместе с отступающей Красной армией. Сначала немецкие самолеты устроили бомбардировку города, затем в него вошла немецкая армия и быстро взяла его под свой контроль, как это происходило повсюду к западу. Немцы были менее сдержанны в своем насилии по отношению к евреям в Восточной Белоруссии и на Украине, чем в западных областях, чье население присоединилось к Советскому Союзу не по своей воле. На территории, которая когда-то была Белорусской ССР (восточная часть нынешней Республики Беларусь), они просто собирали евреев и расстреливали их на месте либо сгоняли в гетто, которые вскоре уничтожали вместе со всеми жителями. Во многих случаях убийства происходили прямо на глазах местного населения. К западу от оккупированных советских территорий немцы пошли на многое, чтобы скрыть свои расправы над евреями от неевреев. В Белоруссии же они действовали так, словно их не волновала реакция местных жителей или же они рассчитывали на их поддержку.

Впрочем, если немцы действительно надеялись на единодушную поддержку местного населения, они просчитались, по крайней мере в случае с Минском. Здесь быстро возникло мощное движение Сопротивления. В гетто и за его пределами, на территориях, которые евреи и неевреи называли городом, создавались тайные формирования, состоявшие из рядовых коммунистов (которые, в отличие от партийных лидеров, остались в Минске) и тех, кому они доверяли. Вместе эти группы образовали единое подполье, в которое входили как белорусы, так и евреи. Благодаря ему, а также помощи многих белорусов, которые не были членами подполья, тысячам евреев удалось бежать из гетто и присоединиться к партизанским отрядам, скрывавшимся в окрестных лесах. Никто точно не знает, сколько именно их было, но счет однозначно идет на тысячи, а некоторые даже оценивают число присоединившихся к партизанам евреев в 10 000, притом что население гетто на пике составляло около 100 000 человек. Нигде больше в оккупированной Восточной Европе такому количеству евреев не удавалось бежать из гетто и стать частью Сопротивления. В Минске это стало возможным благодаря союзу евреев и неевреев за его пределами[1].

---

1   Гирш Смоляр оценивает число евреев, которым удалось добраться до леса, то есть присоединиться к партизанам, примерно в 10 000 к концу войны, см. [Smolar 1989: 158]. В интервью Яд Вашем в 1972 году он говорит, что пришел к этой цифре в разговорах с другими лидерами подполья, которые, как и сам Смоляр, были к тому времени членами партизанских отрядов. По его оценкам, 2 000 из этих 10 000 человек прибыли в группах, которые отправляли сами подпольщики, см.: Yad Vashem Archives. 03/3605. Бывший член подполья в гетто Яков Гринштейн повторил эту оценку в моем с ним интервью (Гиватаим, Израиль, 12.11.2000). По его словам, половина евреев была переправлена в лес подпольем, а остальные добрались до партизан без его помощи. Насчет численности населения гетто также нет ясности. В книге «Мстители гетто» Смоляр называет в качестве максимума цифру 80 000 человек [Смоляр 1947], а в книге «Минское гетто: советские еврейские партизаны против нацистов» он говорит уже о 100 000 [Smolar 1989: 52]. Шломо Шварц приво-

Мой рассказ о минском Сопротивлении основан на более чем 50 интервью с выжившими узниками гетто и на несколько большем количестве письменных воспоминаний, основная часть которых принадлежит людям, пережившим заключение в гетто, в том числе членам Сопротивления, а меньшая — участникам белорусского подполья за его пределами. Эти свидетельства показывают, насколько широким было Сопротивление в Минском гетто и что оно приняло иную форму по сравнению с аналогичными и более известными движениями в Варшаве и Вильнюсе. Там, как и в других городах Польши и Литвы, еврейское подполье пыталось организовывать мятежи внутри стен гетто. Эти попытки увенчались успехом только в Варшаве, где вспыхнуло крупномасштабное восстание. В других местах у подпольщиков ничего не получилось, так как было понятно, что восстания обречены на провал. Однако, учитывая отсутствие союзников за пределами гетто, им было сложно найти альтернативу такому сценарию. В Минском гетто, напротив, никто не пытался устроить восстание. Вместо этого основной целью подполья было переправить в лес как можно больше евреев, чтобы они могли присоединиться к растущему советскому партизанскому движению. Бегство к партизанам также стало целью для большого количества евреев, не принадлежавших к подполью; по сути, оно стало основной стратегией движения Сопротивления всего гетто.

Бежать из Минского гетто было реальнее, чем из многих крупных гетто на западе, и этому способствовал целый ряд факторов. Во-первых, в Минске немцы начали убивать евреев и тысячами отправлять их на верную смерть почти сразу после образования гетто. В то же самое время они осуществляли массовые убийства во многих гетто Польши и Литвы, но там им

дит озвученные Смоляром 80 000, но добавляет, что сразу после войны народный комиссар иностранных дел Белорусской ССР К. В. Киселев упомянул в разговоре с корреспондентом газеты Morgen Freiheit, что в гетто поначалу содержалось 75 000 минских евреев, но затем его население выросло до 100 000, когда туда стали свозить евреев из близлежащих городов и Центральной Европы, см. [Shvartz 1967: 41, 65–66]. Шварц цитирует выпуск Morgen Freiheit от 23 мая 1945 года.

куда чаще удавалось убедить оставшихся жителей в том, что евреев, которых забирали из гетто, отправляли на работу в другие места. В Минске все знали, что евреев из гетто тысячами уводят на смерть. Эти массовые убийства, которые евреи называли погромами, ясно давали понять оставшимся, что пребывание в гетто закончится их гибелью.

В то же время из Минского гетто было проще сбежать, чем из многих других. Так, 19 июля 1941 года, спустя несколько недель после взятия Минска, немцы объявили, что все еврейское население «обязано переселиться в еврейский район», состоявший примерно из 20 кварталов, разделенных несколькими крупными улицами и изрезанных извилистыми переулками. Исторически именно здесь жили минские евреи, но к началу войны многие из них переселились в другие районы города. В своем распоряжении о создании гетто немцы также объявили, что «еврейский жилой район должен быть обнесен каменной стеной» из кирпича[2]. Вместо этого они установили по его периметру забор из колючей проволоки, который охраняли патрули, а не регулярные часовые. Относительно слабая охрана была, пожалуй, следствием ограниченности ресурсов: немецкой администрации также приходилось следить за многочисленными лагерями для военнопленных в Минске. В первых числах января 1942 года немцы уже подавили одну попытку восстания. Так как речь шла о бывших солдатах, обладавших военным опытом, они, несомненно, представляли для немцев бо́льшую угрозу, чем жители гетто. Немцы не ожидали от евреев сопротивления, поэтому могли относиться к охране гетто несколько более небрежно[3].

По сравнению с некоторыми другими Минское гетто было более «проницаемым». Проползти под колючей проволокой, когда рядом не было патруля, было очень опасно, но все же возможно. Многие евреи, которые пытались это сделать, были пойманы и убиты. Немцы практически не поставляли продовольствия в гетто; те его жители, которые работали на оккупантов

---

[2] См. [Адамушко и др. 1998: 18–22].

[3] Интервью с Р. А. Черноглазовой. Минск, 15 сентября 2003 года.

в городе, получали небольшое количество еды на своих рабочих местах. Многие евреи, особенно дети и подростки, регулярно покидали гетто, чтобы найти пропитание для своих семей. Набравшись решимости, они могли в нужный момент пролезть под заграждением или пристроиться к колонне, которую выводили на работу, а затем незаметно ее покинуть. Евреи были обязаны носить желтые латы[4] на верхней одежде, и тем, кто нелегально входил и выходил из гетто, нужно было придумать, как сделать так, чтобы их можно было снять и быстро вернуть обратно.

Другим фактором, способствовавшим бегству евреев из Минского гетто, была близость леса и прятавшихся там партизанских отрядов. Все дороги из Минска шли через леса, усеянные небольшими крестьянскими поселениями. В нескольких километрах от города начинались непроходимые заросли из разросшихся до огромных размеров деревьев и кустарников, которые белорусы называют пущей. Они и стали защитой для молодых людей, в основном бывших красноармейцев, ушедших в леса в первые месяцы оккупации, чтобы организовать движение Сопротивления. Белорусская пуща подходила для этого гораздо лучше, чем, скажем, леса вокруг Понаров под Вильнюсом, куда немцы свозили евреев на убой. Многие из них пытались сбежать из Понаров, но удавалось это лишь единицам. Лес вокруг был редок и не прощал ошибок. Деревья стояли далеко друг от друга, а подлеска между ними почти не было, так что местность хорошо просматривалась на значительные расстояния и немцы могли без особого труда подстрелить тех, кто пытался бежать. Белоруссия стала центром партизанского движения не только из-за враждебности белорусов к немцам, но и потому, что густые и обширные леса являлись идеальным плацдармом для сопротивления и притягивали к себе советских партизан со всего региона.

---

[4] Желтая лата — особый отличительный знак спереди и сзади на верхней одежде, который должны были носить евреи на подконтрольной властям Германии территории для того, чтобы в соответствии с расовой политикой нацистов можно было отличить еврея от человека другого этнического происхождения. Чаще всего латы делались из куска ткани желтого цвета, были в виде круга или шестиконечной звезды. — *Примеч. ред.*

Слухи о партизанских отрядах в окрестных лесах пошли по гетто почти сразу после его создания. К лету 1942 года Белоруссия стала центром растущего советского партизанского движения, а количество отрядов, базировавшихся в лесах вокруг Минска, постоянно увеличивалось [Slepyan 2000: 10][5]. Вступление в ряды партизан давало узникам гетто надежду на отпор и шанс пережить войну. Но попасть в такой отряд было весьма непросто. Они часто перемещались, что затрудняло налаживание связей, и многие отряды принимали только добровольцев с оружием, а оно было лишь у нескольких евреев. Подпольщикам в гетто удалось вступить в контакт с несколькими партизанскими отрядами, но в основном связь поддерживалась через членов белорусского подполья, у которых было куда больше возможностей для перемещения по сельской местности, а значит, и для взаимодействия с партизанами.

Забор из колючей проволоки и партизанские отряды в близлежащих лесах создавали условия для бегства из Минского гетто. Но оно никогда бы не достигло таких масштабов без постоянного и организованного сотрудничества между евреями и белорусами за его пределами. Сразу после создания гетто в нем стали появляться тайные группы, состоявшие в основном из коммунистов и проверенных друзей, которым они могли доверять. На своих собраниях они обсуждали возможные способы нападения. Параллельно такие же группы создавались белорусскими коммунистами за пределами гетто. (Под белорусскими здесь понимаются не только этнические белорусы, но и любые граждане Белоруссии вне зависимости от их национальности и этнической принадлежности. Кроме того, во время войны так называли всех христиан и лиц славянского происхождения, исключая таким образом евреев, татар и цыган.) В конце ноября — в декабре 1941 года была создана общегородская подпольная организация, включившая в себя гетто. Его представители вошли в городской комитет, руководивший всем подпольем.

---

[5] К. Слепян оценивает общее количество советских партизан к июню 1942 года в 70 000. Он также пишет, что к январю это число выросло до 120 000, а к июню 1943 года партизан было уже по меньшей мере 180 000.

Когда создавался горком, его полное название звучало как Второй (Вспомогательный) городской комитет Коммунистической партии Белоруссии. Такое громоздкое наименование объяснялось неясным статусом подполья как коммунистической организации. Многие рядовые минские коммунисты считали, что коммунистические лидеры должны были оставить в городе комитет, которому была бы поручена организация Сопротивления, и что этот комитет скоро выйдет с ними на связь. Участники тайных групп, создававшихся в первые недели и месяцы после начала оккупации, часто не решались пойти на создание официальной подпольной организации, опасаясь перейти дорогу законному и уполномоченному комитету, что после войны могло быть расценено как нарушение субординации. В гетто некоторые западники, входившие в состав тайных групп (евреи, в основном коммунисты, но не из Советского Союза, а беженцы, угодившие в Минске в ловушку), смеялись над этими страхами и заявляли, что лучшим способом найти Первый комитет будет создание подпольной организации. Поскольку законный Первый комитет так и не объявился, а необходимость в организации Сопротивления нарастала, в знак уважения к Первому комитету горком был создан со словом «Второй» в названии. К слову, Первый комитет не был найден, потому что его и не существовало. Постепенно определения «Второй» и «Вспомогательный» вышли из употребления, а подпольщики стали считать свою организацию легитимным подпольем — минским ответвлением того, что, как они надеялись, со временем превратится в более широкое коммунистическое движение Сопротивления в оккупированной Белоруссии. Позже выяснится, что белорусские коммунисты были правы, опасаясь последствий того, что они действовали без одобрения партийного руководства.

Среди тех, кто создавал подполье, не было дебатов на тему того, нужно ли неевреям объединяться с евреями. То, что разные национальности, из которых состояло население Белоруссии, вольются в единое, возглавляемое коммунистами движение Сопротивления, считалось само собой разумеющимся. Так как условия в гетто сильно отличались от порядков снаружи (жителям было запрещено покидать гетто, где регулярно происходили массовые расправы), а пересекать так называемую границу с городом было крайне опасно, еврейское и белорусское подполья действовали в значительной степени независимо. Тем не менее обе стороны часто отправляли друг другу связных. Некоторым подпольщикам было поручено регулярно покидать гетто для поддержания связи с городской организацией, члены которой тоже часто наведывались в гетто. Обе организации тесно работали над тем, чтобы переправить как можно больше евреев к партизанам. Часть евреев отправлялась в лес прямиком из гетто, других присоединяли к группам, выходившим из города[6].

Вскоре все гетто узнало о существовании подпольной организации, которая переправляет евреев в лес. Частично в этом были виноваты сами немцы, публично выступившие против подполья и его связей с партизанами. Среди евреев было много желающих отправиться в лес или присоединиться к подпольщикам, но они не знали, как их найти. Вдохновленные их примером, они стали самостоятельно уходить в лес — чаще группами, но иногда и в одиночку. Со временем число евреев, покидавших гетто без помощи подполья, росло. Бегство было рискованной затеей, но оставаться в гетто было еще опаснее. По оценкам выживших, двое из троих евреев, покидавших гетто без помощи или инструк-

---

[6] Эволюция подполья в гетто, создание общегородской организации и последующая история движения Сопротивления в гетто описаны в двух книгах Смоляра, а также в следующих рукописях: Купреева А. П. Подполье Минского гетто // НАРБ. Ф. 4683. Оп. 3. Д. 1197; Липская Р. А. Отчет секретаря подпольной десятки в Минском гетто // НАРБ. Ф. 4683. Оп. 2. Д. 77; Мачиз А. С. Минское гетто (доклад бывшего члена подполья гетто, представленный в партизанском отряде в декабре 1943 года) // НАРБ. Ф. 4. Оп. 33а. Д. 656; Мачиз-Левина А. С. Документы о подпольной борьбе в Минском гетто в годы Великой Отечественной войны. 1974, 1981 // НАРБ. Ф. 4386. Оп. 3. Д. 1196; Купреева А. П. Исследование активности территориальной подпольной группы, действовавшей в гетто в районе Татарской улицы // НАРБ. Ф. 4683. Оп. 3. Д. 1198; Grinstein Y. Umkum un Vidershtand af Vaysrusisher Erd, 1941–1945 // Yad Vashem Archives, 033/459. Последнее является рукописью опубликованной позже на идише книги Гринштейна «Уцелевший с Юбилейной площади», см. [Grinstein 1969].

ций от подполья, становились жертвами немецких патрулей или выдававших их белорусов. Некоторые погибали, пока блуждали по лесу в поисках партизанских отрядов. Других убивали сами партизаны. Некоторые отряды — особенно в первые месяцы войны — предпочитали грабить и убивать тех, кто к ним приближался. Антисемитизм тоже играл свою роль. Тем не менее тысячам евреев из Минского гетто удалось добраться до леса и присоединиться к советским партизанским отрядам без помощи подполья.

Отправка евреев в лес была главной, но не единственной задачей организации. Подпольщики также проводили диверсии в самом гетто. Глава юденрата Илья Мухин и многие его члены тесно сотрудничали с подпольем, благодаря чему подпольщикам часто удавалось внедрить своих агентов на военные предприятия, чтобы портить продукцию, которая предназначалась для немецкой армии, а также на оружейные фабрики, где они могли похищать части оружия. Иногда члены белорусского и еврейского подпольев оказывались на одних и тех же фабриках и помогали друг другу устраивать диверсии. Кроме того, совместными усилиями обеих организаций была создана подпольная типография, где печатались листовки и тоненькая газета из нескольких страниц с новостями о ходе войны, которые затем распространялись как в Минском гетто, так и за его пределами. Помимо этого, подпольщики вместе работали над спасением из гетто детей. Связанные с Сопротивлением еврейки помогали им пробираться под колючей проволокой и передавали ждавшим снаружи белорусским участницам подполья. Затем их отводили в белорусские приюты, директора которых были готовы прятать у себя евреев, или пристраивали в семьи белорусских подпольщиков. Так удалось спасти жизни сотен детей.

Сопротивление в гетто и за его пределами не ограничивалось действиями членов минского подполья. Практически в каждой кампании или акции, и особенно это касалось отправки евреев к партизанам, участвовали люди, не имевшие отношения к подпольным организациям. Подавляющее большинство евреев, бежавших из гетто к партизанам, получили помощь от одного или нескольких белорусов, которые не всегда были связаны с подпольем. Некоторым помогали друзья, бывшие соседи, одноклассники или коллеги по работе, другим — чужаки, личность которых так и осталась для них загадкой. Конечно, такие свидетельства в основном строятся на историях выживших: у тех, кто не получил никакой поддержки, было гораздо меньше шансов сохранить свою жизнь. И тем не менее, учитывая, как часто в мемуарах и разговорах со мной упоминались предлагавшие свою помощь белорусы, таких людей действительно было много.

В основе отпора немецкой оккупации в Минске лежали тесные связи между евреями и белорусами, подпольщиками и теми, кто не входил в подобные организации, товарищами, друзьями, знакомыми и чужаками. Подполье находилось в центре подобных операций и в целом руководило или хотя бы вдохновляло людей на борьбу, но не менее важную роль играли евреи и белорусы, которые не были частью организаций: именно они создавали культуру солидарности между евреями и неевреями. Чем больше было белорусов, готовых рисковать собой ради евреев, тем безопаснее это становилось для самих белорусов и тем выше были шансы каждого беглеца из гетто добраться до партизан. Такая солидарность была официальной политикой подпольной организации, и многие члены подполья неоднократно рисковали своими жизнями, поддерживая контакты и оказывая помощь по обе стороны возведенного немцами этнического барьера. За пределами организации солидарность во многом основывалась на личных связях между друзьями, бывшими соседями, коллегами и прочими, но находились и те, кто руководствовался своими принципами, а не связями. Даже в гетто многие евреи оставались в контакте с друзьями и бывшими соседями, и иногда эти контакты ложились в основу сети Сопротивления. Некоторым евреям в гетто так и не удалось выйти на местное подполье, и вместо этого они присоединились к городским подпольщикам. Были и белорусы, которые не вступили в городскую подпольную организацию (возможно, потому, что им не удалось ее найти) и создали свои группы, которые либо взаимодействовали с подпольщиками в гетто, либо занимались спасением евреев.

Рис. 1. Мира Рудерман после войны. Фото из личного архива М. М. Рудерман

Две истории, рассказанные мне выжившими, хорошо иллюстрируют эти связи между евреями и неевреями, подпольщиками и обычными людьми, лежавшие в основе еврейского Сопротивления в Минске.

ИСТОРИЯ МИРЫ РУДЕРМАН

Мире Рудерман было 15 лет, когда ее семью вывезли из деревни под Минском и насильно загнали в гетто (см. рис. 1). Мира с родителями, младшим братом Мареком и малышом Немой поселились у дяди, чья семья жила в еврейском квартале до того, как его превратили в гетто. Каждое утро Мира уходила из гетто на работу с колонной евреев. Она устроилась уборщицей в городской кинотеатр, которым управляли немцы. На работе ей давали жидкий водянистый суп и несколько кусочков хлеба, и она делала все возможное, чтобы принести еду семье[7].

---

[7] Интервью с Мирой Рудерман. Минск, 8 октября 1999 года, 20 июля 2000 года и 11 сентября 2003 года.

Как Мира рассказывала много десятилетий спустя, однажды, стоя возле проволочной ограды гетто, она увидела по ту сторону белорусскую девушку по имени Шура Янулис, которая подзывала ее к себе. До войны Шура с семьей часто останавливались у Рудерманов, снимая у них жилье, чтобы отдохнуть от города в сельской местности. Мира подошла, чтобы поговорить с Шурой, и девушка спросила ее, не хочет ли она помочь подполью. Немцы арестовали руководителя подпольного движения Илью Кабушкина, и подпольщики искали среди работавших в минской тюрьме евреев тех, кто согласился бы передавать сообщения подполья Кабушкину и обратно. Возможно, сказала Шура, Мира сможет найти такого человека. Как и все жители гетто, Мира знала, что у подпольщиков есть связи с партизанами. Она спросила Шуру, смогут ли подпольщики переправить ее к партизанам, если она им поможет. Шура ответила утвердительно, и Мира согласилась подыскать человека, который мог бы передавать сообщения Кабушкину. В одном дворе с Мирой жили сестры Книговы — Таня и Фрида, две молодые девушки, которые были уборщицами в тюрьме. Они регулярно убирались в камере Кабушкина и в ответ на просьбу Миры согласились быть его связными. Так была создана цепочка коммуникации: представительница подполья встречалась с Мирой в женском туалете кинотеатра и передавала ей сообщение для Кабушкина; вернувшись в гетто, Мира передавала сообщение сестрам, а те доносили его до Кабушкина. Его ответ возвращался по той же цепочке.

Спустя какое-то время подпольщики нашли тюремного охранника, который в обмен на шубу и несколько золотых монет согласился передать Кабушкину дубликат ключа от его камеры и отвернуться во время побега. Один из подпольщиков принес в кинотеатр шубу, деньги и ключ. Дело было ранней весной, и в холода Мира носила овчинный тулуп, который привезла с собой в гетто. Тем вечером, возвращаясь домой, она надела под тулуп шубу, в карманах которой лежали ключ и монеты. Мира отдала вещи сестрам, но не успели они передать шубу, как немцы каким-то образом прознали о побеге. По городу прокатилась волна арестов. Кто-то из подпольщиков дал Мире таблетки морфина и цианистого калия на случай ареста. Через несколько дней, выглянув из окна, Мира увидела, как немецкие солдаты входят в ее дом. Она приняла морфин, и, когда солдаты поднялись в ее комнату, девушка была уже без сознания. Немцы, видимо, решили, что Мира мертва, и не стали ее трогать. Но после их ухода врач из местной больницы, которая была центром подпольной деятельности, промыл девушке желудок и поставил ее на ноги.

Придя в себя, Мира решила, что с нее хватит жизни в гетто, пора уходить к партизанам. Она не знала, искали ли солдаты именно ее или приходили по какому-то другому делу, совершенно с ней не связанному. Но если немцам была нужна Мира, у нее было совсем мало времени, прежде чем они узнают, что она все-таки жива, и снова придут за ней. Девушка решила бежать сразу, не обращаясь за помощью к подполью. Благодаря своим связям она знала, куда идти, когда выберется из гетто, чтобы попасть в партизанский район. Мира предложила сестрам Книговым бежать с ней, но те отказались, потому что не хотели оставлять Кабушкина, страдающего от постоянных пыток, до тех пор пока он жив. Позже немцы казнили сестер, узнав об их связях с подпольем.

Своего отца и брата Марека, который был немного младше ее, Мира все же убедила отправиться с ней к партизанам. С наступлением сумерек трое Рудерманов покинули свой дом. Часто бывало, что люди следовали за тем, кто целенаправленно шел в такое время к забору, думая, что он собрался уходить в лес и даже, возможно, связан с партизанами. За Рудерманами тоже последовала толпа, которая полезла с ними через колючую проволоку. Когда Мира, обмотав руки платком, взялась за нижнюю часть ограждения, звякнули кусочки металла, прикрепленные к ней специально на случай побега. Прибежавший полицейский был безоружен, но позвал находившихся рядом коллег. В начавшейся суматохе Рудерманам все же удалось сбежать. Она прошли по окраинам города, а затем повернули на запад, к лесу, и не останавливались всю ночь. По пути им попадались трупы; Мира решила, что это тела евреев, которые, как и они, сбежали из гетто и погибли, пытаясь найти партизан. Эти тела напоминали Рудерманам о том, на какой риск они пошли, покинув гетто, да еще и без помощи подполья. У них не было оружия, Мира была молодой девушкой, а ее брат был слишком юн, чтобы стать бойцом. К тому же они все были евреями. У Рудерманов было мало причин надеяться, что им повезет больше, чем этим несчастным, и их примут в партизанский отряд.

Утром семья вошла в деревню и встретила человека, который спросил их, не ищут ли они партизан. Рудерманы ответили утвердительно, и тогда он предложил отвести их к отряду. Мира пошла с ним одна, оставив отца и брата дожидаться в деревне. У нее сложилось впечатление, что ее проводник-белорус помогал партизанам в надежде, что его тоже примут в отряд. Мужчина привел ее в лес на базу отряда, который возглавлял украинец Семен Ганзенко. Тот спросил Миру, как ее зовут и откуда она. Когда девушка ответила, что ее фамилия Рудерман и она из Минского гетто, Ганзенко воскликнул: «Моя жена тоже Рудерман, и она тоже из Минска! Должно быть, вы мои свояки!» Как позже узнала Мира, это было правдой: спутницей Ганзенко была девушка из Минска по имени Фаня Рудерман, с которой они познакомились в партизанском отряде. Ганзенко принял Рудерманов в свой отряд. Мире и ее отцу дали оружие, и они стали бойцами, а Марека отправили в семейную группу, состоявшую из женщин и детей, которые не могли сражаться. Они занимались готовкой и уборкой лагеря.

Все трое Рудерманов пережили войну. Мира была уверена, что Ганзенко взял их в отряд из-за предполагаемой родственной связи и своей любви к Фане. Она также отметила, что за время войны к отряду присоединилось еще много евреев.

Однако Мира не знала, по крайней мере в то время, что у такого отношения Ганзенко к евреям были и другие причины, помимо его чувств к своей подруге. Он был офицером Красной армии и весной 1942 года, за несколько месяцев до прихода Рудерманов, еще находился в минском лагере для военнопленных. В том лагере на Широкой улице работало несколько подпольщиков из гетто, которым было поручено помогать пленным перебегать к партизанам. Одним из них была переводчица и секретарь коменданта лагеря Соня Курляндская, остальные занимались вывозом мусора. Подпольная организация уже переправила из гетто в лес группу, которая, объединившись с белорусами, создала новый партизанский отряд. После этого в гетто пришло сообщение, что отряду требуется командир с боевым опытом. Когда Курляндская узнала, что один из заключенных лагеря — Ганзенко — был командиром в Красной армии, подпольщики решили его вызволить. Ганзенко и еще нескольких военнопленных посадили в бочки с мусором и дали трубочки, через которые можно было дышать. Внедренные агенты подполья вывезли эти бочки за пределы лагеря[8]. В заранее оговоренном месте их ждала связная со стороны партизан — молодая еврейка Таня Лифшиц. Мужчин вытащили из бочек, и Лифшиц отвела их в лес, где Ганзенко возглавил новый отряд[9]. Ганзенко быстро поднялся в партизанской иерархии: его считали приличным человеком и даже другом евреев. Возможно, он принял бы Рудерманов в свой отряд, даже если бы подпольщики и связная, которые спасли ему жизнь, не были евреями. Но кажется весьма вероятным, что собственная история Ганзенко сказалась на его готовности им помочь.

К весне 1943 года, спустя год после появления отряда Ганзенко, евреи уже массово бежали из Минского гетто, которое оставалось крупнейшим из сохранившейся горстки гетто и еврейских трудовых лагерей на территории Белоруссии. Многие из них отправлялись в леса в поисках партизан. К тому времени нескольким выходцам из подполья удалось занять руководящие должности в своих отрядах, да и вообще среди сбежавших евреев бытовало мнение, что немцы скоро уничтожат Минское гетто так же, как уничтожили многие другие. Тогда несколько минских евреев в партизанском командовании, самым влиятельным из которых был Шолом Зорин, обратились к Ганзенко с предложением создать большой семейный лагерь, где могли бы укрыться бродившие по

---

[8] Интервью с Яковом Гринштейном. Гиватаим, Израиль, 12 ноября 2000 года.

[9] Интервью с Таней Лифшиц-Бойко. Бат-Ям, Израиль, 10 ноября 2000 года.

лесу евреи, прежде всего женщины, дети и старики, которые не могли быть бойцами. Они также убеждали его отправить в гетто связных, чтобы вывести как можно больше людей, а тех, кто не может воевать, разместить в этом семейном лагере.

Сперва Ганзенко отказался. С военной точки зрения это была совершенно нетривиальная идея — выделить военные ресурсы, включая бойцов, на создание подразделения, не обладающего боевым потенциалом. Но затем Ганзенко изменил свое мнение. Он назначил Зорина командиром Еврейского семейного партизанского отряда (позднее — партизанский отряд № 106), более известного как отряд Зорина, и выделил для этой цели 18 бойцов. Ганзенко разослал по округе и отправил в гетто связных, чтобы они приводили евреев. Тех, кто не мог сражаться, отправляли в отряд Зорина, остальных либо приписывали к его боевой роте, либо переводили в другие подразделения. В итоге численность отряда достигла 558 человек, 137 из которых — 121 мужчина и 16 женщин — были членами боевой роты. Оставшиеся (421 человек) жили в семейном лагере. Это были небоеспособные женщины, дети и старики. Всего отряд Зорина состоял из 557 евреев и 1 белоруса. Зоринцы помогали другим партизанским отрядам: в их лагере делали обувь и шили одежду, здесь были пекарня, прачечная и медицинский пункт.

Боевая рота защищала отряд от немцев, иногда вступая в бой. Но чаще зоринцы в полном составе просто уходили глубже в лес, где враг не мог их достать. Не считая нескольких убитых бойцов в последние месяцы войны, отряд Зорина прошел ее почти без потерь[10].

---

[10] Спасение Ганзенко из лагеря для военнопленных на Широкой улице, роль, которую он сыграл как друг евреев в партизанском движении, и его участие в создании отряда Зорина описаны в мемуарах Абраши Слуховского, посвященных времени, которое он провел в Минском гетто и с партизанами, см. [Slukhovsky 1975: 134–137]. Я. Гринштейн также описывает спасение Ганзенко из лагеря и его роль в создании отряда Зорина в рукописи на идише: Grinstein Y. Umkum un Vidershtand af Vaysrusisher Erd, 1941–1945. P. 74–77 // Yad Vashem Archives. 033/459. Цифры о численности отряда Зорина взяты мной из: НАРБ. Ф. 3500. Оп. 5. Д. 402.

ИСТОРИЯ РАИСЫ ХАСЕНЕВИЧ

Раисе Григорьевне Хасеневич было 27 лет, когда ее вместе с сестрой, племянником и двумя маленькими детьми — четырехлетним Леонидом и двухлетней Элеонорой — насильно загнали в гетто[11]. Мужья обеих женщин служили в России в рядах Красной армии. Их отец — Григорий Шерман — покинул Минск вскоре после прихода немцев. Он умолял семью уехать с ним, предсказывая, что оккупанты убьют всех евреев. Но сын Раисы, Леонид, и ее племянник были в детских садах, и из-за немецкой бомбежки женщины не могли до них добраться, а бросать детей они наотрез отказались. Григорий уехал один, пересек границу и пережил войну. К тому времени, когда Раиса и ее сестра смогли забрать детей, выбраться из города было уже невозможно. Много лет спустя в серии интервью Хасеневич рассказала, что ей пришлось пережить в оккупированном Минске.

Дом Раисы разбомбили во время наступления немцев. Она и ее дети успели выбраться, но все их имущество было уничтожено. Целый месяц до создания гетто они жили либо у подруги Раисы, Кати Кремец, либо на улице. Тот факт, что Раиса была еврейкой, а Катя — белоруской, никак не мешал их дружбе. В Белоруссии межнациональные отношения и браки были в порядке вещей, особенно среди молодежи с высшим образованием. Раиса и Катя подружились во время учебы в Белорусском политехническом институте, там же они встретили своих супругов — татарина и еврея. Их дружба продолжилась и после института. Раиса и ее муж были членами комсомола, Катя и ее супруг также поддерживали советскую власть. Когда немцы напали на Минск, Кремец с мужем бежали, последовав за огромным количеством людей, пытавшихся добраться до границы с РСФСР. Пролетавший немецкий самолет сбросил бомбу, которая убила ее супруга. Катя вернулась в Минск одна.

Документы Раисы сгорели во время бомбежки, и Катя предложила сходить с ней в полицию, чтобы получить новый паспорт.

---

[11] Интервью с Раисой Хасеневич. Минск, 13 октября 1999 года, 11 июля 2000 года, 16 сентября 2003 года.

В старом, как и во всех внутренних советских паспортах, указывалась национальность предъявителя, и Раиса была записана в нем еврейкой. Но Катя считала, что от немцев стоило ждать жестокого обращения с евреями. Она предложила Раисе, которая по-прежнему пользовалась девичьей фамилией Шерман, взять фамилию супруга и назваться татаркой. Раиса согласилась, отчасти потому, что помнила похожие предсказания отца. Девушки остановились на имени Раиса как русском аналоге ее еврейского имени Рива и придумали правдоподобную историю о том, где она родилась (татарка вряд ли могла появиться на свет в ее родном еврейском местечке), как и когда оказалась в Минске. В полицейском участке Раиса указала в анкете на получение паспорта, что она татарка. Служащая скептически посмотрела на нее и сказала, что она больше похожа на еврейку. В ответ девушки набросились на нее с криками. Раиса сказала, что с такими длинными темными волосами эта женщина сама больше похожа на еврейку, а Катя заявила, что она немка по происхождению и никогда не стала бы якшаться с жидами. В итоге служащая выдала им паспорт, в котором было написано, что Раиса — татарка. Возможно, именно этот паспорт и спас девушке жизнь. Благодаря ему она могла выходить из гетто и чувствовать себя в относительной безопасности на улицах Минска. Он же защитил ее от обвинений, что на самом деле она еврейская коммунистка Рива Шерман.

Когда евреям приказали переселиться в гетто, Раиса переехала туда с матерью, сестрой и тремя их детьми. Так как у них не было жилья, он спали на полу в заброшенном кинотеатре. В отличие от сестры и матери, Раиса бегло говорила по-русски без акцента: подростком она некоторое время училась в Москве, а затем работала в Минске контролером на деревообрабатывающем заводе, где свободно им овладела. Раиса регулярно покидала гетто, пробираясь под проволочным забором. Люди в городе охотно давали ей еду; кроме того, она часто заходила к женщине по имени Тамара Синица, с которой они познакомились вскоре после рождения дочери Раисы. У Тамары тоже был маленький ребенок, и женщины встретились в детской кухне, где молодым матерям выдавали детское питание. В первые недели оккупации

Тамара случайно наткнулась на Раису с детьми на улице, и у них завязался разговор о необходимости отпора. Это навело Раису на мысль, что они могли бы работать вместе. В первый же день, когда она вышла из гетто, Раиса отправилась к Тамаре и обнаружила, что та заботится сразу о пятерых детях, трое из которых были ее, а двое — детьми ее брата. Тот был женат на еврейской девушке, которая умерла от туберкулеза прямо перед началом войны. Брат Тамары ушел в Красную армию, а племянников она забрала к себе. Получалось, что Тамара прячет у себя двух еврейских детей.

Через неделю Раиса снова пришла к Тамаре и обнаружила у нее в гостях девушку, которая только что приехала из Москвы. Так она познакомилась с Татьяной Бауэр. Тамара объяснила, что ее муж работает в Москве в подразделении, которое готовит людей для заброски на оккупированную территорию, где они должны были поддержать организацию подполья. Он и направил Бауэр к Тамаре, чтобы та помогла ей создать ячейку в Минске. Тамара предложила Хасеневич присоединиться к ним, и Раиса согласилась. Тамара сказала, что их группа будет собираться, чтобы слушать советские военные сводки по радио, которое она сохранила вопреки запрету немцев, а затем писать листовки с информацией о ходе войны и призывами к нападению. Задачей Раисы было проносить листовки в гетто. С этого момента, отправляясь в город за едой, Раиса также встречалась с членами ячейки или занималась другой подпольной работой, например раздавала листовки.

В то же время Катя нашла пустующий подвал на улице Революции прямо напротив гетто и показала его Раисе, предложив ей оставаться в этом подвале во время вылазок в город; 7 ноября Тамара сказала членам ячейки собраться у нее дома, чтобы послушать речь Сталина в честь годовщины Октябрьской революции и написать листовки. Днем ранее Раиса ушла из гетто, взяв с собой детей. После встречи с подпольщиками они вернулись в подвал, и через несколько часов туда пришла Катя. Она была настолько убита горем, что едва могла говорить, но все-таки рассказала Раисе, что в гетто был погром и несколько тысяч евреев вывезли на грузовиках на расстрел. Все это происходило в той части гетто, где жила семья Раисы. Отправившись туда на следующий день, они обнаружили, что мать, сестра и племянник Хасеневич пропали. Катя умоляла Раису остаться в подвале, но та отказалась. Правила конспиративной работы запрещали ей говорить подруге, что она работает на подполье и должна доставлять в гетто листовки. Впрочем, возможно, Катя обо всем догадалась, поэтому не требовала объяснений.

Она продолжила помогать подруге и организовала встречу с татарскими родственниками ее мужа, после чего те взяли сына Раисы к себе. Кроме того, Катя познакомила Хасеневич со своими коллегами. Она работала в немецкой нефтераспределительной компании в центре Минска недалеко от того самого подвала. Немцами были только директор фирмы, его секретарь и один-два сотрудника, остальной персонал состоял из белорусских женщин. Раиса подружилась с несколькими из них, а также с секретаршей-немкой, и, когда компании требовались дополнительные руки, эта работа нередко доставалась Раисе. Благодаря этому она узнала, где в Минске хранятся немецкие запасы нефти, и рассказала об этом подпольщикам, которые передали эту информацию партизанам, что привело к авианалету по целям. Подработки также стали для Раисы источником дохода, в котором она так нуждалась. После погрома 7 ноября почти все свое время она проводила за пределами гетто. Их соседка по дому на улице Революции, Вера Ивановна Несторович, привязалась к дочке Раисы, Элеоноре, и сама предложила присматривать за ней, пока Раиса на работе (что часто подразумевало под собой выполнение миссий в гетто). Катя тоже помогала заботиться о девочке.

Раиса часто навещала друзей и знакомых в Минске: некоторые помогали ей, чаще всего едой, другие как минимум не вредили. Но однажды, прогуливаясь по центру города, Хасеневич почувствовала, что за ней следят. Она была недалеко от Катиной работы, так что быстро зашла внутрь и забежала по лестнице в офис. Следом за Раисой туда вошел полицейский и объявил, что она арестована как еврейка и коммунистка. Несмотря на заверения Хасеневич, что она татарка и не имеет никаких связей с коммунистами, полицейский настоял на том, чтобы девушка прошла в участок, где ее уже ждал бывший коллега по фамилии Вольский в форме немецкого полицая. В 1934 году, когда убили популярного лидера коммунистической партии С. М. Кирова, Вольский заявил на собрании рабочих деревообрабатывающей фабрики, что рад его смерти и надеется на новые убийства коммунистов. Впоследствии это стоило ему работы. Так как Раиса была его начальником, Вольский мог подумать, что именно она сообщила о его словах (хотя это было не так) и виновата в его увольнении. Вольский был антикоммунистом, считал Раису коммунисткой (на самом деле она была комсомолкой, но не членом партии) и решил отомстить.

Тем не менее девушка заявила, что никогда не встречалась с Вольским, и предъявила свой паспорт, чтобы доказать, что она не Рива Шерман, а Раиса Хасеневич. Вольский сказал, что она лжет. Тогда начальник участка предложил ему найти свидетеля, который мог бы подтвердить его обвинения. Через несколько часов Вольский вернулся с человеком по фамилии Мадицкий, которого они с Раисой хорошо знали. Мадицкий непонимающе посмотрел на Раису и сказал, что никогда ее не видел. Девушка также заявила, что не узнает этого человека. Вольский начал кричать, что это ложь, но они продолжали стоять на своем. Мадицкий сказал, что Вольский, должно быть, обознался. Написав соответствующее заявление, он ушел. Вольский отправился искать нового свидетеля, а Раиса предложила отпустить ее, так как это была явная ошибка. Старший полицейский сказал, что склонен с ней согласиться, однако Вольский уже написал на нее жалобу как на еврейку и коммунистку, которая плохо обращалась с ним до войны, и он вынужден передать ее в гестапо. Он заверил девушку, что там обязательно во всем разберутся, и выделил полицейского, который сопроводил Раису в гестапо вместе с заявлениями, подписанными Вольским и Мадицким.

Раису поместили в камеру с другими женщинами, две из которых были больны тифом. В основном они оказались тут из-за аналогичных обвинений. Через несколько дней Раису вывели из камеры и отвели на допрос, где ее попросили назвать имена людей, которые могли бы подтвердить, что она не еврейка. Девушка назвала нескольких человек, которым могла доверять, но не стала упоминать никого из подпольщиков. Ее отвели обратно в камеру, а через несколько дней пришли снова и объявили, что она свободна: против нее не нашли никаких улик. Возможно, Раису спасли показания Мадицкого или слова тех, чьи имена она предоставила. Может быть, девушку спасло то, что Вольский назвал ее коммунисткой: у немцев был список членов Коммунистической партии Белоруссии, но ни Ривы Шерман, ни Раисы Хасеневич в нем не было.

Выйдя из тюрьмы, Раиса слегла с тифом и угодила в больницу в русском районе. Девушку выходила медсестра, которая была членом той же подпольной ячейки и навещала ее каждый день. Во время выписки один из сотрудников сказал, что в больницу часто приходил мужчина и спрашивал о Раисе, но, как ни странно, ни разу не попытался с ней встретиться. Раиса поняла, что Вольский по-прежнему ее преследует. Ее опасения подтвердились через несколько недель, когда Раиса пришла в гости к другой бывшей коллеге, Ане Петровской, чтобы получить у нее расписание поездов для партизан, так как Аня работала на железнодорожной станции. Увидев Раису, Петровская побледнела и потребовала, чтобы та немедленно ушла. «Неужели тебе никто не сказал, — спросила она, — что Вольский везде размахивает твоей фотографией и привел в полицию Надежду Лазаревну Дудо [еще одну их общую коллегу], которая подтвердила, что ты еврейка и тебя зовут Рива Шерман?» Получив обещание, что Аня передаст расписание поездов кому-нибудь другому, Раиса ушла. Она направилась к Надежде и потребовала объяснений. «У меня не было выбора, — ответила Дудо. — Ты должна уехать из Минска. Больше ты никак не сможешь себя защитить».

Хасеневич сразу же отправилась к Тамаре и сообщила, что ее по-прежнему преследует Вольский, поэтому ей пора уходить к партизанам. Тамара согласилась, но оставалась проблема: у подпольщиков не было никакого оружия. Тогда один из членов ячейки заметил, что партизанам также нужны печатные машинки и, возможно, Раисе удастся достать одну. Девушка знала, что

Рис. 2. Раиса Хасеневич (справа) и Мария Жлоба в отпуске вскоре после окончания войны. Фото из личного архива Л. Хасеневича

печатная машинка была у директора Кати, который уехал из города. Она пришла к нему в офис, взяла машинку, с помощью молодого белоруса, работавшего в этой фирме, положила ее в коробку и вынесла через задний ход из опасений, что Вольский может ждать ее у главного выхода. Хасеневич отнесла печатную машинку Тамаре и несколько дней пряталась с Элеонорой дома у другого подпольщика, пока не прибыл связной от партизан. Он забрал Раису с собой, но ей пришлось оставить дочь на попечение Тамары.

По прибытии девушку почти сразу перевели в главный партизанский штаб вместе с немецкой печатной машинкой, которой она научилась пользоваться, чтобы делать листовки, адресованные немецким солдатам.

Через несколько месяцев Тамара привезла в партизанский штаб Элеонору, и больше они с Раисой не расставались.

После освобождения Минска Раиса вернулась в город и забрала у родственников сына, а также воссоединилась с вернувшимся с востока мужем (см. рис. 2).

АНТИНАЦИСТСКАЯ СОЛИДАРНОСТЬ В МИНСКЕ

Истории Миры Рудерман и Раисы Хасеневич показывают, в какой степени отпор немецкой оккупации в Минске строился на совместных действиях евреев и белорусов (в том смысле, в котором это слово использовали в то время, то есть не только этнических белорусов, но и всех граждан христианской культуры и славянского происхождения). Рассказ Хасеневич демонстрирует, насколько космополитичной была довоенная жизнь в городе, особенно среди молодежи. Дружба между людьми разной национальности не считалась чем-то особенным, а межэтнические браки были обычным делом. Эти связи обеспечили солидарность в военное время, степень которой варьировалась от помощи друзьям до поддержки Сопротивления. Как и повсюду в оккупированной Восточной Европе, в Минске встречались коллаборационисты, охотно сдававшие евреев, а большинство людей заботилось лишь о том, чтобы не высовываться и не лезть на рожон. Тем не менее уровень солидарности между евреями и белорусами в Минске резко контрастирует с безразличием к судьбам евреев и даже открытой враждебностью, куда более распространенными в Литве и Польше.

Цель этой книги — описать эти организованные и стихийные узы солидарности и объяснить, что́ в истории и обстановке военного времени в Минске и Белоруссии в целом сделало возможным их появление.

В главе 2 я доказываю, что особенно в Минске, столице Белоруссии, 20 лет советской власти способствовали еврейской ин-

теграции и распространению идеологии интернационализма,
которая оказала большое влияние на молодежь, заставив многих
гордиться друзьями другой национальности. Более того, довоенная Белоруссия относительно процветала: советская власть создала здесь промышленность, поощряла образование и модер-
низировала города, прежде всего Минск. Коллективизация
сельского хозяйства имела здесь куда менее тяжелые последствия,
чем на Украине, где она привела к большому количеству жертв
и массовому голоду. Многие молодые люди в Минске поддерживали советскую власть и разделяли ее интернационалистские
принципы. Более того, у процветавшей в годы войны межэтни-
ческой солидарности в Минске были куда более глубокие исто-
рические корни. В отличие от соседей, белорусская почва никогда
не была достаточно плодородна для возникновения националистического движения. В Польше, Литве и на Украине такие движения имели долгую историю и оказали глубокое влияние на
национальные культуры. В Белоруссии же националистическое
движение появилось лишь в конце XIX века и продолжительное
время оставалось слабым и малочисленным. Оно не стремилось
к созданию страны только для этнических белорусов и не пыталось играть на межэтнических противоречиях. Советское влияние и историческое отсутствие (а затем — слабость) национализма на этих землях способствовали росту межнациональной солидарности во время войны.

В следующих главах описываются наступление немцев на
Минск, само Минское гетто и его подполье, его связи с белорусским подпольем за пределами гетто и массовое бегство евреев
к партизанам.

Главной задачей подполья в Минском гетто была отправка в лес
как можно большего числа евреев. С одной стороны, это должно
было усилить партизанское движение; с другой, у тех, кто попадал
к партизанам, были шансы пережить войну, в отличие от тех, кто
оставался в гетто.

В главе 7 Минское гетто рассматривается в контексте отпора
немецкой оккупации в гетто Восточной Европы. Крупнейшие
еврейские подпольные организации в Польше и Литве возглав-

лялись сионистами и придерживались стратегии подготовки восстаний внутри самих гетто.

Кроме того, я расскажу о Каунасском гетто, чья подпольная организация пришла в итоге к минской стратегии и стала отправлять евреев в партизанские отряды. Но это была едва ли не единственная такая попытка среди крупных гетто на польско-литовских территориях, и она оказалась куда менее успешной (прежде всего — из-за недостаточной поддержки извне): лишь 300 евреям из Каунасского гетто удалось добраться до леса. Это только подчеркивает факт, что именно солидарность сыграла решающую роль в успехе подполья Минского гетто.

Глава 8 рассказывает о том, что происходило после возвращения советской власти в Минск и как она обращалась с подпольем, созданным без ее разрешения.

СИОНИЗМ, КОММУНИЗМ И СОПРОТИВЛЕНИЕ В ГЕТТО

Есть два варианта неверного толкования этой книги: один связан с отношениями между советским коммунизмом и евреями, другой — с сионизмом. Контраст между довоенной борьбой с антисемитизмом и антисемитскими кампаниями советской власти в послевоенные годы требует некоторых комментариев. Поскольку эта книга — о Минске, а не о возглавляемом сионистами движении Сопротивления в гетто Польши и Литвы, читатель может не понять, что я не пытаюсь возвысить Сопротивление в Минском гетто относительно движения Сопротивления в других гетто и не намерена утверждать, что движение Сопротивления под руководством коммунистов было лучше сионистского. В довоенных Польше и Литве сионизм и Бунд[12] были куда привлекательнее для евреев, чем коммунизм. Левые сионисты, прежде всего социалисты, пользовались особенным влиянием среди еврейской молодежи, поэтому сионисты были в более

---

[12] Бунд («союз» на идише), Всеобщий еврейский рабочий союз в Литве, Польше и России, — еврейская социал-демократическая партия. Основан в 1897 году в Вильно. — *Примеч. ред.*

выигрышном положении, чем коммунисты, и смогли возглавить Сопротивление в польских и литовских гетто. Бундовцы играли в движении менее заметную роль, в основном из-за своего нежелания пойти на примирение с сионистами и коммунистами, что в условиях войны влияло на эффективность еврейского Сопротивления. Однако эпизодичность союзов между евреями и неевреями в этих сообществах была связана скорее с антисемитизмом, чем с еврейским партикуляризмом. Во время войны сионисты, особенно социал-сионисты, делали все возможное, чтобы найти союзников, но их усилия почти ни к чему не приводили. Преимущество коммунистического сопротивления заключалось в пропагандирующей единство идеологии, организационной структуре и навыках политической работы, способствовавших созданию альянсов между разными национальностями. Впрочем, были у этой идеологии и недостатки: она могла игнорировать сомнения меньшинства, если они не вписывались в общую повестку.

Молодые сионисты доминировали в подпольных движениях польских и литовских гетто (за исключением Каунасского гетто, где лидерство в итоге захватили коммунисты), потому что имели за спиной большую и сплоченную организацию, члены которой были крайне преданы своему делу и готовы идти на риск. Они могли положиться друг на друга, благодаря чему действовали более эффективно. Первые сионистские организации левого толка готовили своих членов к жизни в сельскохозяйственных коммунах в Палестине и отличались особой сплоченностью и идеализмом. Они обладали обширными связями и пользовались большим уважением. Кроме того, их преимуществом была автономность: они не были молодежными отделениями взрослых организаций. За исключением коммунистов, старые политические активисты были настолько осторожны, что это нередко приводило к «параличу», а в некоторых случаях — и к коллаборационизму. Автономность молодых сионистов, особенно левых, позволяла им участвовать в Сопротивлении, когда старшие не решались этого сделать.

Сионисты возглавили Сопротивление в большинстве польских и литовских гетто не только потому, что в них существовали сионистские организации, способные взять на себя лидерство. В этих странах сионизм вообще был главным довоенным течением в еврейском движении и пользовался широкой поддержкой. Сионистские партии и организации занимались социальным обеспечением, спонсировали школы и газеты, и многие евреи видели в них главную связующую силу еврейской общины. На них приходилась бо́льшая часть кипучей, политически и идеологически разнообразной еврейской политической сцены. Основные сионистские организации не ждали, что евреи начнут массово переселяться в Палестину, а большинство взрослых евреев не горели желанием покидать Польшу. И все же сионистское решение проблем польских и литовских евреев казалось им убедительнее того, что предлагали другие. Мало кто из польских и литовских евреев разделял энтузиазм коммунистов по отношению к Советскому Союзу. Многим евреям были близки социально-демократические взгляды Бунда, но с ростом антисемитизма концепция общего революционного движения еврейских и не-еврейских рабочих встречала все меньше понимания. Идея переселения в Палестину, напротив, становилась все привлекательнее, особенно для молодых евреев, которым было проще сняться с места, чем их старшим товарищам.

До войны сионисты, бундовцы и еврейские коммунисты нередко конфликтовали. Но с ее началом и появлением гетто многие активисты осознали необходимость объединения. Левые сионисты (и особенно марксисты из Ха-шомер ха-цаир[13]) сыграли важную роль в объединении различных групп еврейского Сопротивления, причем нередко им в этом помогали коммунисты. В гетто Варшавы, Вильнюса и Белостока члены Ха-шомер ха-цаир создавали вместе с коммунистами зонтичные организации и убеждали других, в том числе менее радикальных сионистов, правых ревизионистов и в конечном счете бундовцев, присоединяться к этим коалициям. При всей влиятельности Бунда до войны он

---

[13] Ха-шомер ха-цаир (ивр. «юный страж») — сионистская всемирная молодежная организация левого толка. Основана в 1916 году как еврейский аналог скаутских организаций. — *Примеч. ред.*

играл менее заметную роль в движении Сопротивления, прежде всего из-за неспособности старых лидеров забыть о вражде с сионистами и коммунистами. Кроме того, они продолжали настаивать на том, что Сопротивление должно принять форму союза между еврейскими и нееврейскими рабочими. Молодые бундовцы в целом были менее привержены старым противоречиям и стратегиям, чем их старшие товарищи. Похожее разделение существовало между старыми и молодыми сионистами: в Варшаве и Белостоке молодежь пыталась убедить представителей старшего поколения в необходимости вооруженного отпора, потому что немцы планируют устроить геноцид. Первую зонтичную организацию, которая включала бы в себя и правых, и левых сионистов, и бундовцев, и коммунистов, удалось создать в Вильнюсском гетто именно членам Ха-шомер ха-цаир. Позднее эту модель переняли в гетто Варшавы и Белостока.

Впрочем, во время войны идеологические разногласия между различными еврейскими организациями приводили к конфликтам гораздо реже, чем стратегические вопросы: нужно ли сосредоточить все силы на подготовке восстания в гетто или лучше уйти в лес и присоединиться к партизанскому движению, поддерживаемому Советским Союзом? Позиции по этим вопросам далеко не всегда совпадали с идеологическими. Некоторые сионисты выступали за уход в лес, а часть коммунистов поддерживала идею внутреннего восстания. Члены Ха-шомер ха-цаир также выступали за восстания во всех гетто, так как считали, что уйти в лес — значит бросить евреев, которые не смогут последовать за ними. Преданность общине была для них важнее коммунистических симпатий. Лидер коммунистов Вильнюсского гетто Ицик Витенберг также выступал против ухода в лес, потому что надеялся, что восстание в гетто перерастет в общегородское. Молодые ревизионисты, яростно отвергавшие все советское до войны, ушли из Вильнюса, так как держали курс на вооруженную борьбу и верили, что в лесу у них будет больше шансов, чем в гетто. Варшавское гетто находилось слишком далеко от любых партизан, чтобы этот вариант всерьез рассматривался как в гетто, так и за его пределами.

В каждом гетто сионистские лидеры подполья делали все возможное, что обзавестись контактами за его пределами, наладить связи с организациями в других гетто и найти союзников иных национальностей. В любом гетто подпольщикам помогали некоторые неевреи, которые серьезно рисковали, выступая на стороне Сопротивления и спасая жизни евреям. Но поддержка со стороны нееврейских организаций была незначительной. Обычно самыми надежными союзниками евреев были коммунисты, но в Польше и Литве коммунистические партии были запрещены и не пользовались широкой поддержкой. Даже в оккупации коммунистическое подполье оставалось малочисленным, ему не хватало ресурсов, и оно страдало от регулярных арестов. Другие союзные евреям организации тоже были небольшими и не имели четкой политической или идеологической ориентации: в Вильнюсе это была настоятельница местного монастыря и ее монахини, в Варшаве — бывшие бойскауты и группа польских солдат-авантюристов. Подполье Варшавского гетто неоднократно обращалось за помощью к Армии Крайовой[14], которая была ядром силы польского Сопротивления, но толком не получила от нее поддержки. Судя по всему, руководство Армии Крайовы опасалось, что восстание в гетто сыграет на руку Советскому Союзу, так как подпольщики надеялись на победу Красной армии. Кроме того, бунт в гетто мог вызвать более широкое восстание; был риск, что Советская армия получит над ним контроль. Когда мы говорим о предательстве Варшавского подполья Армией Крайовой, имеем дело с тесным переплетением антикоммунизма и антисемитизма в Польше. Однако это никак не было связано с сионизмом.

Возможно, в тех гетто, которые находились достаточно близко к партизанской территории, чтобы евреи могли массово уходить в леса, подпольные организации, возможно, ошибались, делая

---

[14] Армия Крайова (пол. букв. «Отечественная армия») — подпольная польская военная организация времен Второй мировой войны, действовавшая в 1942–1945 годах в пределах довоенной территории польского государства, а также в Венгрии. Основная организация польского Сопротивления, боровшегося против германской оккупации. — *Примеч. ред.*

выбор в пользу восстания. Жители гетто желали мести, но они также хотели пережить войну. В Вильнюсском гетто восстание не состоялось из-за отсутствия массовой поддержки. В Белостоке удалось поднять восстание, но в нем участвовали лишь члены подполья, вероятно, не более 300 человек, и почти все они были убиты. Если бы вместо этого подпольные организации Белостока и Вильнюса искали способы отправить евреев в лес, их действия, пожалуй, получили бы больше поддержки. Сионизм, конечно, влиял на выбор подпольщиков: восстания в гетто были примерами еврейского Сопротивления, тогда как в партизанском движении еврейское присутствие было куда менее заметным. Но романтизм молодых членов подполья тоже был важным фактором. В их глазах отпор подразумевал под собой готовность пожертвовать своей жизнью. Меньшее многие считали трусостью.

СОВЕТСКИЙ КОММУНИЗМ И СОВЕТСКОЕ ЕВРЕЙСТВО

Особое внимание в этой книге уделяется советскому интернационализму в связи с его важностью для еврейского Сопротивления в военное время. И это несмотря на то, что отношение советских коммунистов к евреям было весьма неоднозначным. В революционный период антисемитизм был орудием правых монархистов. Он был самой распространенной и жестокой формой этнической дискриминации в Российской империи, против которой решительно выступали революционные силы, стремившиеся к созданию эгалитарного общества. В эти годы и последующие десятилетия бороться с антисемитизмом значило быть против любой дискриминации по этническому или национальному признаку. Для советского коммуниста не поддержать такую кампанию было так же немыслимо, как для американского левого оставаться в стороне от борьбы с расизмом. Но антисемитизм пустил глубокие корни в российском обществе. Революция эмансипировала евреев, отменив законы, которые накладывали на них географические и другие ограничения. Однако им было нелегко вписаться в советскую повестку. Хотя в массе своей они были нищими, многие евреи сохранили профессии лавочников и ремесленников, что не соответствовало советскому определению пролетариата. Стремление евреев к образованию и их политический активизм намекали на возможность диссидентства. Кроме того, евреи были интернационалистами в том смысле, который не мог не волновать советское руководство, особенно перед Великой Отечественной войной. Массовая еврейская эмиграция конца XIX — начала XX века привела к тому, что родственники огромного числа российских евреев оказались за пределами Советского Союза, в основном в США, но также в Палестине. В послевоенные годы советские лидеры стремились к созданию идентичности, которая основывалась на полной преданности Советскому Союзу. Такой отказ от интернационализма привел к тому, что в евреях стали видеть предателей нации.

В довоенные годы активная кампания против антисемитизма маскировала тот факт, что советские власти относились к евреям не так, как к другим национальностям. В 1920–1930-е годы руководство СССР пыталось заручиться поддержкой национальных меньшинств, содействуя развитию их языков и сохранению обычаев и традиций, по крайней мере до тех пор, пока они оставались созвучными советским целям (что выражалось в лозунге «Национальное по форме, социалистическое по содержанию»). Советская политика в отношении национальных меньшинств основывалась на вышедшей в 1913 году сталинской статье «Марксизм и национальный вопрос»[15], которая поддерживала право наций на самоопределение и ограниченную областную автономию под руководством единой партии, в связи с чем предлагалось предоставить национальным меньшинствам возможность политического самовыражения через местные коммунистические партии, при этом сталинское определение нации предполагало наличие у нее общей территории. Евреи Российской империи

---

[15] Впервые опубликована под заголовком «Национальный вопрос и социал-демократия» в журнале «Просвещение». Март — май. 1913. № 3–5. Позже Сталин дал ей новое название «Марксизм и национальный вопрос», под которым она и стала всемирно известной. — *Примеч. ред.*

были рассеяны по городам и местечкам Литвы, Украины, Белоруссии, в меньшей степени — других регионов. Они не составляли большинства ни в одной из областей будущего Советского Союза. Перед (провалившейся) Революцией 1905 года Бунд, который находился тогда в авангарде еврейской революционной деятельности, требовал права представлять весь еврейский пролетариат в рамках Российской социал-демократической рабочей партии. Ленин отклонил это требование.

Хотя решение Ленина было продиктовано исключительно политическим расчетом, а не антисемитизмом, оно совпадало с точкой зрения, позднее закрепленной статьей Сталина. Если евреи хотели стать частью советского проекта, как другие меньшинства, они должны были отказаться от своего еврейства. Такой подход низводил еврейскую идентичность к религии и совпадал со взглядом на еврейскую культуру как на буржуазную или мелкобуржуазную. В любом случае это противопоставляло ее советской культуре. В 1920–1930-х годах советские власти настаивали на равноправном отношении к евреям, но лишь на индивидуальном, а не на коллективном уровне. Многие молодые городские евреи приветствовали такую политику: они хотели получить образование и возможность подняться по социальной лестнице, их вдохновлял советский интернационализм, и они гордились тем, что могут быть частью многонационального общества, в котором осуждался антисемитизм. Многие из них были готовы принять советский взгляд на еврейство как на личное или семейное дело.

Однако после войны Сталин и его окружение начали кампанию против советских евреев, прежде всего — влиятельных еврейских интеллектуалов и специалистов. Кампания, проходившая под лозунгом борьбы с космополитизмом, поначалу была направлена против советской интеллигенции в целом (которая по составу была во многом еврейской), но затем сконцентрировалась именно на евреях. Всем было известно, что под термином «безродные космополиты», как называли людей, чье влияние требовалось искоренить, подразумевалась еврейская интеллигенция. Полноценным началом кампании стало убийство Соломона Михоэлса

19 января 1948 года. Михоэлс был художественным руководителем Московского государственного еврейского театра и председателем Еврейского антифашистского комитета, созданного во время войны с официального одобрения властей, чтобы заручиться поддержкой борьбы Советского Союза с нацистской Германией со стороны евреев всего мира, особенно США. В комитет вошли ведущие еврейские писатели и интеллектуалы. После смерти Михоэлса были арестованы 15 его руководителей, на закрытом процессе в июле 1952 года 13 из них были приговорены к смерти. Кроме того, в застенках оказались тысячи других евреев, в том числе многие писатели и представители интеллигенции.

Тринадцатого января 1953 года по обвинению в заговоре с целью убийства советских руководителей путем вредительского лечения были арестованы восемь видных советских врачей, шесть из которых были евреями[16]. Вслед за этим работы лишились многие другие еврейские доктора и специалисты. Были организованы общественные собрания, на которых население предупреждали о скрытой опасности, а евреи начали подвергаться оскорблениям и нападкам в общественных местах. Согласно свидетельствам достоверных источников (не подтвержденным документально), Сталин уже создал лагеря для евреев и планировал их массовую депортацию. Но 5 марта 1953 года Сталин умер, не дожив до начала судебного процесса над врачами. Упоминания о деле пропали из газет, а через месяц с них были официально сняты все обвинения. Депортации, о которой ходили слухи, так и не случилось.

Евреи были не единственной группой советских граждан, которая подверглась репрессиям во время и после войны. Некоторые малые нации прошли через насильственные переселения

---

[16] Дело врачей (дело врачей-вредителей или врачей-отравителей) — сфабрикованное советскими властями уголовное дело против группы врачей, обвиняемых в заговоре и убийстве ряда советских лидеров. Сообщение об аресте врачей и подробности их «злодейских планов» появились в статье без подписи «Подлые шпионы и убийцы под маской профессоров-врачей» // Правда. 1953. № 13. 13 января. С. 1. — *Примеч. ред.*

и депортации с родных земель в куда менее гостеприимные края. Жители Советского Союза, в основном молодежь, которых немцы насильно угоняли на работу в Германию, сталкивались с дискриминацией после возвращения на родину. Советские власти с подозрением относились к тем, кто во время войны остался на оккупированных территориях, как будто сам факт того, что они жили под властью немцев, делал их коллаборантами. Послевоенный курс на дискриминацию евреев был вызван отказом советского руководства от интернационализма вследствие принятия им идеологии узкого национализма и осадного менталитета. Но это был лишь один из многих случаев официальной дискриминации на фоне прогрессирующей паранойи Сталина в последние годы его жизни.

Литература об отпоре холокосту и, раз уж на то пошло, о самом холокосте на территории СССР крайне скудна, особенно на контрасте с огромным количеством исследований, посвященных еврейскому Сопротивлению за пределами СССР, прежде всего — в Польше и Литве. Одному восстанию в Варшавском гетто посвящены десятки книг, Вильнюсскому гетто и его подполью — больше десятка. Статей на эти темы написано еще больше[17]. Минское гетто явно проигрывает в этом сравнении: вся литература о нем и его подполье состоит из двух опубликованных мемуаров Гирша Смоляра и вышедшей на иврите монографии Дана Жица [Smolar 1966; Smolar 1989; Zhits 2000]. Такая разница в количестве написанного и объеме общедоступного знания о еврейском Сопротивлении на советской территории и за ее пределами связана в том числе с тем, где бывшие узники гетто осели после войны. Большинство выживших в польских и литовских гетто эмигрировали в Северную Америку или Палестину, многие из них оставили свои воспоминания о пережитом. Со-

---

[17] В библиографии о еврейском Сопротивлении на сайте Центра высших исследований холокоста при Мемориальном музее холокоста в США указано 46 книг о Варшавском гетто. Несколько меньшее количество посвящено Вильнюсскому гетто и в целом еврейскому Сопротивлению в Польше и Литве. URL: http://www.ushmm.org/research/center/lerman/index.php?content = bibliography (дата обращения: 02.07.2024).

ветские евреи в основном остались в СССР, где антисемитские кампании, проводимые руководством страны, затрудняли, а то и вовсе делали опасным публичное обсуждение опыта пребывания в гетто. Западным историкам было гораздо сложнее изучать холокост на территории СССР, чем за его пределами. Между тем в США с началом холодной войны и наступлением эпохи маккартизма в коммунистах стали видеть врагов свободы, которые не слишком отличались от нацистов. В такой ситуации рассказы об антинацистском Сопротивлении, возглавляемом коммунистами (не важно, были они евреями или нет), в лучшем случае вызвали бы недоумение. Вероятно, американские евреи были лучше осведомлены о том, что в Восточной Европе, причем не только в СССР, еврейские коммунисты участвовали в борьбе против фашизма. Но после войны взгляды умеренных евреев в США резко сместились вправо. Разговоры о возглавляемых коммунистами подпольных организациях вызвали бы в этих кругах смятение, если не страх. В подобных условиях не стоит удивляться, что тема холокоста и еврейского Сопротивления в Советском Союзе оставалась на периферии общественного сознания.

Но холодная война давно закончилась, и я надеюсь, что теперь история Минского гетто и его подполья сможет получить объективную оценку.

Глава 2
Почему Минск был другим

Немногим евреям из Минского гетто удавалось добраться до леса и присоединиться к партизанам без прямой или косвенной поддержки белорусов, причем виды этой поддержки зависели от того, бежали они самостоятельно или в составе групп, организованных подпольем. Со временем соотношение между этими категориями менялось. С создания гетто в августе 1941 года и вплоть до 2 марта 1942 года, когда немцы устроили третий крупный погром, жертвами которого стали около 6 000 человек, евреи в основном попадали к партизанам в группах, отправляемых в лес подпольщиками, которым помогали их белорусские товарищи. После погрома 2 марта число тех, кто бежал из гетто самостоятельно, резко возросло. После четвертого крупного погрома, пришедшегося на 28–31 июля 1942 года, их количество выросло еще больше. К осени 1942 года большинство еще живых членов подпольной организации гетто перебрались в леса и присоединились к партизанским отрядам. К тому времени бегство из гетто стало в основном стихийным или, как говорили подпольщики, «частным», а не «организованным». У тех, кто уходил из гетто в составе групп, было преимущество благодаря связям подполья с партизанами. До марта 1942 года, когда руководивший минским подпольем городской комитет был уничтожен волной арестов, он назначал проводников, которые выводили такие группы в лес. У подпольной организации гетто были контакты лишь с несколькими партизанскими отрядами, в то время как городское подполье обладало куда более широкой сетью контактов, что значительно повышало шансы евреев на побег.

Косвенную выгоду от связей между организациями получали даже те, кто бежал из гетто самостоятельно. Они пользовались маршрутами, которыми, по слухам, ходили подпольщики, и нередко отправлялись в те же отряды. Благодаря связям с белорусским подпольем влияние организации гетто росло, и это нередко способствовало приему партизанами «неорганизованных» евреев. Более того, почти всем евреям, которым удалось добраться до партизанских отрядов, в пути помогали один или несколько белорусов. Некоторые прятали друзей и знакомых до прибытия проводников в своих домах, другие провожали их до территорий, контролируемых партизанами. Некоторые белорусы, встречая евреев, бежавших из гетто, на улицах Минска или за его пределами, рассказывали беглецам, как обойти немецкие блокпосты, или подсказывали дорогу к партизанам. По оценкам ушедших в лес лидеров подпольной организации, в партизанские отряды вступило 10 000 евреев из Минского гетто. Примерно половине из них удалось пережить войну[1].

У такого количества беглецов были и практические причины. Минское гетто было более «проницаемым», чем другие гетто, поскольку его окружал забор из колючей проволоки, а не кирпичная стена. Кроме того, его охраняли патрули, а не постоянные часовые. Все это делало бегство из гетто возможным, хотя и очень опасным. Наконец, в лесах вокруг Минска были партизанские отряды. Несмотря на все сложности с поиском этих отрядов и присоединением к ним, евреям по крайней мере было куда бежать. Но тысячи евреев не смогли бы стать партизанами, если бы у них не было союзников за пределами гетто — отрядов, которые (пусть и неохотно) были готовы их принять, и белорусов, которые помогали до них добраться. Евреям в других гетто тоже часто удавалось сбежать и пережить войну благодаря помощи неевреев. По оценке Г. Паулссона, в военные годы в Варшаве пряталось 28 000 евреев [Paulsson 2002: 57]. Некоторые были местными жителями, которые избежали отправки в гетто, дру-

---

[1] Стенограмма интервью с Гиршем Смоляром. Апрель 1972 года // Yad Vashem Archives. 03/3605. P. 61.

гие — беженцами из разных районов Польши. Но многим удалось выскользнуть из гетто в первые месяцы его существования, когда выбраться наружу было сравнительно легко при условии, что вам было куда идти. Тот факт, что Варшавское гетто было минимум в пять раз больше Минского, в котором на пике проживало около 100 000 человек, позволяет объективно сравнить эти цифры. Доля узников Минского гетто, переживших войну с нацистами, была значительно выше. В Варшаве евреям за пределами гетто помогали отдельные люди и небольшие подпольные группы, которые искали для них укрытия. Только в Минске была крупная подпольная организация, которая до самого конца сотрудничала с подпольщиками из гетто. Сосчитать точное число причастных к этому неевреев попросту невозможно. Имеются рассказы лишь небольшой группы выживших, в то время как многие бежавшие из гетто евреи впоследствии были убиты. Тем не менее частота, с которой бывшие узники упоминали помогавших им белорусов, позволяет заключить, что в Минске процент таких людей был необычайно высок.

Чем объяснить столь удивительное сотрудничество между евреями и белорусами в Минске? Этому способствовали три фактора, два из которых были тесно связаны между собой. Во-первых, в Минске движущей силой этого взаимодействия выступало подполье. Поскольку оно было организовано и возглавлялось коммунистами, руководствовавшимися коммунистической идеологией, совместный отпор и взаимопомощь были для них в порядке вещей. Во-вторых, до войны Минск 20 лет находился под советской властью. Поощряемая ею ассимиляция евреев укрепила связи между евреями и белорусами, что и стало основой их сотрудничества во время войны. Как столице республики, индустриализации и модернизации, Минску уделялось особое внимание, в результате к началу войны влияние советской культуры было в нем весьма значительным. Идеология советского интернационализма пустила здесь корни, особенно среди молодежи, для которой межнациональные связи нередко были признаком современных, прогрессивных взглядов и поводом для гордости. В этом смысле солидарность евреев и белорусов в военные годы была неотделима от патриотизма. Все это не отрицает огромного негативного влияния, которое политика советской власти оказала на белорусских евреев и другие национальности, как и того, что советские усилия по ассимиляции евреев имели не только положительные, но и отрицательные последствия. Но советский интернационализм и пропаганда «дружбы разных народов», как гласил популярный лозунг, заложили основу для межнациональной солидарности в военное время.

Однако степень сотрудничества между евреями и неевреями в Минске не объясняется одним лишь советским влиянием. Восточная Украина находилась под советской властью не меньше, чем Восточная Белоруссия, и все же во время войны на ее территории не было организованного Сопротивления, а уровень индивидуальной поддержки был значительно ниже. Сравнивать их напрямую, конечно, непросто. Минское гетто просуществовало дольше всех гетто на оккупированных советских территориях, в то время как в Киеве и Одессе — городах с самым большим процентом еврейского населения в бывшей Советской Украине — либо не было гетто, либо отсутствовало еврейское Сопротивление. В Киеве оккупанты только 29–30 сентября 1941 года расстреляли в Бабьем Яру около 34 000 евреев, а в последующие месяцы — еще больше. Вероятно, около 120 000 евреев, не успевших скрыться до прихода немцев, избежали бойни, но лишь немногие из них пережили войну. Почти все еврейское население Одессы было убито в октябре 1941 года. Отдельные украинцы прятали у себя евреев или помогали им другими способами; существовала и организованная поддержка, в основном со стороны религиозных организаций, главным образом баптистов и униатов. Но ближе к концу войны Украина снова пережила яростную вспышку антисемитизма. Она веками была главным центром насилия по отношению к евреям в Восточной Европе, и 20 лет советской власти не смогли этого изменить.

Третьим фактором, повлиявшим на межнациональную солидарность в Минске в военные годы, был советский интернационализм. Он опирался на традиционно хорошие отношения между евреями и белорусами, что нашло свое отражение в местной истории и культуре. Кроме того, в Белоруссии практически отсутствовал национализм, который был основным источником антисемитизма в других регионах. Здесь стоит напомнить, что до и во время войны у слова «белорусы» не было единого значения: под ним могли пониматься как этнические белорусы, так и жители Белоруссии (представители всех этнических групп, проживавших на ее территории). Кроме того, неофициально так называли любых христиан славянского происхождения, включая этнических русских, поляков и собственно белорусов, противопоставляя их евреям, татарам и цыганам. Таким образом, когда во время войны говорили о евреях и белорусах, а также еврейском и белорусском Сопротивлении, под этим вовсе не подразумевалось, что евреи не были белорусами. Такое отношение выделяло белорусов среди их соседей: в Польше евреев гораздо реже считали поляками, а в Литве — литовцами.

В христианской Белоруссии, как и повсюду в Восточной Европе, православие веками было основным источником антисемитизма. Но с наступлением Нового времени националисты перехватили эту повестку, и к началу XX века праворадикальные движения стали главными проводниками антисемитизма в регионе. Не всякое национальное движение было по умолчанию антисемитским: многие польские евреи разделяли прогрессивные взгляды раннего польского национализма. И все же к началу XX века националисты Восточной Европы были преимущественно правыми, выступали за моноэтнические сообщества и отличались резким неприятием левых. Евреев они считали чужаками, революционерами или — уже после большевистской революции — сторонниками Советского Союза и предателями.

В этом смысле Белоруссия стояла особняком: национализм появился здесь только в XX веке и не успел стать таким же воинственным, как в других странах региона. Белорусское национальное движение сформировалось лишь на рубеже веков и не получило серьезной поддержки. Оно примыкало к социально-демократическим силам, доминировавшим в белорусской политике в те годы, и выступало за создание многонационального белорусского государства. В советский период, несмотря на широкое недовольство отдельными аспектами советской политики, антикоммунистическое движение так и не стало организованной силой. Главные обвинения со стороны националистов в адрес евреев, которых правые не считали полноправными членами нации и подозревали в том, что они либо являются активными коммунистами, либо им симпатизируют, не нашли отклика в Белоруссии.

Конечно, с таким объяснением солидарности военного времени можно поспорить. Но это исследование посвящено Минску в годы Второй мировой войны, а не столетиям белорусской истории, предшествовавшим установлению советской власти. Отношения между евреями и белорусами за пределами Минска, даже в военный период, играют здесь второстепенную роль. Тем не менее представляется целесообразным изучить культурно-исторические предпосылки сотрудничества, имевшего место в белорусской столице во время войны, так как очевидно, что эти отношения зародились не в годы большевистской революции, а гораздо раньше.

Я начну эту главу с того, что познакомлю читателя с характером еврейско-белорусских отношений в Минске непосредственно перед войной и во время нее, сначала — на основе весьма положительных отзывов бывших узников гетто, с которыми я разговаривала в Минске, а затем — с помощью опубликованных мемуаров одного из узников, в которых подчеркивается сохранявшийся антисемитизм. Далее я представлю два небольших исторических экскурса: познакомлю с краткой историей погромов в Российской империи и Восточной Европе, сделав попытку объяснить, почему в Белоруссии такие вспышки насилия случались реже, и дам анализ уникального экономического положения и культурно-политической истории Белоруссии, препятствовавших росту этнической вражды и развитию национализма. Наконец, я расскажу о различных итогах коммунистического правления в довоенной Белоруссии и других регионах, а также зарождении военной идеологии, связывавшей патриотизм с интернационализмом, что косвенно противопоставляло их антисемитизму.

ИНТЕРНАЦИОНАЛИЗМ И СОЛИДАРНОСТЬ В МИНСКЕ

Мои первые интервью с бывшими узниками гетто были посвящены их участию в Сопротивлении, а не отношениям с белорусами во время или до начала войны. Но я так часто слышала о том, как белорусы помогали евреям бежать из гетто или работали с ними против немцев, что поняла: я не смогу рассказать о Сопротивлении в гетто, не обратившись к теме еврейско-белорусских отношений. В ходе второго раунда интервью, посвященного в основном повседневной жизни в гетто, я задала несколько вопросов на эту тему. Я спросила каждого из десяти моих первоначальных собеседников, какими были их отношения с белорусами до войны, контактировали ли они с белорусами, пока находились в гетто или во время бегства. Помимо этого, я спросила, сталкивались ли они с антисемитизмом до или после войны. Я выбрала именно этих людей, потому что в первый раз они максимально четко и подробно рассказали о своем опыте. Кроме того, некоторые из моих изначальных собеседников уже умерли или стали слишком немощными для еще одного интервью[2].

---

[2] Результаты куда более обширных интервью по теме взаимоотношений между евреями и неевреями во время войны, проведенных в сельских местностях Белоруссии и России, приводятся в [Романовский 1990; Романовский 1995]. Общаясь с евреями и неевреями, Д. Романовский обнаружил, что к 1941 году в этой местности оставалось совсем немного крестьян, которые по-прежнему поддерживали Советский Союз. Тех, кто помогал евреям из чувства советского патриотизма, было еще меньше. Евреи из числа опрошенных им отмечали, что некоторые крестьяне действительно помогали евреям, другие могли их предать, но в большинстве своем жители оставались пассивными. В среде нееврейских крестьян глубоко укоренилось восприятие евреев как представителей чуждой группы, и некоторые из них охотнее помогали нееврейским партизанам, чем евреям. Впрочем, многие евреи отмечали, что предатели выдавали не только евреев, но и нееврейских партизан. Кроме того, евреи часто объясняли отказ неевреев помочь им страхом перед немцами, прежде всего — страхом смерти. Очевидно, что в сельской местности советский интернационализм не имел того же влияния, как в Минске, и культурные различия между евреями и неевреями ощущались куда острее. Но действиями крестьян, судя по всему, двигала вовсе не ненависть к евреям.

Из десятерых, с которыми я разговаривала во второй раз, двое — Фрида Рейзман и Фрида Аслезова — во время войны были еще детьми (обеим было по шесть лет, когда она началась). Двоим — Эсфири Кисель (матери Фриды Аслезовой) и Раисе Хасеневич — было уже за двадцать. У Раисы, как и у Эсфири, были маленькие дети. Остальные интервьюируемые — сестры Роза и Любовь (Люся) Цукерман, Фаня Астромецкая, Абрам Розовский, Мира Рудерман, Михаил Трейстер и Михаил Канторович — были во время войны подростками. Абраму Розовскому и Михаилу Канторовичу было по 17 лет, Михаилу Трейстеру — 14 (юноши, которым исполнилось 18 лет, скорее всего, были уже в Красной армии). Из девушек-подростков самой юной была 14-летняя Роза Цукерман, а самой старшей — 19-летняя Фаня Астромецкая.

Из этих десяти лишь двое сказали, что сталкивались до войны с антисемитизмом. Одной из них была Раиса Хасеневич, которая родилась и выросла на Украине. Она вспомнила, как, когда она была маленькой, ее отец боялся, что в Киеве начнутся погромы, поэтому ее семья бежала из города и поселилась у бабушки в местечке Юревичи. Муж Эсфири Кисель, коммунист Давид, был арестован в 1937 году по обвинению в троцкизме и ненадолго заключен в тюрьму. Это был период Большого террора, направленного против членов партии. Но среди арестованных, заключенных и расстрелянных было немало евреев[3]. Эсфирь считала, что настоящей причиной обвинений в адрес ее мужа был антисемитизм властей, при этом она отмечала, что в те годы антисемитизм был исключительно государственным делом. Отношения между простыми евреями и белорусами, по ее словам, были очень хорошими. В теории, отмечала Эсфирь, государство продвигало правильные идеи: интернационализм и братство народов. Но на практике сталинская власть репрессировала множество евреев. И все же Эсфирь настаивала на том, что между обычными людьми антисемитизма не было. Ее дочь Фрида отмечала, что отношения между евреями и белорусами были хорошими не только среди людей с высшим образованием, как ее мать.

---

[3] Интервью с Раисой Хасеневич. Минск, 16 сентября 2003 года.

Так, до войны две лучшие подруги Эсфири были белорусками. У бабушки и дедушки Фриды по отцовской линии — обычных рабочих, не получивших почти никакого образования, — тоже было много белорусских друзей. Ее дед вырос в небольшом местечке, половина жителей которого были белорусами, а половина — евреями. Исходя из его рассказов, Фрида была уверена, что отношения между ними были хорошими[4].

Все мои собеседники, которые были подростками на момент начала боевых действий, говорили, что никогда не сталкивались с антисемитизмом до войны. Все они отмечали, что дружили как с евреями, так и с белорусами. Михаил Канторович особо подчеркивал, что, конечно, у него были нееврейские друзья: белорусы, русские, поляки и представители других национальностей. По его словам, так было у всех: до войны все дружили между собой. Но после оккупации некоторые из этих людей вступили в немецкую полицию и, по сути, стали антисемитами[5]. Мира Рудерман говорила, что ее лучшей подругой до войны была белорусская девушка. «Мы были очень дружны с белорусами, — рассказывала она. — Мы приглашали их на свои свадьбы, а они звали нас на свои праздники». Муж Миры, Абрам Розовский, соглашался с женой. До войны, отмечал он, у него никогда не было проблем из-за национальности. По его словам, тогда об этом никто и не спрашивал[6]. Михаил Трейстер утверждал, что до войны дети даже не знали, кто был евреем, а кто — нет[7]. У сестер Цукерман была своя компания девочек-подростков, одна из которых, Ольга Симон, была украинкой. До войны, по словам Люси и Розы, никто не обращал внимания, еврей ты или нет. Даже после создания гетто они продолжили общаться между собой. Ольга, ее старшая сестра Варвара и Даша — мать одной из девочек из гетто, внешность которой помогла ей остаться в рус-

---

[4] Интервью с Эсфирь Кисель и Фридой Аслезовой. Минск, 9 сентября 2003 года.

[5] Интервью с Михаилом Канторовичем. Минск, 17 сентября 2003 года.

[6] Интервью с Мирой Рудерман и Абрамом Розовским. Минск, 11 сентября 2003 года.

[7] Интервью с Михаилом Трейстером. Минск, 17 сентября 2003 года.

ском районе, — помогли бежать из гетто всем девушкам, кроме одной[8].

В кругу Раисы Хасеневич, чья история рассказывается в первой главе, этническая интеграция была в порядке вещей. Она была замужем за татарином, с которым познакомилась во время учебы в техникуме. Поначалу Раиса даже не знала, что он был татарином, так как ее муж пользовался русифицированной версией своего имени (как и сама девушка, чье имя на идише звучало как Рива, но за пределами семьи она часто представлялась Раисой). Во время войны Раисе помогали многие друзья и знакомые, а поддержка ее белорусской подруги Кати фактически позволила ей выжить[9].

Несколько моих собеседников оставались в контакте со своими знакомыми, пока находились в гетто, а некоторые завели себе новых друзей. Миша Канторович несколько раз навещал людей, поселившихся в доме, где его семья жила до войны. Эти люди давали ему еду. Когда он пришел к ним в первый раз вскоре после создания гетто, новые жильцы посоветовали ему сходить к их подруге, Леокадии Флейшер. Флейшер завербовала Мишу в члены подполья, дала ему инструкции по созданию в гетто подпольной ячейки, а позже несколько месяцев укрывала его в своей квартире, пока Миша, она сама и еще одна белорусская женщина не смогли уйти к партизанам[10]. Абрам Розовский рассказывал, что во время войны часто уходил из гетто и проводил время в русском районе, где у него оставалось много друзей, с которыми он продолжал общаться. До войны он дружил со своим белорусским одноклассником, Володей Щербацевичем, с семьей которого они жили в одном дворе. В первые месяцы после создания гетто Абрам часто приходил к Щербацевичам, но у него сложилось впечатление, что по какой-то причине Володя и его мать Ольга не хотели видеть его у себя. Вскоре они исчезли. Уже после войны Абрам узнал, что Ольга была подпольщицей и собирала гражданскую

---

8   Интервью с Розой Зеленко и Любовью Цукерман. Минск, 14 сентября 2003 года.

9   Интервью с Раисой Хасеневич. Минск, 16 сентября 2003 года.

10 Интервью с Михаилом Канторовичем. Минск, 17 сентября 2003 года.

одежду для побега военнопленных, а Володю арестовали, когда он сопровождал беглецов в лес, и повесили вместе с матерью[11].

Миша Трейстер, которому весной 1943 года удалось вывести в лес в составе группы своих мать и сестру, признавался мне, что не только выжил в гетто, но и остался в относительно добром здравии во многом благодаря своей бывшей няне. Эта женщина, которую звали Юзефа Никодимовна Кудак, по словам Трейстера, была для него второй мамой. Когда Миша жил в гетто, он часто выскальзывал из колонны евреев, возвращавшихся вечером с работы, и проводил ночи у бывшей няни, где его хорошо кормили и была удобная кровать. Утром он снова присоединялся к рабочей колонне. Однажды в гетто прошел слух о готовящемся погроме, поэтому Миша сбежал к няне вместе с матерью и сестрой. Их приняли, хотя они и пришли без предупреждения, и Трейстеры провели в этом доме несколько дней, несмотря на то что соседи знали об их присутствии. Когда в гетто стало безопасно, они вернулись, потому что поняли, что оставаться дольше было слишком рискованным. После войны, когда Кудак умерла, Миша несколько раз приходил к католическому священнику и просил помолиться за нее. В разговоре со мной он выразил надежду, что Бог услышал молитвы священника[12].

Все бывшие узники гетто, участвовавшие во втором раунде интервью, признались, что столкнулись с антисемитизмом после войны. Единственным исключением был Абрам Розовский, который заявил, что никогда не испытывал негатива по отношению к себе из-за своей национальности (конечно, если не считать немцев). На мой вопрос об отношениях с белорусскими друзьями и знакомыми во время войны лишь один человек рассказал о случае, связанном с антисемитизмом. Поздней осенью 1941 года мать Фриды Рейзман выскользнула из гетто и направилась к супружеской паре, с которой их семья дружила до войны. Муж в этой паре был подкидышем неизвестной национальности, но с точки зрения культурной принадлежности его можно было

---

[11] Интервью с Абрамом Розовским. Минск, 11 сентября 2003 года.

[12] Интервью с Михаилом Трейстером. Минск, 17 сентября 2003 года.

отнести к белорусам. Он не попал в оккупацию, так как в то время находился в Красной армии. Его жена, Соня, которую мама Фриды застала дома, была польской эмигранткой. Мать Фриды попросила у нее сорочку для защиты от холода, но Соня ей отказала. Она заявила, что завтра всех евреев убьют, так что сорочка ей не понадобится.

После войны Соня принесла маме Фриды бутылку самогона и попыталась извиниться, но та не приняла ни алкоголя, ни извинений. Когда муж Сони вернулся в Минск, мать Фриды рассказала ему о том, что произошло во время войны, и он ушел от жены. По словам Фриды, Соне было настолько стыдно, что она вернулась в Польшу.

Возможно, это не вся история, а у мужа Сони были другие причины бросить ее. Может быть, она уехала в Польшу не только из-за стыда перед матерью Фриды. И все же этот рассказ показателен с точки зрения того, как бывшие узники гетто воспринимали свой опыт и поведение белорусов во время войны. Несмотря на то что описанный Рейзман случай был, несомненно, проявлением антисемитизма, для нее суть истории заключалась в том, что по крайней мере в Минске подавляющему большинству белорусов были чужды антисемитские настроения[13].

Некоторые мои собеседники рассказывали, что друзья, которых они иногда встречали в русском районе, помогали уже тем, что вели себя как обычно — не удивлялись, увидев их за пределами гетто, и не упоминали об их еврейском происхождении. Раиса Хасеневич провела немало времени за пределами гетто и встретила много знакомых на улицах города. За исключением бывшего коллеги, ставшего полицаем, вынудившего ее бежать к партизанам, все эти люди либо давали ей еду, либо помогали другими способами, в том числе своим молчанием.

История, рассказанная мне Абрамом Розовским, прекрасно иллюстрирует, как бездействие или обычное поведение могут быть проявлениями солидарности, что солидарность может быть двусторонней. Однажды Абрам снял с одежды желтые латы,

---

[13] Интервью с Фридой Рейзман (Лосик). Минск, 16 сентября 2003 года.

пролез под забором и направился в русский район. Когда он шел по улице Революции (одна из главных улиц, расположенных рядом с гетто), то увидел одноклассника в полицейской форме. Абрам знал, что полицейские обязаны арестовывать евреев, у которых нет права находиться за пределами гетто, что в случае ареста все, скорее всего, закончится казнью. Он постарался быстрее пройти мимо, но одноклассник сам остановил его, чтобы поговорить. Абрам спросил бывшего товарища, почему тот вступил в полицию. Парень ответил, что немцы поставили его перед выбором: либо его отправят в Германию, где он будет работать на военную промышленность, либо он становится полицаем. Одноклассник Абрама выбрал второй вариант. После этого юноши попрощались и разошлись в разные стороны.

В 1945 году уже вернувшийся из леса в Минск Абрам шел по улице и увидел того самого одноклассника, но уже в гражданской одежде. На этот раз их роли поменялись: теперь уже Абрам должен был донести на бывшего товарища, замеченного в коллаборационизме. Наказание за сотрудничество с оккупантами было суровым — долгие годы в тюрьме или даже расстрел. Абрам остановил бывшего товарища и начал с ним разговор. Он сказал, что провел последние годы в партизанском отряде, а одноклассник ответил, что остался служить в полиции. Как и в прошлый раз, перекинувшись парой фраз, они распрощались, и каждый пошел своей дорогой[14].

ИСТОРИЯ АНАТОЛИЯ РУБИНА

Но не все бывшие узники Минского гетто подчеркивали благожелательность белорусов по отношению к евреям. Анатолий Рубин попал в гетто в 13 лет и бежал два года спустя. В своих мемуарах он признавался, что постоянно чувствовал враждебность, когда выходил за пределы гетто. Кроме того, он обвинял живших в Минске белорусов в том, что они бросили и предали евреев [Рубин 1977; Rubin 1977].

---

[14] Интервью с Абрамом Розовским. Минск, 11 сентября 2003 года.

Воспоминания Рубина заслуживают пристального внимания потому, что подробный рассказ выдает в нем чуткого и проницательного наблюдателя, а также потому, что он описывает негативную сторону еврейско-белорусских отношений, о которой в своих мемуарах очень редко говорят другие бывшие узники, при этом история его побега и спасения резко контрастирует с тем чувством покинутости, о котором пишет Рубин. Как и многим другим евреям, бежавшим из гетто, ему удалось пережить войну лишь благодаря белорусам, рисковавшим ради него своими жизнями.

Рубину было 13 лет, когда его семья оказалась в гетто. Утром 20 ноября 1941 года, в день второго крупного погрома, его дом был оцеплен. Семью выгнали на улицу и стали сгонять в колонну, маршировавшую навстречу своей смерти. Анатолию и его родственникам было известно, что случилось с евреями, которых забрали из гетто во время первого погрома, случившегося 7 ноября, то есть всего за пару недель до этого. Они знали, что их ведут на смерть. Тамаре, старшей сестре Анатолия, удалось незаметно для полиции рвануть из колонны. Она спряталась в соседнем дворе, смогла, как позже узнал Анатолий, выбраться из гетто и отправилась в русский район. Тамара вступила в подполье, с которым, судя по всему, уже была на связи. Позже она была арестована и казнена. Когда колонна повернула за угол, Анатолий последовал ее примеру. Он тоже рванул из колонны и, не замеченный полицейскими, дворами добрался до забора. Рубин снял желтые латы, положил их в карман и пролез под заграждением.

Оказавшись снаружи, Анатолий не знал, куда ему пойти. У него были знакомые в городе, но он не хотел проверять их готовность встать на его защиту. Бродя по тихим улочкам недалеко от гетто, он оказался у Комсомольского озера — популярного места отдыха в северной части Минска.

В своих мемуарах Рубин рассказывает, о чем он думал, стоя на его берегу:

> Находился я как будто у себя в городе, в котором родился и вырос. Сколько времени я провел на этом озере — купался, загорал, играл. Все мне было знакомым и когда-то

близким. А сейчас я вдруг почувствовал враждебность во всем. Все преобразилось, сбросив с себя маску. Мне казалось, что даже деревья, скамейки и все вокруг смотрит на меня с ненавистью и тычет пальцем — жид, жид [Рубин 1977: 96; Rubin 1977: 24].

Так как деваться ему было некуда, Анатолий пошел назад в гетто. Лишившись ближайших родственников, он поселился у одной из своих тетушек на улице, не тронутой недавними погромами.

В своих мемуарах Рубин часто повторяет тезис об окружавшей евреев враждебности. Со стороны местных жителей ее было вынести сложнее, чем со стороны немцев, чью неприязнь он считал в порядке вещей. Рубин описывал, как белорусские полицаи нападали на еврейские колонны, когда те выходили или возвращались в гетто. В некоторых случаях причиной была личная неприязнь: бывшие ученики, а нынешние полицаи сводили счеты с учителями-евреями за прошлые двойки; один полицай швырнул на землю и топтал ногами лечившую его в детстве еврейскую женщину-врача [Рубин 1977: 109; Rubin 1977: 40]. Рубин писал, что белорусы говорили евреям, когда тех вели из гетто на работу, что до войны еврейские лавочники жили за счет белорусов, но теперь они узнают, что такое тяжелый труд [Рубин 1977: 109; Rubin 1977: 39]. Автор также приводит услышанную им историю о группе евреев, скрывавшихся в подвале дома, который изначально находился на территории гетто, а потом, когда немцы перенесли границу, стал частью русского района. Въехавшие в этот дом белорусы обнаружили в подвале нелегалов и донесли на них оккупантам [Рубин 1977: 99; Rubin 1977: 20].

Но собственная история Рубина строилась вокруг встреч с белорусами, чья помощь в итоге позволила ему вырваться из гетто.

Первой удачей стало то, что человек, которого его отец знал до войны, передал ему русский паспорт и метрику о рождении. Пока Анатолий жил в гетто, он работал на Минской электростанции, расположенной на берегу протекавшей неподалеку реки Свислочь. Уровень воды в этом месте был низким, и реку было легко перейти. Главную опасность представляла не сама река, а вероятность быть пойманным. Многие евреи уходили со станции в русский район и возвращались ко времени, когда колонну рабочих выводили обратно в гетто. Возвращались, однако, не все: возможно, думал Анатолий, потому, что их поймали. И все же однажды он решился рискнуть — спорол с пиджака желтые латы, перешел на другой берег реки, прополз между кустами и оказался в русском районе. Там юноша направился к человеку по фамилии Никель, с которым отец познакомил его до войны. Никель был механиком и этническим немцем, который жил в Минске с белорусской женой и детьми.

Анатолия приняли радушно, хотя и с некоторой тревогой. Никель поинтересовался его самочувствием, а также судьбой его семьи. Жена механика накормила Рубина и дала ему еды с собой в гетто. Никель предложил продолжить их навещать. Он сказал, что надеется на победу Советского Союза, несмотря на то что является этническим немцем, и уверен, что ему нечего бояться: его совесть чиста, он никак не помогал оккупантам. Анатолий часто навещал эту семью. Жена Никеля кормила его, а мальчик отплачивал им тем, что приносил вещи, которые Никель мог починить и продать. Однажды сынишка Никеля нашел на улице бумажник, в котором были документы, включая метрику о рождении и паспорт на имя Степанова. Фотография на паспорте оказалась очень невыразительной и даже чем-то похожей на Анатолия. Никель отдал бумажник Рубину со словами: «Возьми, может, пригодится». Правда, дата в метрике не подходила Анатолию и ставила его под угрозу мобилизации в отряды самообороны, так что Никель изменил ее, чтобы добавить правдоподобности и не подвергать Рубина опасности.

Один из визитов к Никелям был прерван ввалившейся к ним с обыском группой немцев и полицейских. Анатолий смог убедить их, что был другом сына Никелей и жил неподалеку. Хозяин дома угостил непрошеных гостей алкоголем, развлек их рассказами о своем немецком происхождении и продемонстрировал знание немецкой культуры, после чего они наконец-то ушли. Испуганная жена Никеля попросила Анатолия больше не приходить. Однако русский паспорт и метрика о рождении обеспечили Рубину прикрытие во время последующих вылазок в русский район. Когда он показывал фотографию знакомым, те говорили, что он очень плохо на ней получился, но никто ни разу не усомнился в том, кто на ней изображен [Рубин 1977: 100; Rubin 1977: 29].

На электростанции Рубин познакомился с женщиной по фамилии Штефан, которая до войны работала техничкой в одной из минских школ. Она имела австрийские корни и была замужем за белорусом, служившим в Красной армии. Госпожа Штефан пригласила Рубина в гости. Ее квартира находилась недалеко от электростанции. После этого он стал часто к ней приходить. Однажды Анатолий вернулся на электростанцию слишком поздно и понял, что колонну рабочих уже увели в гетто. Тогда Рубин отправился обратно к госпоже Штефан, объяснил свою затруднительную ситуацию, а она предложила ему остаться на ночь в ее однокомнатной квартире. Через некоторое время в дверь постучали соседи. Госпожа Штефан спрятала Анатолия под большим круглым столом, накрытым свисавшей до пола скатертью. Как оказалось, это были соседи, которые зашли просто поболтать: они сели за тот же стол, и Анатолий провел вечер, скрючившись и всячески уворачиваясь от ног гостей, пока те наконец-то не поняли все более настойчивых намеков хозяйки и не ушли.

В другой день госпожа Штефан сказала Анатолию, что собирается проведать родственников мужа — крестьян, живших в деревне к западу, на приличном расстоянии от Минска. Рубин мечтал присоединиться к партизанам и, убедившись, что в этом районе действует много отрядов, спросил госпожу Штефан, может ли она взять его с собой. Та обдумала все и решила, что, раз уж внешность не выдает в нем еврея и он чисто говорит на русском (пусть и с легким акцентом), она ничем не рискует, если возьмет его с собой. Вместе они сочинили легенду, согласно которой до войны Рубин учился в школе, в коей госпожа Штефан и работала. Родные мальчика погибли во время бомбардировок Минска, поэтому он не мог себя содержать и надеялся получить работу в деревне.

Ранним утром в один из мартовских дней 1943 года Анатолий в последний раз вышел из гетто. Он сорвал с себя желтые латы, выбросил их и пролез под проволокой. Хотя Рубин должен был встретиться с госпожой Штефан, его не оставляло ощущение изолированности и покинутости. Позже он напишет:

> Мне было всего 15 лет, но за два года, проведенные в гетто, я начал по-взрослому осмысливать все происходящее. Гетто было окружено всеобщей враждой и ненавистью. Самой страшной была не ненависть немцев, ибо это было в порядке вещей, а ненависть, как тогда казалось, своих — тех, с которыми жили, работали, учились и дружили десятки лет [Рубин 1977: 103; Rubin 1977: 32].

Вместе с госпожой Штефан Анатолий вышел из Минска и отправился на запад. У них ушло четверо суток на то, чтобы добраться до деревни Драбовщина, где жили родственники мужа госпожи Штефан. По дороге они просились на ночлег к разным людям. В то время в деревнях было полно беженцев, так что в этом не было ничего необычного. Всем, с кем приходилось разговаривать, госпожа Штефан повторяла версию, которую они придумали с Анатолием. С каждым разом у нее получалось все лучше, и когда они подошли наконец-то к Драбовщине, где их очень приветливо встретили, госпожа Штефан рассказала историю Анатолия, мобилизовав все свое искусство рассказчицы. Она настолько трогательно рассказала о гибели его семьи, что присутствовавшие женщины даже прослезились. Тем же вечером было решено оставить Анатолия в деревне помогать по хозяйству. Правда, он испугался, когда старушка стала настаивать на том, чтобы он помылся. Пока она грела воду, он до последнего, как бы очень стесняясь, отказывался раздеваться догола. Уже сидя в кадушке, он с ужасом заметил, что вся семья изумленно таращится на него, но быстро понял, что их просто поразила его худоба: они никогда не видели таких тощих.

Госпожа Штефан уехала через несколько дней. После гетто Анатолию казалось, что он очутился в раю: в деревне был свежий воздух, здесь было достаточно еды, у него была кровать, в которой он мог спать, и работа, которая казалась ему легкой после изнурительного труда на немцев. Однажды Анатолий гнал вдоль дороги стадо коров и увидел приближающуюся колонну партизан. Он бросил коров и со слезами радости бросился к партизанам. Юноша уговорил командира остановиться и рассмотреть его просьбу о вступлении в отряд. Он назвался евреем из Минского гетто и сказал, что больше всего на свете хочет стать партизаном. В ответ партизаны стали насмехаться над его акцентом и презрительно отклонили его просьбу, заявив, что из евреев получаются плохие бойцы, а кроме того, заподозрили его в шпионаже. После этого Анатолия заставили лечь лицом к земле и считать до ста, пока они не уйдут. Но юноша не собирался так легко отказываться от мечты. Он нашел партизанский лагерь и продолжил настойчиво упрашивать взять его, несмотря на растущее раздражение командиров. Закончилось все тем, что один из партизан наедине посоветовал ему уйти, потому что командиры начинают думать, что он не просто надоеда, а шпион, и предупредил, что, если парень его не послушает, его могут убить. Анатолий был невероятно разочарован. Он горько жалел о том, что наивно рассказал о своем еврейском происхождении. Рубин считал, что, если бы он этого не сделал, его бы непременно взяли в партизаны [Рубин 1977: 108; Rubin 1977: 37–39].

Анатолий провел в деревне всю войну. После освобождения Белоруссии он вернулся в Минск и устроился на завод. Там он часто вступал в драки с антисемитами, из-за чего его допрашивали власти, и угодил в тюрьму. Название книги его воспоминаний — «Коричневые сапоги, красные сапоги» — отражает отношение Рубина к советской власти [Rubin 1977]. Он считал белорусское партизанское движение антисемитским и сталинистским по своей сути, а в качестве доказательства приводил историю, рассказанную не имевшим еврейских корней партизаном по фамилии Розовский, с которым он познакомился в тюрьме после войны. Розовский рассказал ему о Мазурине — еврее из Варшавы, который был членом партизанского отряда, куда Розовского часто отправляли с поручениями. Они часто ночевали в одной землянке, когда Розовский посещал этот отряд. Розовский описывал Мазурина как убежденного антифашиста и критика политики Сталина, не скрывавшего своих взглядов. Во время визитов Розовского они подолгу общались, Мазурин открыто высказывал свое мнение о советском лидере. После одной из таких поездок Розовский был допрошен следственной группой партизанского отряда, пытавшейся узнать, что именно ему говорил Мазурин. В свой следующий визит Розовский хотел перевести разговор с Мазуриным в более безопасное русло, но тот не понял его намека и продолжил выражать опасные взгляды. Выбравшись под неким предлогом из землянки, Розовский увидел снаружи одного из следователей, приникшего ухом к вентиляционному отверстию печки.

После возвращения советской власти в Белоруссию Розовский встретил в лесу группу партизан, которые сказали ему, что ищут тело Мазурина. Он пошел вместе с ними, и они нашли тело на обочине дороги. Они похоронили Мазурина со всеми надлежащими почестями, цветами и речами. Позже Розовский познакомился с еще одним бывшим партизаном, членом отряда Мазурина, который за выпивкой у себя дома рассказал ему, что руководство отряда приговорило смутьяна к смерти и выбрало его для исполнения приговора. Их отправили в соседнюю деревню, и по дороге он убил Мазурина [Rubin 1977: 42–44].

В рассказах Рубина, включая историю об убитом еврейском партизане, о которой он узнал из вторых рук, есть доля правды. Однако они не подтверждают его тезиса о враждебности подавляющего большинства белорусов по отношению к евреям в годы войны. Утверждения Рубина основаны на рассказах о жестокости коллаборантов в белорусской полиции и некоторых других лиц, но в них ничего не говорится о тех, кто помогал евреям бежать из гетто. История Мазурина вполне может быть правдой, но при этом не ясно, какую роль в ней сыграл антисемитизм. Мазурин был евреем, но он также был родом из Варшавы, что автоматически делало его, как иностранца, подозрительным в глазах коммунистической партии и партизанского руководства. Он открыто выражал свои диссидентские взгляды, и уже этого было, вероятно, достаточно для слежки и казни.

Многие евреи стали жертвами террора в конце 1930-х годов, но не совсем понятно, в какой степени это отражало тенденцию выделять евреев и ложно обвинять их в диссидентстве, а в какой — было следствием непропорционально высокого числа евреев среди партийных чиновников среднего звена, которых чистки затронули в первую очередь. Неизвестно и то, сколько среди них было настоящих еврейских диссидентов, таких как Мазурин. К началу войны в отношении советских властей к евреям произошли изменения: несмотря на устроенную нацистами кампанию по их истреблению, тезисы с осуждением антисемитизма, которые раньше были основным элементом советской риторики, исчезли из учебно-воспитательной литературы, распространявшейся в партизанских отрядах [Медведев 1990: 261]. После войны евреи стали мишенью репрессий как космополиты, из-за чего к ним относились как к потенциальным или реальным врагам Советского Союза. Но эти события нельзя переносить назад в прошлое, как и нельзя проецировать официальный советский антисемитизм на все население Белоруссии и считать его доказательством народного антисемитизма до и во время войны.

Многие партизанские отряды действительно, как пишет Рубин, с неохотой принимали в свои ряды евреев. Причины этого варьировались от антисемитских подозрений в том, что все евреи шпионят в пользу немцев, и антисемитского же убеждения в том, что из евреев получаются плохие бойцы, до вполне прагматических опасений, что они захотят привести в отряд семью и друзей. Большинство белорусских партизан составляли молодые мужчины из деревень, которые выросли, считая евреев другими, и, несомненно, были очень подвержены влиянию антисемитских слухов и стереотипов. Некоторые евреи, как и белорусы, действительно были немецкими шпионами, но никто не мог попасть в партизанский отряд, не убедив его командиров в своей благонадежности, при этом евреям часто было труднее завоевать доверие, чем белорусам. Подпольная организация гетто разделяла эти страхи и ограничивала число евреев, которых переправляли в лес, из опасений случайно заслать к партизанам шпиона. В целом евреям было сложнее добраться до партизан и быть принятыми в их ряды, чем этническим белорусам, и в некоторых отрядах они действительно сталкивались с антисемитизмом. Но мои собеседники, входившие в состав в основном белорусских партизанских отрядов, отмечали, что, как только их принимали в партизаны, к ним и другим евреям относились так же, как и ко всем остальным[15]. На позднем этапе войны среди бежавших из Минского гетто широко распространился слух о том, что советские власти запретили партизанским отрядам принимать евреев[16]. Насколько мне известно, ни один исследователь не нашел записей о таком приказе. Это не значит, что слух был ложным: приказ могли передать устно. Вполне возможно, что подобные слухи гуляли среди самих партизан, из-за чего они могли решить, что такой приказ действительно существует. Рубин пытался вступить в партизанский отряд поздней весной или осенью 1943 года: к тому времени партизанские отряды в районе Минска уже находились под контролем советских властей. Подобный приказ — реальный или считавшийся таковым — вполне мог стать причиной того, что ему отказали.

АНТИСЕМИТИЗМ В БЕЛОРУССИИ В ГОДЫ ВОЙНЫ

Анатолий Рубин был прав, когда говорил о существовании антисемитских настроений в Минске и других частях Восточной Белоруссии. До войны открытые проявления, конечно, подавлялись, а по обвинению в антисемитизме можно было получить до 1,5 лет тюрьмы. Хотя многие люди, в первую очередь молодые, искренне разделяли идеи советского интернационализма и отвергали антисемитизм, несомненно, оставались и те, кто сохранял старые предрассудки. Особенно это было характерно для старшего поколения, но такие люди предпочитали об этом помалкивать. Находились, конечно, товарищи, которые соглашались

[15] Интервью с Михаилом Трейстером. Минск, 17 сентября 2003 года; интервью с Розой Цукерман. Минск, 14 сентября 2003 года.

[16] Интервью с Михаилом Канторовичем и Михаилом Трейстером. Минск, 17 сентября 2003 года.

с реакционной природой антисемитизма и отвергали его, но в конфликтах с евреями могли позволить себе антисемитские оскорбления. Вероятно, в сельской местности такие настроения выражались более открыто, так как советский контроль там был слабее, чем в Минске. Но, кажется, даже в деревне антисемитизм в предвоенные годы был сравнительно умеренным, по крайней мере по восточноевропейским меркам. Родившаяся в 1911 году и выросшая в местечке Круча Сара Голанд вспоминала, что иногда во время ссор белорусские дети называли ее жидовкой, но такое случалось редко. За исключением подобных случаев, отношения между евреями и белорусами, по ее словам, были хорошими[17].

Во время войны антисемитизм получил в Белоруссии более широкое распространение. Немцы нанимали белорусов в местную полицию. Белорусские полицейские патрулировали гетто, арестовывали евреев, которых находили за его пределами, а во время погромов гнали жителей гетто на верную смерть, при этом многие шли на службу от нищеты и безысходности, а другие могли и не знать, что им предстоит делать. Случалось, что полицейские воздерживались от причинения вреда евреям, если за ними не следили немцы, но в целом белорусская полиция следовала немецким приказам. Некоторые с удовольствием исполняли свои обязанности и обходились с евреями особенно жестоко. Кроме того, бывало, что белорусы сдавали евреев либо за предлагаемое немцами вознаграждение, либо из-за личных обид. Проводники, которые водили евреев в лес и часто проходили через Минск и окружавшие его деревни, научились с опаской относиться к игравшим на улицах группам детей, особенно мальчиков, которые могли начать выкрикивать антисемитские оскорбления при виде евреев. Девочки, согласно некоторым свидетельствам, были менее склонны вести себя таким образом. Некоторые белорусы забирались в дома, оставленные евреями после погромов, и крали все, что могли найти. Другие, даже не-

---

17 Интервью с Сарой Голанд // Shoah Foundation. Интервью 24994. Запись 1. 16.12.1996 (предоставлено Сарой Голанд. Ноф-ха-Галиль, Израиль).

смотря на нищету, презирали их за это. Существовали и белорусские националисты, бежавшие из страны с приходом советской власти и вернувшиеся вместе с немцами для создания организаций, на которые могли опереться оккупанты. Некоторые сотрудники таких организаций занимали должности в немецкой администрации[18].

Оглядываясь, не всегда понимаешь, когда люди руководствовались антисемитизмом, а когда — эгоизмом и стремлением выжить. В своей истории еврейства Восточной Белоруссии Шолом Холявский приводит рассказ о женщине, которая во время бомбардировки Витебска в начале войны не пустила еврея в убежище со словами: «Вы, евреи, это заслужили! Сталин был вашим вождем, а теперь нашим будет Гитлер». Этот случай, бесспорно, был проявлением антисемитизма. Но Холявский также рассказывает о белорусе, попросившем после войны возместить ему стоимость продуктов, которые он дал еврейке, чтобы она могла добраться до партизан. Конечно, такая просьба не вызывает особого восхищения, но вряд ли ее можно считать свидетельством антисемитизма. Кроме того, Холявский приводит в качестве примера антисемитизма историю о белорусской женщине, которая отказалась пустить в свой дом еврейку, аргументировав это тем, что живший по соседству мужчина угрожал донести на нее за укрывательство евреев (что она, очевидно, делала ранее) [Cholavsky 1988: 234–235]. Отказ принять подругу в этом случае был продиктован не антисемитизмом, а чисто рациональными соображениями, которые могли спасти жизни обеих женщин.

Когда Холявский осуждает всех белорусов, которые не стали рисковать собой и прятать в своих домах евреев, он занимает позицию, с которой вряд ли согласилось бы большинство бывших узников гетто [Cholavsky 1988: 232]. Многие из них рассказывали о том, как сами уходили от друзей, когда становилось понятно, что соседи заметили их присутствие. Именно так поступили

---

[18] М. Дин описывает сотрудничество между белорусскими националистическими организациями и немецкой администрацией оккупированной Белоруссии, см. [Дин 2008: 136].

Анна Красноперко, ее мать и сестра, хотя хозяева настаивали на том, чтобы они остались [Красноперко 1989: 79].

И в подполье, и за его пределами граница между приемлемым и неприемлемым поведением не всегда была четкой. В своем послевоенном интервью Хася Пруслина, одна из главных связных между подпольной организацией гетто и городским комитетом, упоминает об антисемитской ремарке, сделанной одним из белорусских подпольщиков. Представлявший гетто в городском комитете Миша Гебелев попросил Хасю связать его с Василием Сайчиком, с которым Пруслина работала ранее. Она рассказала об этом Сайчику. «Сайчик был ужасный антисемит, — вспоминала Пруслина. — [Он] сказал: "Нужно с этим жидочком связаться"» [Никодимова 2010: 31][19]. Но неприязнь Пруслиной по отношению к Сайчику не помешала ей с ним работать: он серьезно рисковал ради еврейских подпольщиков.

Сара Левина писала о своих первых днях в гетто: «Перед октябрьскими праздниками нас с мужем навестил очень важный гость, который случайно узнал о том, что мы оказались в гетто. Это был бывший член коммунистического подполья в Западной Белоруссии Василий Сайчик. Он сказал нам, что подпольная коммунистическая организация продолжает работать, а в лесах вокруг Минска действуют партизанские отряды. Он принес надежду в наш дом»[20].

Броня Гофман, которая работала с Борисом Пупко в городской типографии (до войны — им. Сталина), где они тайком набирали номера подпольной газеты «Звязда», знала Сайчика как члена подпольной группы, в которую они входили. Когда немцы уже направлялись в типографию, чтобы задержать всех причастных к набору газеты, Броня побежала в барак к Сайчику, потому что ранее он сказал им с Пупко, что в случае необходимости они могут у него укрыться. Через два дня Сайчик отвел ее на квартиру

---

[19] Заявление Х. М. Пруслиной Комиссии по составлению хроники Великой Отечественной войны, 25 августа 1944 года (рукопись хранилась среди бумаг Пруслиной).

[20] Воспоминания Сары Левиной, 1968 // БГАМЛИ. Архив В. Б. Карпова. Ф. 305. Оп. 1. Д. 311. С. 5/90.

подпольщиков [Вороновых], которая считалась более безопасной. Сайчик сопровождал Броню во время обеих попыток встретиться со связными, которые прибыли в Минск, чтобы переправить людей к партизанам. В первый раз их поймал полицейский, но они смогли сбежать. Вторая попытка оказалась более успешной, и Броне удалось выбраться из Минска. Позже Сайчика арестовали немцы, ему снова удалось бежать, но затем его арестовали уже коммунисты, подозревавшие Сайчика в том, что он шпионил в пользу немцев. После войны он был оправдан в суде, где в его пользу свидетельствовали многие подпольщики, включая Броню[21].

Когда началась война, Сайчику было уже 53 года, он был старше большинства подпольщиков, давших ему кличку «Дед»[22] [Иоников 2022: 12; Бараноўскі и др. 1995: 104]. Он был родом из Западной Белоруссии, где антисемитизм, по мнению белорусских евреев, был куда более распространен, чем на востоке[23]. Возможно, Сайчик вырос в месте, где неевреям даже не приходило в голову, что еврей может обидеться, если его назовут жидом. В любом случае Сайчик явно не испытывал враждебности к евреям.

Последнее слово в вопросе антисемитизма в Белоруссии должно, пожалуй, принадлежать немцам. Они делали все возможное для усиления антисемитских настроений, но реакция белорусов их разочаровала. В отчете полиции безопасности и СД (Службы безопасности рейхсфюрера СС) о деятельности айнзацгруппы[24]

---

21   Воспоминания Брони Гофман // НАРБ. Ф. 750. Оп. 1. Д. 307. С. 84; Ф. 4. Оп. 33a. Коробка 87. Д. 664. Интервью с Броней Гофман. Минск, 30 сентября 1999 года.

22   «Среди подпольщиков Сайчик был известен под несколькими именами: в районе немецкого кладбища имел кличку "Василий Иванович", в Серебрянке — "Дед" (у него была большая борода), в остальной части города его звали "Батька"». Цит. по: [Иоников 2022: 12].

23   Интервью с Григорием Хосидом. Минск, 14 сентября 1999 года.

24   Айнзацгруппы полиции безопасности и СД (нем. Einsatzgruppen der Sicherheitspolizei und des SD, рус. «целевые группы», «группы развертывания») — военизированные эскадроны смерти нацистской Германии, осуществлявшие массовые убийства гражданских лиц на оккупированных ею территориях стран Европы и СССР. Играли ведущую роль в окончательном решении еврейского вопроса. — *Примеч. ред.*

«В» в Минске в августе 1941 года утверждалось, что население одобряет меры, применяемые немцами против евреев, но их невозможно заставить участвовать в погромах[25]. В отчете из Минска за декабрь того же года отмечалось: «Широкие массы русских [белорусов] не знают, что такое расовая проблема, и она чужда им... В различных местах имеют место случаи, когда массовое уничтожение евреев дает повод к злобной антинемецкой пропаганде, кульминационным пунктом которой являются заявления, что за евреями их судьбу разделят русские [белорусы]. Какого-либо заметного успеха подстрекатели не добились. В большинстве они были выявлены и расстреляны»[26]. Один из представителей немецкого вермахта с удивлением отмечал, что белорусы «смотрят на немцев как на варваров и палачей евреев (Judenhenker): еврей, мол, такой же человек, как белорус»[27].

БЕЛОРУССИЯ И ЕВРЕЙСКИЕ ПОГРОМЫ В ВОСТОЧНОЙ ЕВРОПЕ

В XV–XVI веках большое число евреев Западной и Центральной Европы мигрировало из-за притеснений на восток — в Польшу и Литву (в состав которых тогда входили территории нынешних Белоруссии и Украины). Это было мудрое решение. На востоке их приветствовали как искусных ремесленников и торговцев, здесь евреи долгое время процветали и жили в относительном мире и согласии со своими христианскими соседями, несмотря на широко распространенный антисемитизм. Для большей части еврейского населения Украины этот мирный период закончился жестокой резней во время восстания Богдана

---

[25] Отчет полиции безопасности и СД о деятельности айнзацгруппы «В» от 5 августа 1941 года [Черноглазова 1999: 162].

[26] Из приложения № 1 к отчету о деятельности 723-й группы тайной полевой полиции об отношении местного населения к истребительным акциям против евреев. Цит. по: [Черноглазова 1999: 167].

[27] Из доклада майора Довена, начальника Генерального штаба вооруженных сил в Остланде, в рейхскомиссариат Остланд. Цит. по: [Vakar 1956: 186].

Хмельницкого 1648–1649 годов, когда было уничтожено множество еврейских поселений и погибло большое число евреев. Последствия этой резни ощутили на себе все еврейские общины региона, в которых распространился страх перед жестокостями антисемитизма. В течение следующих 150 лет войны между великими державами, закончившиеся тремя разделами Польши в последней четверти XVIII века, привели к обнищанию всех жителей региона — как евреев, так и неевреев. В 1881–1882 годах по Российской империи прокатилась первая волна неоднократных еврейских погромов, а миру между евреями и неевреями пришел окончательный конец. Украина неоднократно оказывалась в эпицентре антисемитского насилия. В этом смысле она резко контрастировала с Белоруссией, которая занимала менее значительное место в истории погромов в Восточной Европе и Российской империи.

В 1648–1649 годах мелкий шляхтич Богдан Хмельницкий возглавил украинских крестьян, которые при поддержке запорожских казаков и крымских татар восстали против польского владычества и католической церкви на Украине. Они нападали на польских шляхтичей и их поставщиков-евреев, обратив всю свою ярость против еврейских общин. Точно узнать, сколько евреев было убито, невозможно. Согласно еврейским хроникам, 100 000, причем было уничтожено 300 общин [Джонсон 2000: 296–298]. Скорее всего, эти оценки были завышены, но в них в полной мере отражался ужас тех, кто пережил эти нападения или слышал о них от тысяч беженцев, заполнивших еврейские местечки. Память о погромах Хмельницкого веками напоминала евреям всего региона о хрупкости их положения.

В конце XIX — начале XX века по югу Российской империи прокатилась очередная волна антисемитского насилия, а Украина вновь оказалась в центре событий.

В 1881–1882 годах в украинских городах прошла серия погромов, вызванных ничем не подкрепленными слухами о царском указе бить евреев. Ускоренный экономический рост увеличил разрыв между богатыми и бедными, а наличие евреев среди тех, кто заметно преуспел, слишком резало некоторым людям глаза

[Аронсон 2016: 69]. Однако эта череда погромов почти не затронула Белоруссии.

Следующая волна пришлась на 1903–1906 годы: на сей раз за ней стояли реакционные монархические организации вроде черносотенцев, а само насилие было направлено против революционного движения. Евреи стали его целью потому, что реакционный монархизм был в целом пронизан антисемитизмом, а также потому, что среди революционеров действительно было много евреев.

Стачки и демонстрации, которые устраивал Бунд, сыграли важную роль в Революции 1905 года, которая едва не свергла царский режим, прежде чем была подавлена. Как и в прошлый раз, эпицентром погромов стала Украина: по некоторым подсчетам, на нее пришлось почти 87 % волнений и 62 % жертв. В меньшей степени они затронули Белоруссию и Литву.

В 1905 году в Минске произошел погром, в ходе которого было убито 100 евреев. Случались они и в других городах Белоруссии, а также Литвы [Клиер, Ламброза 2016: 207–253][28].

В 1919–1921 годах, на которые пришелся период Гражданской войны, красные и белые сражались друг с другом за территории на западном краю того, что в будущем станет Советским Союзом. Значительная часть этих спорных земель приходилась на Западные Украину и Белоруссию, где жило большинство евреев Восточной Европы. Сам по себе конфликт был весьма запутанным: националисты и другие местные фракции, красные и белые — все вцепились друг другу в глотки. В этой неразберихе почти все группировки в разное время нападали на еврейские общины, но Красная армия была меньше всего замешана в этих преступлениях. Красноармейцев наказывали за нападения на евреев, да и в целом они старались не причинять им вреда, а иногда даже защищали еврейские общины. Основную ответственность за погромы несли белые и Украинская армия Симона Петлюры. Количество жертв было беспрецедентным. По одним данным, в этих погромах погибло около 200 000 украинских евреев [Кенез 2016: 298–316].

---

28 О погроме в Минске см. [Клиер, Ламброза 2016: 242–243].

Согласно официальным белорусским источникам, в указанный период в Западной Белоруссии произошло 177 погромов, в которых было убито 1 100 евреев [Smilovitsky 1997a: 61][29]. Восточная Белоруссия не была затронута, поскольку там не велись боевые действия. Возможно, эти цифры нарочно преувеличивают разницу между числом убитых белорусских и украинских евреев. Но очевидно, что эта разница была очень серьезной.

Конечно, уровень антисемитизма нельзя оценивать только по количеству погромов. В Восточной Белоруссии их не случалось, потому что в 1919–1921 годах сражения шли в других местах, но это не значит, что здесь не было антисемитизма. И все же контраст между Украиной с ее постоянными погромами и Белоруссией, где такое происходило гораздо реже, был разительным. Говоря о погромах в Западной Белоруссии во время Гражданской войны, специалист по истории белорусских евреев Л. Смиловицкий пишет, что с установлением советской власти «антиеврейская традиция, отравлявшая отношения между евреями и неевреями в Польше и на Украине, почти не ощущалась среди крестьян Белоруссии» [Smilovitsky 1997a: 61].

Так как на востоке Белоруссии традиционно доминировало православие, а на западе была сильна католическая церковь, может показаться, что слабость антисемитских настроений в восточной части была связана именно с недостаточным влиянием католицизма. На западе, где проживало больше поляков и была сильна польская культура, антисемитизм действительно чувствовался острее. Но считать католицизм источником особенно взрывоопасной разновидности антисемитизма было бы ошибкой. Ни Россия, ни Украина не были католическими. Православие, как и католичество, внушало своим последователям антисемитские убеждения. Рост антисемитизма в Польше в начале XX века был вызван не католичеством, а подъемом нацио-

---

[29] Смиловицкий ссылается на БГАМЛИ. Ф. 701. Оп. 1. Д. 43. Л. 20. Такой контраст между Украиной и Белоруссией вовсе не является попыткой умалить страдания белорусских евреев в годы Гражданской войны. Помимо 1 100 убитых, 7 096 евреев были избиты, 150 ранены, а 1 250 женщин изнасилованы. Но аналогичная статистика по украинским евреям была бы куда выше.

налистических движений, винивших евреев в проблемах, с которыми сталкивались поляки, и не считавших иудеев настоящими поляками из-за их религии. Именно националистические движения ответственны за распространение антисемитизма в соседних с Белоруссией областях.

В следующем разделе я расскажу об историко-политических и о демографических факторах, подорвавших привлекательность белорусского национализма. Но, прежде чем перейти к ним, стоит сказать несколько слов об экономике Белоруссии на рубеже столетий.

Именно в 1880–1920-е годы по Российской империи прокатились три отдельные волны погромов. Всякий раз их эпицентром была Украина, которая, как и Польша с Россией, переживала экономический рост, чего не скажешь о Белоруссии. Это не означает, что антисемитизм или его отсутствие можно свести к одним лишь экономическим причинам, равно как и не предполагает наличия какой-либо прямой связи между бедностью и экономической стагнацией, с одной стороны, и отсутствием антисемитизма, с другой. Белорусская экономика была тесно связана с уровнем ее политического развития и культурной демографией, в других обстоятельствах нищета и стагнация могли привести к совсем другим последствиям.

Экономическое соперничество евреев и украинцев неоднократно становилось причиной антисемитского насилия. В XVII веке польские магнаты сдавали украинские земли и другие владения в аренду евреям, которые лучше справлялись с этими обязанностями благодаря своей грамотности и навыкам бухгалтерского учета. Еврейские арендаторы управляли делами своих помещиков и становились ответственными за сбор платежей с украинских крестьян. Таких евреев было на самом деле немного, но они были у всех на виду. Крестьяне однозначно отождествляли евреев с панами, которыми были недовольны как по экономическим, так и по этническим причинам, что и провоцировало нападения на еврейские общины во время восстания Хмельницкого. Восприятие евреев как богатых эксплуататоров сыграло свою роль и в погромах на рубеже XIX–XX веков, что также было вызвано активностью небольшого числа иудеев. В конце XIX века Украина, а также Россия и Польша переживали бурный экономический рост, включавший в себя индустриализацию и ускорение темпов торговли. Погромы 1881–1882 годов как раз и были вызваны завистью к евреям, которые разбогатели во время этого бума.

Белоруссия служила поставщиком сырья для всего региона, но почти ничего не получала взамен. Ее экономика оставалась аграрной, традиционной и стагнирующей. Несколько железных дорог — вот практически все, что ей принесло увеличение товарооборота между соседями. Белорусский рынок оставался преимущественно локальным, а магазины в Минске торговали в основном товарами местного производства или редкими излишками от торговли между Польшей, Украиной и Россией [Vakar 1956: 34]. К началу Гражданской войны промышленное производство на душу населения составляло в Белоруссии менее 50 % от среднего показателя по Российской империи, а в области машиностроения — менее 10 % [Marples 1996: 9]. Несмотря на появившиеся в центре Минска современные двухэтажные здания, город оставался слаборазвитым даже по изменчивым меркам региона. Он состоял в основном из грубо сколоченных бревенчатых домов вроде тех, что встречались в деревнях.

Белоруссия отличалась от своих соседей не только тем, что оставалась бедной, пока они богатели, но и эгалитарностью экономики, причем если в других странах разрыв между бедными и богатыми увеличивался, то белорусская экономика становилась, пожалуй, еще более эгалитарной. Здешние евреи были так же бедны, как и белорусы, а экономического роста не хватало даже на то, чтобы вывести из нищеты хотя бы небольшой их процент. Из примерно 47 000 евреев, живших в Минске в 1897 году, что составляло около 52,3 % от населения города, примерно 250 были врачами, инженерами, писателями или учителями. Эти люди обладали статусом и влиянием, но не достатком [Cholavsky 1988: 20–21]. Еврейские торговцы, владевшие небольшими лавочками, были лишь ненамного богаче бедняков, которых они нанимали и которые также в большинстве своем были евреями.

Известный идишский поэт Авром Лесин, возможно, думал именно о Минске, в котором он вырос, когда позже описывал классовую борьбу между евреями на рубеже веков как «противостояние бедных и очень бедных»[30]. В этот период бедность и погромы спровоцировали массовый отток еврейского населения из Российской империи. Особенно много среди них было белорусских евреев, которых подталкивала к отъезду крайняя нищета. В других регионах естественный прирост компенсировал потери еврейского населения от эмиграции, но в Белоруссии его численность снижалась. Минск и другие города становились все менее еврейскими из-за миграции на запад, в советский период — в другие регионы СССР, а также миграции этнических белорусов, перебиравшихся в город для работы на новых фабриках [Cholavsky 1988: 16, 20][31].

Этнические белорусы были крайне бедны, куда беднее других этнических групп Восточной Европы. К началу XX века большинство из них по-прежнему проживали в небольших деревнях и занимались натуральным хозяйством. Относительно немногие посещали школу, да и те в основном учились читать на русском. Так как этнические белорусы были слабо представлены в немногочисленной городской профессиональной элите, некому было развивать образование на белорусском языке. В 1897 году более ¾ белорусов в возрасте от 10 до 40 лет были неграмотными [Guthier 1977: 43]. Белорусские крестьяне оказались в ловушке собственной необразованности и бедности своей земли.

Но сельская нищета сказывалась и на землевладельцах. Качество земли и стагнация белорусской экономики в первые десятилетия XX века вынуждали многих уезжать, распродавая свои земли.

---

[30] Цит. по: [Cholavsky 1988: 22].

[31] Согласно переписи 1939 года, евреи в то время составляли 31 % от населения Минска [Подъячих 1957: 29]. О компенсации потери еврейского населения от эмиграции благодаря естественному приросту в других районах см. [Поляков 2009: 371]. О сокращении еврейского населения Белоруссии см. [Guthier 1977: 52–53]. Гутьер утверждает, что в 1897 году евреи составляли 54 % от населения Минска. Марплз приводит цифру 58,8 % по состоянию на тот же год, см. [Marples 1996: 9].

В итоге все больше пригодной для обработки земли попадало в Белоруссии в руки крестьян, в основном занимавшихся натуральным хозяйством бедняков. На рубеже веков крупным землевладельцам принадлежала примерно половина всех белорусских сельхозугодий. К 1917 году на государство, церковь и дворян вместе приходилось около 9,3 % пахотных земель, в то время как крестьяне-собственники владели 90,7 % [Vakar 1956: 32–33].

БЕЛОРУССКАЯ ПОЛИТИКА И ЭТНИЧЕСКОЕ СОСУЩЕСТВОВАНИЕ

В историях большинства стран есть хотя бы базовые контуры, с которыми все согласны. Но в случае с Белоруссией это не так. Невозможно назвать ни приблизительную дату, ни даже эпоху, в которую она возникла, потому что территории, которые позже станут Белоруссией, вошли в состав Великого княжества Литовского еще в XIII веке, то есть до появления белорусской идентичности. В то время живших здесь людей объединяли только христианство, которое они приняли вместе с остальным населением Киевской Руси, и белорусский язык, происходивший от общего с русским и украинским корня. Вхождение Белоруссии в Великое княжество Литовское защитило ее от монгольского ига, под которым оказалась остальная часть Киевской Руси, и вплоть до XIX века она оставалась за пределами Российской империи, хотя и сохраняла с ней языковые, культурные и религиозные связи. Когда Белоруссия снова оказалась под российским владычеством, ее стали называть Западной или Северно-Западной Россией. Название «Белоруссия» было запрещено, правда, скорее из страха перед польским, чем белорусским национализмом.

Сразу после революции Советы предоставили белорусской культуре некоторую свободу действий в соответствии со своей политикой поддержки национальных меньшинств. Но затем эта поддержка сошла на нет, а после войны советская власть стала делать особый акцент на связях между Белоруссией и Россией. Российские историки обычно рассматривают Белоруссию как не самый значимый регион России. Между тем белорусские националисты прослеживают ее историю до XI века[32]. Обе стороны в этом споре считают, что национальное самоопределение (или по крайней мере стремление к нему) является ключевым фактором развития народа. Я же считаю, что белорусская культура в большей степени отражала этническую идентичность, чем другие этнические культуры в этом регионе, именно потому, что она была менее националистической.

В XIII веке, когда Белоруссия вошла в состав Великого княжества Литовского, она представляла собой не единое государство, а, скорее, территорию, которую делили между собой три крупных княжества, выросшие из племенных образований. В 988 году великий князь Киевской Руси Владимир официально крестил своих подданных, среди которых (благодаря его женитьбе на дочери местного князя) были и жители Полоцка — крупнейшего из белорусских княжеств, откуда христианство распространилось и по другим белорусским областям. Вместе с христианством пришла и грамотность (но только для дворянства и церковной элиты, а не для простых людей), при этом грамоте учили на старославянском, который был родствен, но не идентичен разговорному белорусскому. Хотя населявшие белорусскую территорию племена имели одну религию и один язык, основанные позднее княжества были независимыми образованиями, а у их жителей не было ощущения общей белорусской идентичности.

Понятие «Белоруссия» появляется в официальных документах лишь в XIII веке после монгольского нашествия на остальные части региона (более-менее совпадающие с современными Россией и Украиной). Страна, называвшаяся Киевской Русью, оказалась разделена на три области: Западную, Южную (Украину) и Северо-Восточную Русь, или Белоруссию. Название «Белорус-

---

[32] Краткое описание позиции белорусских националистов по этому вопросу приводится в [Vakar 1956: 40–42]. Я. Запрудник относит «самые ранние примеры государственности на белорусских территориях» к X или XI веку и называет прошлое Беларуси «освобожденным... из тюрьмы обрусевших коммунистических догм» [Zaprudnik 1993: 9–10].

сия», то есть Белая Русь, возможно, объясняется именно тем, что это была единственная из трех областей, не попавшая под власть ханов. Из-за угрозы со стороны монголов и в меньшей степени тевтонских рыцарей на западе белорусские княжества стали искать защиты у Литвы и в итоге вошли в состав Великого княжества Литовского. Примерно в то же время произошло разделение старославянского языка на три ветви — русскую, украинскую и белорусскую. Поскольку Литва еще не знала письменности (а великий князь был неграмотен), белорусская версия старославянского была принята в качестве официального языка единого литовско-белорусского государства. Под управлением Великого княжества Литовского внешний контроль осуществлялся через белорусскую политическую и землевладельческую элиту, и белорусская культура процветала.

Однако затем Литва развернулась в сторону союза с Польшей, частично из-за все той же тевтонской угрозы с запада. Брак великого князя литовского Ягайло с польской королевной Ядвигой в 1386 году положил начало периоду нарастающего польского влияния на Литву, а значит — и на Белоруссию. Люблинская уния 1569 года ознаменовала создание единого федеративного государства, Речи Посполитой, ведущая роль в котором принадлежала Польше. Отдельная церковная уния, заключенная в 1596 году в Бресте, утвердила превосходство Римско-католической церкви в польско-литовском государстве, в которое входила Белоруссия. Белорусские дворяне, многие из которых были православными, были вынуждены принять польские обычаи, польский язык и католичество в его римском изводе. Крестьяне продолжали говорить на белорусском, но их тоже затрагивали польские попытки подорвать влияние православной церкви, направленные прежде всего против церковных иерархов и православного дворянства. После Брестской унии многие представители православного духовенства стали католиками, но, несмотря на давление со стороны государства, значительное число белорусов, особенно на востоке, остались православными. Другие перешли в Униатскую церковь, где следовали обряду, сочетавшему в себе элементы католической и православной традиций. Часть белорусов, особенно на западе, вслед за церковниками приняла католичество[33].

В последней четверти XVIII века Польша была расчленена соседями, поглотившими ее территории. В результате таких трех разделов в 1772–1795 годах белорусские территории бывшего Великого княжества Литовского перешли под власть русского царя. На этих землях, состоявших из Белоруссии и расположенной южнее Украины, к тому времени проживало больше всего евреев во всей Восточной Европе. Царским указом для них была установлена Черта оседлости[34], ограничивающая территорию, в которую вошли Белоруссия и Украина. Евреям было дозволено здесь жить, но в другие части России они могли попасть только при наличии специального разрешения. В Белоруссии царские власти также способствовали постепенной русификации землевладельческой элиты. Польские помещики были обязаны принести клятву верности царю, а если кто-то отказывался, у них отнимали владения и делили их между русскими дворянами. Так большая часть белорусских земель оказалась в руках российской знати. Теперь уже русская элита устремились в Белоруссию, а местной пришлось в той или иной степени русифицироваться. К моменту прихода царской власти белорусская элита уже не была собственно белорусской. Часть местной знати происходила от польской шляхты, другая была белорусской по национальности, но длившийся не одно столетие процесс полонизации оборвал их связи с белорусской культурой. Фактически они стали поляками, жившими на белорусской территории. Поначалу новые правители опасались выступать против католической церкви, но со временем терпимость сошла на нет: русские стали действовать так же, как поляки до них, только наоборот. Теперь уже католические церкви закрывались, а принявшая католичество знать была вынуждена

---

[33] О ранней истории Белоруссии см. [Vakar 1956], главы 1 и 2 в [Zaprudnik 1993] и главу 1 в [Lubachko 1972]. О принуждении белорусов к переходу в Униатскую церковь после заключения Брестской унии см. [Zaprudnik 1993: 38–40].

[34] Полное название — Черта постоянной еврейской оседлости. — *Примеч. ред.*

перекрещиваться обратно в православие, да и крестьяне столкнулись с похожим давлением.

К моменту, когда Белоруссия вошла в состав Российской империи, в ее городах начал формироваться новый тип элиты — преимущественно еврейской, но включавшей в себя и представителей других национальностей, в основном русских и поляков. В середине XVII века на евреев приходилось до 8 % от всего населения в некоторых белорусских городах. К началу XX века их доля достигла 50 % во всех крупных городах и многих местечках. Следом за евреями шли русские и поляки. Возникший в городах грамотный, в некоторых случаях высокообразованный, профессиональный предпринимательский класс почти целиком состоял из евреев и некоторого количества представителей других национальных меньшинств. В городах жило не так много белорусов, еще меньше их было среди образованной городской элиты. Белорусская деревня была бедна, но города были ненамного богаче. Жившие в них торговцы и ремесленники были гораздо беднее представителей тех же профессий в других областях. У белорусской городской элиты не было ни богатства, ни политического влияния, которым обладали помещики. Но благодаря своим навыкам и доступу к культурным и другим ресурсам она все же могла считаться элитой, и тот факт, что она практически полностью состояла не из белорусов и говорила на идише и/или русском, оказал влияние на историю Белоруссии.

С самого начала в белорусском сопротивлении царской власти участвовали не только белорусы, но и представители других национальностей. Иначе и быть не могло, учитывая, что в городах белорусы составляли меньшинство (да и местечки были часто наполовину еврейскими). Кроме того, бороться с царским режимом пытались по всей бывшей территории Великого княжества Литовского; у белорусов, поляков и литовцев были причины действовать сообща. Контакты с поляками были особенно важны из-за силы польского движения за национальную независимость. Несмотря на поражение наполеоновской армии в 1812 году, ее поход на Москву вдохнул новую жизнь в демократические и националистические надежды поляков, особенно студентов и интеллектуалов. Так как в Белоруссии не было университетов, здешние студенты учились за ее пределами. В университетах они встречались со студентами из других частей Российской империи и обсуждали с ними антимонархические и националистические идеи. Все это привело к зарождению белорусского национализма. В Виленском университете (в городе, который назывался Вильна (*идиш*), Вильно (*польск.*) или Вильнюс (*лит.*)) студенческие общества стали изучать националистические идеи, попав под влияние польского историка И. Лелевеля. Была среди этих кружков и группа белорусов, вдохновленных перспективой популяризации белорусского языка, что, по их мнению, должно было стать основой для белорусского культурного возрождения. В 1823 году эти общества были распущены, а их лидеры отправлены в ссылку. Польское восстание 1830–1831 годов всколыхнуло население Литвы и Западной Белоруссии. Когда на следующий год поляки послали в эти районы вооруженные отряды, на северо-западе Белоруссии вспыхнули волнения, в которых приняло участие около 10 000 человек, среди коих были крестьяне и помещики, а также студенты, интеллектуалы и католическое духовенство. Восстание было подавлено[35].

Столь явное недовольство российским правлением вынудило царский режим еще активнее противодействовать становлению белорусской идентичности. Власти с удвоенными силами взялись за русификацию белорусской землевладельческой элиты и привлечение крестьян — иногда силой — в лоно Русской православной церкви. В 1839 году прихожане Униатской церкви, составлявшие на тот момент около ¾ населения Белоруссии, были вынуждены перейти в православие. Белоруссию в административных целях переименовали в Северо-Западный край, а в 1840 году Николай I выпустил указ, запрещавший использование самого слова «Белоруссия» [Zaprudnik 1993: 38]. В 1861 году наследник Николая, Александр II, попытался смягчить недовольство подданных, освободив крепостных по всей Российской империи.

---

[35] О белорусском восстании 1831 года см. [Zaprudnik 1993: 49–50; Vakar 1956: 68–70].

Но, так как крестьяне получили мизерные наделы, за реформой последовали масштабные протесты. Вспыхнуло восстание, центром которого стала Западная Белоруссия, где повстанцы — в основном горожане — действовали в тесном контакте с польскими союзниками. Выступление было подавлено российскими войсками. Прежде чем его повесили, предводитель этого восстания — этнический белорус и радикальный интеллигент Константин Калиновский — написал несколько посланий белорусскому народу, известных под названием «Письма из-под виселицы». Он призвал соотечественников вдохновляться примером польских братьев-националистов и требовал автономии для Белоруссии и Литвы. Последовавшие за этим репрессии включали в себя запрет на использование польского языка на государственном уровне, любое притеснение православной церкви и строительство католических костелов. После этого всего за год (в 1865–1866 годах) 30 000 дворян и шляхтичей отказались от православия и перешли в католицизм[36].

В 1870–1880-х годах в Белоруссии и по всей Российской империи среди студентов и молодежи из городского среднего класса стали набирать популярность идеи народничества — движения, стремившего к крестьянской революции. Белорусы брали пример со студентов других этнических групп, находившихся под влиянием национализма, и развивали похожие идеи. Группа белорусских народников, студентов и других лиц издавала в Санкт-Петербурге нелегальную газету «Гомон», выступавшую за создание автономной Белорусской республики в составе Российской Федерации[37]. В то время интеллектуалы из разных уголков бывшего Великого княжества Литовского обращались к подобным взглядам. Среди них было много этнических поляков, лишившихся собственной автономии и находившихся под прямым управлением царской администрации. В 1902 году белорусские студенты при поддержке Польской социалистической партии

---

[36] О восстании 1863 года и последовавших репрессиях см. [Vakar 1956: 70–72; Zaprudnik 1993: 55–48].

[37] О «Гомоне» см. [Zaprudnik 1993: 58–60].

создали в том же Санкт-Петербурге Белорусскую революционную грамаду (союз). В 1903 году организацию переименовали в Белорусскую социалистическую грамаду. Грамада стремилась к созданию автономного белорусского государства, которое проводило бы социал-демократическую политику. Однако она оказалась в тени куда более крупной и ориентированной на марксизм Российской социал-демократической рабочей партии, которую в Белоруссии поддерживали в основном евреи, этнические русские и поляки, то есть городское население Белоруссии[38]. После неудавшейся Революции 1905 года в Вильнюсе стала выходить газета «Наша ніва», которая выступала за создание независимого белорусского государства, при этом подчеркивалось, что такое государство будет представлять интересы не только этнических белорусов, но и других живших в Белоруссии народов[39].

Грамада стала средоточием белорусского национализма. Эти идеи привлекали небольшие группы белорусских студентов и интеллектуалов и почти не пользовались влиянием за их пределами. Но через Грамаду прошло немало молодых белорусов, многие из которых затем стали политическими активистами. В этой организации сформировались их политические взгляды, в которых этническая экспансия и требования национальной независимости переплетались с социал-демократическими ценностями, стремлением к равенству и социальным реформам. Для региона, где национализм все прочнее ассоциировался с правыми и стремлением к политической и культурной гегемонии собственной этнической группы над другими, характер белорусского национализма был весьма необычен. Кроме того, он отличался своей слабостью. В первые десятилетия XX века националистические движения Восточной Европы обладали серьезным влиянием и поддержкой значительной доли электората. Но в Белоруссии этому препятствовала ее необычная демографическая ситуация. В других частях региона политические движения — националистические или иные — в основном опи-

---

[38] О создании Грамады см. [Vakar 1956: 84–87; Lubachko 1972: 6, 9].

[39] О «Нашей ніве» см. [Vakar 1956: 87–91; Lubachko 1972: 7].

рались на городское население и возглавлялись городскими элитами. Оппозиционные настроения широко распространились по Белоруссии в начале XX века, и многие горожане поддерживали идею создания независимого от русских царей белорусского государства. Но преобладание среди городского населения и городских элит евреев и иных национальностей, не являвшихся этническими белорусами, оставляло мало оснований для националистического влияния и недостаточно места для различных форм национализма, распространявшихся по всему региону, которые способствовали гегемонии одного этноса, игнорируя интересы остальных.

НАЦИОНАЛИЗМ, АНТИСЕМИТИЗМ И СОВЕТСКИЙ КОММУНИЗМ

К началу Гражданской войны в России национализм уже во многом заменил христианство в качестве основного источника антисемитизма. Однако христианские стереотипы слишком глубоко вошли в культуру народов Восточной Европы, включая белорусов. Веками легитимизация политической власти шла здесь именно через христианство, а религиозная лексика оказывала влияние на формирование всех типов социальных отношений. Подъем национализма, социализма и коммунизма породил новые конфликты и создал другой политический словарь. Обвинениям в ритуальных убийствах все еще чаще верили, и они по-прежнему могли привести к нападениям на евреев. Но в Польше, пережившей в 1920–1930-х годах резкий скачок антисемитизма, наиболее действенной была риторика правых националистов, обвинявших евреев в препятствовании интересам польской нации и их предательстве (полноценной частью которой они, по мнению правых, не являлись).

После Октябрьской революции противодействие Советскому Союзу и коммунизму стало главной задачей крайне правых националистов в Польше и по всей Восточной Европе. За пределами СССР лишь небольшое число евреев состояло в коммунистических партиях или поддерживало советскую версию социализма. Однако среди членов коммунистических партий, которые сами по себе были совсем небольшими, процент евреев был традиционно высок. Частично это объяснялось тем, что коммунисты выступали против антисемитизма во времена, когда почти никто этого не делал. Но большое число евреев в коммунистических партиях Восточной Европы, а также среди лидеров Октябрьской революции и в советском правительстве позволило крайне правым связать евреев с коммунизмом и в то же время нападать на них. Эта ассоциация лишь укрепилась к концу 1930-х годов, когда над Польшей нависла угроза захвата со стороны Германии или СССР. Если уж приходилось выбирать, польские евреи в большинстве своем горячо надеялись, что окажутся под советской властью. Многие из них открыто приветствовали отряды Красной армии в Восточной Польше. Тех, кто втайне вздохнул с облегчением, было, без сомнения, еще больше [Gross 1991: 66]. Россия традиционно считалась врагом Польши, и в глазах многих поляков Советский Союз если и отличался от нее, то в худшую сторону. С этой точки зрения поддержка евреями СССР была равносильна предательству польской нации.

В Белоруссии власть Советов привела к снижению антисемитизма, но оккупация Восточной Польши и Литвы в течение 20 месяцев, предшествовавших нападению Германии на СССР, возымела обратный эффект. Белоруссия вошла в Советский Союз более-менее добровольно, и, хотя белорусское правительство следовало указаниям из Москвы, многие считали коммунизм исконно белорусским по духу. В Восточной Польше и Литве Советы были оккупационной силой. Они были куда больше озабочены укреплением собственного правления и устранением оппозиции, даже потенциальной, чем попытками заручиться поддержкой местных сил. Политические организации, которые гипотетически могли оказать отпор, были объявлены вне закона, а их лидеры арестованы. На административные посты назначались те, от кого новая власть могла ждать поддержки советской политики. Были среди них и евреи. Местные ненавидели Советы и тех, кто их поддерживал, и в последние месяцы перед нападением Германии эта ненависть только усилилась. Начиная с февраля 1940 года по Восточной Польше и Литве прокатились четыре волны депортаций, в ходе которых советская власть насильно переселила около 500 000 человек в Сибирь и Советскую Среднюю Азию. Евреи тоже подверглись репрессиям: было арестовано много сионистов, да и вообще среди сосланных в Азию их процент был непропорционально высок. Но при этом евреи прекрасно понимали, что под властью немцев им пришлось бы гораздо хуже. Большинство этнических литовцев и поляков откровенно ненавидели советских оккупантов, а наличие нескольких евреев в советской администрации и неоднозначное отношение к советской власти привели к тому, что всех евреев стали считать просоветскими, а значит — предателями[40].

В Белоруссии (или, точнее, Восточной Белоруссии) все было по-другому. Во время Февральской революции белорусские политические партии сами выступили с инициативой войти в Российскую Федерацию. Хотя их отношение к Октябрьской революции было не таким однозначным, создание Белорусской Советской Социалистической Республики считалось результатом естественного политического процесса. В 1920-х годах и начале 1930-х годов советская политика поощряла участие национальных меньшинств в строительстве социализма и допускала определенную степень местной инициативы. Новая экономическая политика поощряла примирительный подход к крестьянству. Все это позволило населению Белоруссии — этническим белорусам, евреям и людям других национальностей — активно участвовать в создании социалистической, индустриальной и современной (по крайней мере до определенной степени) страны. В Белоруссии у советского социализма было белорусское лицо.

Как и везде, количество евреев в Коммунистической партии Белоруссии (КПБ) было непропорционально высоким: в 1928 го-

---

40 С февраля 1940 года и до нападения Германии на Советский Союз 22 июня 1941 года Западная Украина и Западная Белоруссия пережили четыре волны депортаций. Из примерно 500 000 депортированных около 50 % составляли этнические поляки, 30 % были евреями, а 20 % — этническими украинцами и белорусами [Gross 1991: 72–73], при этом евреи составляли лишь около 10 % от населения всего региона [Levin 1995: 18].

ду этнические белорусы составляли 54,3 % от всех членов КПБ, евреи — 23,7 %, русские — 14 % [Lubachko 1972: 70]. В Польше, Литве и по всей Восточной Европе националисты оправдывали свой антисемитизм особой связью евреев с коммунизмом и смогли привлечь таким образом широкие массы. Но в Белоруссии ни один достаточно влиятельный человек не прибегал к этому аргументу. Когда немцы попытались использовать его во время войны, все закончилось жалобами на слабый отклик: в Белоруссии попросту отсутствовала почва для таких заявлений.

До войны здесь далеко не все (особенно в сельской местности) были довольны советской властью, но это так и не привело к появлению организованной оппозиции. Во-первых, у местных жителей просто не было «золотого века», с которым они могли сравнивать свой быт: при царской власти им жилось ничуть не лучше. Во-вторых, коллективизация в Белоруссии была менее жестокой, особенно по сравнению с Украиной, так как жертвами связанных с ней репрессий становились в основном зажиточные крестьяне — кулаки, а таких в белорусской деревне было совсем мало. Наконец, в довоенной Белоруссии не было организованной политической силы, которая бы выступала за отпор советской власти и винила бы евреев в ее установлении[41].

В белорусских городах отношение к СССР в первые десятилетия его существования было в основном положительным. Многие белорусские социал-демократы, по крайней мере поначалу, скептически относились к советской власти, а националисты бежали из страны, главным образом в Германию. Но в начале 1920-х годов в советской политике произошел поворот, открывший новые возможности перед бывшими скептиками и оппонентами. Советское руководство осознало, что для сохранения единства такого этнически пестрого государства ему нужно заручиться хоть какой-то поддержкой национальных меньшинств, а также отказаться от наиболее репрессивных практик коллективизации и попытаться вовлечь крестьян в принятие решений

---

[41] Об отношении белорусской деревни к советской власти см. [Lubachko 1972: 74–76].

на местах, чтобы подавить контрреволюцию в деревне. Кроме того, новые власти собирались построить в Минске заводы и университет, а в селах открыть новые школы и провести кампанию по ликвидации неграмотности. Советская кампания против антисемитизма и других форм этнической и расовой дискриминации сделала возможной полноценное участие евреев в жизни общества и дала официальное благословение на межнациональное сотрудничество при строительстве социализма в Белоруссии. В прошлом такое взаимодействие всегда велось в пику власти. Но на этот раз к ее проекту присоединились многие социал-демократы и даже некоторые националисты. Последние специально вернулись из Германии и других стран, в которые они бежали, откликнувшись на призыв советской власти, и вошли в состав советской белорусской администрации [Lubachko 1972: 62–79, 80–92].

Чистки конца 1930-х годов, призванные избавить партию от несогласных и тех, кто сопротивлялся сталинской централизации, были так же губительны для Белоруссии, как и для других областей: больше половины членов КПБ были высланы или арестованы в 1934–1936 годах [Brzezinski 1956: 57; Conquest 1990: 223; Медведев 1990: 310–311]. Но к тому времени большая часть городского населения Белоруссии считала советскую власть легитимной, а белорусские интересы — тесно связанными с Россией, так что мало кто открыто выражал недовольство. Некоторые белорусы, настроенные до войны против советской власти, после ее начала вслед за немцами стали осуждать евреев за поддержку Советов. Но такое отношение не получило широкого распространения ни в Минске, ни за его пределами.

И до, и во время войны Раиса Хасеневич (урожденная Рива Шерман) считала себя убежденной советской интернационалисткой, белорусской патриоткой, а также еврейкой. Хотя она воспринимала свое еврейство как данность, она не видела в этом никаких противоречий. В начале 1930-х годов, когда Раиса была еще подростком, она в течение года училась в Москве. По ее словам, она вернулась в Минск именно из-за своего патриотизма. Таким образом, Хасеневич была не только советской, но и белорусской патриоткой. Раиса выросла в еврейском местечке на Украине, и у нее остались болезненные воспоминания о процветавшем там антисемитизме. Позднее, переехав в Минск по работе, она устроила так, чтобы родители и одна из сестер последовали за ней. В то время и на протяжении всей войны Раиса безоговорочно поддерживала Сталина и коммунистическую партию. Но после войны, на фоне обострения советского антисемитизма, она стала критичнее относиться к советскому руководству и никогда не молчала, сталкиваясь с его проявлениями[42]. Тем не менее Раиса осталась истовой интернационалисткой и сохранила коммунистические убеждения до конца жизни. Среди евреев ее поколения многие считали себя интернационалистами и советскими патриотами. Но в Белоруссии быть евреем и местным патриотом — и не чувствовать противоречия между этими идентичностями — было проще, чем где-либо еще в Восточной Европе. На той же Украине за таким сочетанием тянулся кровавый шлейф истории местного антисемитизма.

Впрочем, в Белоруссии и до войны хватало евреев, которые не разделяли энтузиазма Раисы по отношению к советской власти. В написанном на идише романе «Зелменяне» советского еврейского писателя Мойши Кульбака описывается разрушение привычного уклада большой еврейской семьи, жившей в общем дворе в Минске, после революции. Кое-кто из молодых горячо поддерживает революцию, но представители старшего поколения возмущены тем, что их заставили отказаться от традиционных занятий и пойти работать на завод. В конечном счете новые власти решают, что им нужно забрать у семьи двор, в котором она жила десятилетиями, чтобы построить на этом месте завод. Семью изгоняют, сговорившись с одним из молодых людей, членом коммунистической партии, который считает образ жизни своих родственников устаревшим и не заслуживающим сохранения [Кульбак 2008]. В сочинении Кульбака показывается та сторона советской власти, которая стала более очевидной для

---

42 Интервью с Раисой Хасеневич. Минск, 16 сентября 2003 года; интервью с Элеонорой Банах (дочерью Хасеневич). Минск, 20 ноября 2004 года.

многих белорусских евреев после войны. Но Раиса Хасеневич и те, кто разделял ее взгляды, попросту не узнали бы себя в произведении Кульбака даже в то время, когда преступления Сталина и его антисемитизм стали достоянием общественности. Они продолжали бы настаивать на том, что для них коммунизм означал создание эгалитарного общества, в котором антисемитизм и любые формы дискриминации должны были перестать существовать.

Концепция белорусской идентичности, которая в довоенные годы позволяла минской молодежи думать о себе в первую очередь как о белорусах и советских гражданах, а не только как о членах какой-то конкретной этнической группы, создавала естественную основу для этнически инклюзивного понимания патриотизма. Для белорусских коммунистов и тех, кто был близок к коммунистической партии, патриотизм означал защиту белорусской территории и всех, кто на ней жил, от иностранной оккупации. Именно на таком понимании патриотизма настаивали до войны советские власти не только в Белоруссии, но и по всему Советскому Союзу.

В военное время советское руководство стало отходить от борьбы с антисемитизмом, которая была центральным элементом довоенного интернационализма, но рядовые коммунисты и многие другие в оккупированной Белоруссии продолжали придерживаться тех же принципов. Алексей Васильевич Черненко, организатор одной из минских автономных подпольных ячеек, помогавших евреям бежать из гетто, хотя и не был евреем, прямо называл их советскими гражданами и считал помощь им своим патриотическим долгом[43].

Евреи в минском подполье и на его периферии, как и многие подпольщики-белорусы, считали антисемитизм предательством (по крайней мере если под этим подразумевалось явное выражение ненависти по отношению к евреям, а не речевая привычка; так, никому не приходило в голову, что подпольщик Сайчик,

---

43 Черненко А. В. Отчет о подпольной деятельности в Минске // НАРБ. Д. 4. Л. 33а. Док. 659. С. 143.

в силу культурного рефлекса назвавший Гебелева жидом, является немецким агентом). Подпольщице из Минского гетто Дине Бейненсон однажды было поручено встретиться у окружавшего гетто забора с человеком по фамилии Ратьков, который был членом белорусского подполья. Но в назначенное время Ратьков не явился. По словам организовывавшего эту встречу связного, Ратьков сказал: «К черту эту жидовку — я не хочу с ней встречаться». «Так мы поняли, — написала позже Бейненсон, — что Ратьков был предателем». Так оно и оказалось: через какое-то время Ратьков сдал их связного, который был членом комсомола[44].

Вскоре после освобождения Минска Раиса, едва вернувшись в город из партизанского отряда, заметила на улице своего бывшего коллегу Вольского. Именно он донес на нее немцам, назвав Раису еврейкой (и членом коммунистической партии, хотя это было неправдой), что привело к ее аресту и тюремному заключению. Раиса схватила Вольского и крикнула стоявшему рядом полицейскому, что поймала предателя, после чего Вольского арестовали. Вполне вероятно, что подобная сцена могла произойти на улицах Украины или даже послевоенной Польши. Но уверенность Раисы в том, что для патриота антисемит может быть только предателем, имела, несомненно, белорусский оттенок.

---

[44] Воспоминания Д. Г. Бейненсон (бывшей партизанки 208-го партизанского отряда им. Сталина и члена коммунистической партии с 1945 года) // Yad Vashem Archives. M41/1.

Глава 3
Минское гетто

НЕМЕЦКОЕ НАСТУПЛЕНИЕ

Утром 22 июня 1941 года Германия напала на СССР. В тот же день в Минске состоялось экстренное заседание руководства Коммунистической партии Белоруссии, на котором было решено эвакуировать из Минска детей, сформировать вооруженные отряды и рассредоточить их по городу для поддержания порядка и безопасности. Но уже 24 июня немецкие самолеты начали бомбить Минск, уничтожив множество зданий в центре и вызвав пожары. Так как лето уже началось, многие дети находились в лагерях за городом. Часть из них посадили на поезда и автобусы и эвакуировали, не известив, очевидно, об этом родителей. Взрослых, которые работали на ключевых предприятиях, вызвали на заводы и не отпускали домой. В ночь с 24 на 25 июня лидеры Коммунистической партии Белоруссии и другие высокопоставленные чиновники погрузили в машины все документы и архивы, которые можно было увезти, и выехали в Могилев; 28 июня, когда немецкие солдаты вошли в Минск, в нем уже не было руководства. Организованной эвакуации так и не произошло. Никому в городе не было поручено создание движения Сопротивления[1].

---

[1] «К вопросу о партийном подполье в городе Минске в годы Великой Отечественной войны, июнь 1941 — июль 1942», составлено Т. Горбуновым, секретарем ЦК КПБ, и др. Б. д. [предположительно 1959 год]. С. 3–4 // НАРБ. Личный фонд Е. И. Барановского.

Значительная часть центра Минска была уничтожена в первые дни наступления, еще до того, как немецкие войска вошли в город. Многие дома сгорели дотла, от них остались только дымоходы и большие русские печи, использовавшиеся для приготовления еды и обогрева. Разбомбленные здания шли рядами; от домов, в которых раньше жили люди, располагались конторы и магазины, не осталось ничего, кроме кирпичных стен. Огонь с них перекидывался на стоявшие рядом деревянные строения. Из горящего Минска в хаосе бежали все, кто мог. Некоторые укрылись в бомбоубежищах на окраинах города; многие бежали в ближайшие деревни, где в последующие дни наверняка столкнулись с немецкими солдатами, которые сгоняли людей обратно в Минск.

В первые несколько дней после нападения Германии на СССР, когда немцы еще не успели продвинуться на восток и не начали разворачивать беженцев обратно, у жителей была возможность бежать с территорий, которые вскоре окажутся оккупированными. Тысячи людей воспользовались ею, устремившись из Минска на восток, в основном пешком. Мало у кого в городе, за исключением высокопоставленных членов коммунистической партии, были автомобили, но некоторым удалось раздобыть машины на работе, либо лошадей и повозки, или хотя бы обзавестись велосипедами. Толпы людей хлынули из города либо по северной дороге, ведущей в Москву, либо на восток в Могилев. Многие из них были евреями, коммунистами или тесно связанными с партией, и у всех были основания полагать, что они станут мишенями немцев. Но не меньше людей, включая евреев и коммунистов, осталось в Минске, потому что их родственники были на работе и не могли покинуть город; их дети были в детских садах или лагерях, до которых нельзя было добраться из-за пожаров; из опасений за пожилых родственников либо младенцев, которые могли не пережить дороги.

Пока толпы людей продвигались на восток, над их головами пролетали немецкие самолеты. Сброшенные ими бомбы убили многих, некоторых заставили повернуть назад. Другие, особенно те, кто выбрал дорогу на Могилев, смогли опередить немцев и покинуть будущие оккупированные территории, после чего продолжили двигаться на восток. Но многие обнаружили на своем пути немецких солдат. Дорога на Могилев оставалась открытой дольше всего, что позволило выбраться большему количеству людей. Но выбравших дорогу на Москву, скорее всего, повернули назад солдаты. Вернувшиеся обнаружили, что Минск погрузился в хаос. Так много домов, особенно в центре, было разрушено, что люди с трудом узнавали свои районы и родные улицы. Родственники искали друг друга, оставляя записки в разбомбленных зданиях. Многие магазины закрылись, и в городе процветало мародерство. По улицам было невозможно пройти, так как они были завалены обломками разрушенных домов, а большая часть города была покрыта мелкой зернистой пылью, состоящей из толченого кирпича и раствора. Некоторым повезло найти свои дома нетронутыми, другим приходилось ютиться в разбомбленных строениях, переезжать к родственникам и друзьям или жить прямо на улице[2]. Образовавшийся вакуум власти быстро заполнили немцы, захватившие городской совет (или управу), его учреждения и полицейские участки и создавшие административные структуры, которым предстояло управлять не только Минском, но и всем рейхскомиссариатом Остланд — административным образованием, которое включало в себя Белоруссию и Прибалтику.

В то время как тысячи минчан пытались бежать из страны, находились и такие белорусы, отношение которых к наступающим немцам было скорее настороженным, чем враждебным. Особенно много среди них было крестьян, которые не слишком расстраивались из-за ухода Советов; к тому же в сельской местности коммунистическая партия имела куда меньше влияния, чем в городах. Хотя и там хватало тех, кому не по душе было советское правление, но это недовольство оставалось относительно пассивным. Советская власть не была навязана Белоруссии: это был более-менее добровольный выбор. Демонстрация силы Красной армией, конечно, сыграла свою роль на последних этапах, но произошло это уже после того, как съезд белорусских

---

[2]   Минск в первые дни войны описан в [Добин 1965].

политических партий выразил поддержку вступления Белоруссии в социалистическую Российскую Федерацию. Все эти партии базировались в белорусских городах, прежде всего в Минске. В сельской местности вступление в Советский Союз было встречено с куда меньшим энтузиазмом, но даже там недовольство было недостаточным для открытого и организованного отпора. Жителям этих земель было не с чем сравнивать, их прошлое было ничуть не лучше: советская власть пришла на смену царскому режиму. Да и белорусское крестьянство не было склонно к политической активности. Культурно советская власть была им в некотором роде знакома: Белоруссия была частью Российской империи, и в ней широко использовался русский язык. Мало кто четко разграничивал белорусскую и русскую культуру, так что в глазах местных жителей немцы выглядели куда бо́льшими чужаками, чем русские. Тем не менее многие белорусы, особенно на селе, поначалу допускали, что немцы могут оказаться лучшими правителями, чем коммунисты. Но в Минске влияние партии было сильнее, а советская культура укоренилась глубже, что вкупе с бомбардировками привело к куда более настороженному отношению к наступающей армии. Хотя даже в Минске некоторые приветствовали немецкие войска, а многие мужчины, особенно очень бедные, добровольно пошли служить в подконтрольную немцам полицию.

Некоторые евреи поначалу придерживались той же выжидательной позиции, что и большинство белорусов. Из-за пакта, который СССР заключил с Германией, в течение года и девяти месяцев перед вторжением из советских новостей вычищались все негативные факты о нацистском режиме. И все же до жителей доходили обрывки информации о том, как немцы обращались с евреями в других странах. Когда Германия захватила Западную Польшу, местные евреи бежали на восток. Затем бежать пришлось уже евреям из оккупированной Советами Восточной Польши, когда на нее напала Германия; тогда они не думали, что немцы не остановятся на старой границе Советского Союза, а захватят еще и Белоруссию с Украиной. Эти евреи принесли с собой рассказы о том, как немцы обращаются с их соплеменниками там, откуда они бежали. Кроме того, до заключения пакта Молотова — Риббентропа в советском прокате шел фильм о Германии, где в том числе присутствовали сцены жестокого обращения с евреями (советские власти стали делать все возможное, чтобы негативная информация о Германии не доходила до общественности, уже позже, когда они стали союзниками). Некоторые минские евреи вспоминали, что видели этот фильм[3].

Однако слухи о враждебном отношении немцев к евреям противоречили устоявшейся точке зрения на немецкую культуру как на наиболее свободную от антисемитских предрассудков, а также воспоминаниям о недолгой немецкой интервенции во время Гражданской войны: многие старые белорусские евреи помнили, с каким уважением обращались с ними немцы. В любом случае, поскольку никто не ожидал нападения Германии на СССР, Советский Союз оказался в изоляции, даже связи евреев с внешним миром серьезно ослабли, отношение нацистского режима к евреям мало беспокоило еврейское население Минска. С началом вторжения все понимали, что к коммунистам, среди которых было много евреев, немцы будут относиться как к своим врагам. Но даже сами евреи не предполагали, что станут мишенью оккупантов, или по крайней мере имели сомнения на этот счет. Никто не был готов к тому насилию, которое вскоре захлестнет Белоруссию.

Первые признаки истинного отношения немцев к евреям проявились через несколько недель после начала оккупации. В начале июля новые власти приказали всем живущим в Минске мужчинам в возрасте от 15 до 45 лет собраться на городских площадях для регистрации. Некоторые, в основном коммунисты, ослушались и спрятались, но большинство подчинились приказу. После этого десятки тысяч мужчин вывели из города в район деревни Дрозды в 3 км к северу от Минска, где немцы устроили

---

3 Фильм «Профессор Мамлок», режиссер — Г. М. Раппапорт, 1938 год. Михаил Трейстер вспоминал, что видел этот фильм (интервью, Минск, 20 сентября 2003 года). Его также упоминают в своих интервью Л. И. Мачуленко [Аркадьева и др. 2001: 98] и Сара Голанд. См.: Shoah Foundation. Интервью 24994. Запись 1. 16 декабря 1996 года.

временный лагерь, огородив поле на берегу реки Свислочь. Когда минчане прибыли, часть территории уже занимал концлагерь для военнопленных, отделенный от мест размещения гражданских веревками. Вскоре немцы разделили гражданских на евреев и неевреев и развели их по разным участкам. Мужчинам приказали сидеть или лежать на земле; им не давали ни еды, ни воды. По краям лагеря стояли вооруженные немецкие надзиратели, по ночам толпа освещалась прожекторами с вышек.

Белорусов-гражданских скоро отпустили, а евреи и военнопленные остались. Они занимали прилегающие друг к другу участки: днями их головы нещадно пекло летнее солнце, а по ночам несколько раз поливало дождем. Некоторым мужчинам удалось набрать воды в реке, но других, когда они пытались к ней приблизиться, отгоняли немецкие охранники. Многие умерли от жары и жажды. Через несколько дней евреям с более высоким образованием, привыкшим работать скорее головой, чем руками, было приказано выйти вперед. Некоторые, заподозрив подвох (или, как говорили в Советском Союзе, провокацию), не стали выходить из толпы, но тысячи подчинились, решив, возможно, что они полезнее для немцев, что с ними будут лучше обращаться. Врачам и другим медицинским работникам, а также инженерам было приказано вернуться за канаты. Остальных посадили на грузовики, вывезли в ближайшее поле и расстреляли. По некоторым оценкам, в тот день погибло 3 000 человек [Cholavsky 1988: 91][4]. Это было первое массовое убийство, устроенное немцами в Минске.

Через несколько дней после того, как мужчины оказались в Дроздах, новости о том, куда их увели, достигли Минска, в лагерь стали стекаться еврейские женщины с корзинами с едой и бутылками воды для родственников и друзей. Немцы, растерявшись, возможно, от такого количества людей, пустили их за веревки. Некоторые женщины прошли в лагерь, надев на себя

---

[4] Д. Жиц ссылается на оперативный отчет № 32 командира айнзацгруппы «В» Артура Небе, в котором говорится, что «в Минске ликвидирован весь слой интеллигенции (преподаватели, профессора, адвокаты и прочие, за исключением врачей)». Цит. по: [Zhits 2000: 13].

несколько слоев одежды. Благодаря этому часть мужчин смогла выбраться наружу: они переоделись в женские платья и смешались с толпой, что избавило их от внимательного досмотра со стороны немцев. Отдельные женщины, в основном коммунистки и комсомолки, спасли таким образом многих военнопленных и гражданских, в том числе тех, кто позже участвовал в создании подпольных групп в городе и гетто.

Остальные провели в Дроздах больше недели, прежде чем немцы ликвидировали созданный там еврейский лагерь. Большинство узников освободили, но часть перевели в минскую тюрьму, где немцы пытались идентифицировать членов Коммунистической партии Белоруссии, которых не было среди расстрелянных специалистов. У них был список членов КПБ, и они зачитывали имена из этого списка, а тех, кто откликался, казнили. Некоторым коммунистам хватило ума не реагировать, когда они слышали свое имя[5]. Выживших отправили в созданное к тому времени Минское гетто[6]. Но много евреев было расстреляно.

Убийства в Дроздах наложили свой отпечаток на подпольное движение, которое вскоре возникнет в гетто. Так как множество еврейских мужчин-специалистов и представителей интеллигенции погибло в начале войны, основу еврейского Сопротивления составили представители рабочего класса, чье образование не выходило за рамки средней школы. Многие и вовсе учились в профессиональных училищах, а не в академически ориентированных средних школах. Кроме того, в подпольном движении было много женщин. Немногочисленную интеллигенцию представляли несколько женщин, беженцев с запада, прибывших в Минск уже после того, как мужчин интернировали в Дрозды,

---

5   Муж Сары Голанд, Израиль, был среди тех, кого забрали в минскую тюрьму из лагеря в Дроздах. Он был коммунистом, но промолчал, когда назвали его имя, и его отправили в гетто. Интервью с Сарой Голанд // Shoah Foundation. Интервью 24994. Запись 1. 16 декабря 1996 года.

6   Лагерь в Дроздах описывается в воспоминаниях А. Й. Релькина (Yad Vashem Archives. M 41/169) и романе «Сила жизни» [Добин 1965]. Интернирование в минскую тюрьму описано в воспоминаниях М. М. Гречаника (Yad Vashem Archives. M 41/8).

местных, которым удалось этого избежать, а также врачи и инженеры, которых немцы не стали убивать. Немцы знали, что большинство людей этих профессий в Советской Белоруссии были евреями, но понимали, что без людей с подобными навыками им не обойтись. Даже после расправы над мужской частью еврейской интеллигенции Минска уровень грамотности и образования местных евреев оставался гораздо выше, чем у этнических белорусов. Во многих сферах найти компетентного еврея было гораздо проще белоруса: электрики, радиомастера, печатники и наборщики текста, например, с большой долей вероятности были евреями. Во многом Минское гетто продержалось так долго именно потому, что немцам требовались образованные и умелые работники, особенно в городе, который они сделали административным центром региона.

Минское гетто просуществовало дольше любого другого крупного гетто на оккупированных советских территориях, в Белоруссии или на Украине. Во многих местах немцы расправлялись с евреями без создания гетто, в других гетто уничтожались со всеми обитателями уже через несколько месяцев.

СОЗДАНИЕ МИНСКОГО ГЕТТО

Двадцатого июля, через несколько дней после того, как большая часть взрослого мужского населения Минска оказалась в концлагере в деревне Дрозды, немцы расклеили по городу объявления с текстом распоряжения[7] на немецком и белорусском языках о том, что все еврейское население города Минска обязано переселиться в старый еврейский район. В объявлениях были указаны границы будущего еврейского гетто; имелось предупреждение, что любой еврей, которого обнаружат за его пределами, будет расстрелян. Незадолго до этого немцы создали юденрат (*нем.* Judenrat), или еврейский совет, назначив его председателем Илью (Элиаса) Мушкина — инженера и члена партии, работав-

---

[7] Распоряжение полевой комендатуры № 812 о создании гетто в г. Минске от 19 июля 1941 года. — *Примеч. ред.*

шего до войны в городском совете. Евреям давалось пять суток на то, чтобы переселиться в гетто, но по просьбе Мушкина этот срок продлили на несколько дней — до 1 августа. К началу войны в этом районе, помимо евреев, проживало множество белорусов, на выселение которым дали 10 дней. Переселение контролировалось юденратом, которому немцы отвели большое двухэтажное здание в центре гетто на Юбилейной площади. Въезжавшие в гетто евреи регистрировались за столами у здания юденрата, где им выдавали удостоверения личности, позднее использовавшиеся для выхода из гетто на работу. Здесь же предоставляли помещения тем, кому негде было жить. За недели, прошедшие с выхода распоряжения о создании гетто, многие обменялись квартирами с жившими в этом районе неевреями либо договорились о переезде к проживавшим здесь родственникам или друзьям. Регистрация была хаотичной, и некоторые евреи, прежде всего коммунисты, воспользовались этим, чтобы получить удостоверения личности под вымышленными именами[8].

Гетто располагалось в традиционно еврейском районе на северо-западной окраине Минска. Центр города занимал оба берега реки Свислочь, пересекавшей его с северо-запада на юго-восток. На западной стороне находилась усеянная магазинами улица Немига. К югу от нее, на площади Свободы, располагалась минская ратуша (управа). Еще южнее, на Советской улице, находились белорусские правительственные здания. Главные улицы восточной и западной сторон города соединялись мостами. Старый еврейский район, территорию которого немцы отвели под гетто, находился к северу от улицы Немига. Когда-то Минск представлял собой скорее собрание деревень, жители которых ютились в избах, и к началу войны дома в городе по большей части оставались деревянными и одноэтажными. Старый еврейский район был совершенно непохож на кварталы к югу от улицы Немига, где было немало многоэтажных кирпичных домов, или на Советскую улицу, большую часть которой занимали массивные бетонные здания в советском стиле (см. рис. 3).

---

8 Приказ о создании гетто приводится в [Черноглазова 1999: 31].

Рис. 3. Улица в гетто после войны. Фото из личного архива
Д. Таубкина

Этот район состоял в основном из небольших одно- или двух-
этажных деревянных домов, которые теснились вокруг соединенных узкими улочками дворов, хотя некоторые здания и были
каменными. Объявления, возвещавшие о создании гетто, утверждали, что он должен быть обнесен кирпичной стеной, но на
деле евреев заставили сделать забор из колючей проволоки.
Границы гетто шли от реки Свислочь на запад по улице Немига,
оттуда — на север вдоль еврейского кладбища, а затем — на восток обратно к Свислочи. Главной улицей района была Республиканская, которая шла от улицы Немига на север и поднималась
к расположенной в центре города Юбилейной площади. На площади находились юденрат и отдел труда, позднее получивший
название биржи труда, где евреев объединяли в рабочие бригады,
которые затем отправляли за пределы гетто. Юденрат занимал
здание на углу Танковой и Ратомской улиц, а напротив него, на

пересечении улиц Опанского и Сухой, была биржа труда. Неподалеку располагалось и другое важное учреждение гетто — еврейская больница. Главные ворота гетто находились на его южной окраине — там, где Республиканская улица встречалась с улицей Немига. Еще одна проходная была на севере, в начале улицы Опанского. На Юбилейной площади эти улицы встречались: Республиканская подходила к ней с юга, а Опанского — с севера.

Каждое утро евреи собирались в отряды на Юбилейной площади и шли по Республиканской улице через главные ворота в город на работу (а во время погромов — на смерть). Тех, кому предстояло рубить лес, выводили по улице Опанского через северную проходную. Осенью 1941 года немцы разделили гетто, поставив по обе стороны Республиканской улицы заборы из колючей проволоки. В этих внутренних заграждениях были ворота, которые запирались на ночь, препятствуя переходу из одной части гетто в другую. В ноябре 1941 года оккупанты начали свозить в Минск тысячи евреев из Германии и других стран Центральной Европы. Огородив квартал к западу от Республиканской улицы, немцы создали гетто внутри гетто, которое они называли зондергетто (то есть специальное гетто). Так они хотели предотвратить контакты между немецкими и белорусскими евреями, и во многом им это удалось. К северо-западу от гетто, между его забором и рекой, раскинулась Татарская слобода с ее тихими улочками и многочисленными огородами. На юго-востоке находились самые оживленные и густонаселенные районы Минска, где располагались вокзал, городская ратуша, белорусские правительственные здания, а если пересечь Свислочь, то и большинство магазинов и общественных зданий (см. рис. 4).

На карте 1 показаны границы гетто на момент его основания. С ноября 1941-го по март 1942 года немцы провели в гетто несколько массовых убийств — акций, которые евреи называли погромами. После каждого из них территория гетто сокращалась. К концу марта 1942 года оно занимало лишь треть от своей исходной территории. В основном сокращение происходило в юго-западной части гетто. Участок между Татарскими огородами и Республиканской улицей становился все меньше по мере того,

Рис. 4. Гетто. Фото из коллекции Белорусского государственного архива кинофотофонодокументов

как забор переносили дальше от реки. Евреи в гетто с горечью шутили, что немцы подталкивают их ближе к кладбищу.

Отведенный под гетто район остался практически неповрежденным в первые дни войны: целью немцев был центр города, а не его похожие на деревни окраины. Но примерно 20 небольших кварталов были попросту не приспособлены к тому, чтобы вместись в себя такое количество людей. Результатом стала почти нестерпимая теснота: в некоторых квартирах жило по 30 и больше людей. Поздним летом и ранней осенью немцы неоднократно устраивали рейды в гетто, расстреливая на месте одних и арестовывая других. Жители гетто знали, что тех, кого они забирают с собой, на самом деле ждет смерть, поэтому в дневное время все, кто мог, старались оставаться дома, невзирая на жару и зловоние. По ночам приходилось искать место для сна. В некоторых домах стояли двухъярусные кровати. Там, где кроватей не хватало, люди спали рядами на полу, упираясь, если необходимо, ногами в животы соседей[9].

---

[9] Интервью с Михаилом Канторовичем. Минск, 17 сентября 2003 года.

Рис. 5. Забор гетто. Фото из коллекции Белорусского
государственного музея истории Великой Отечественной войны

Чтобы контролировать все входы и выходы, немцы приказали подчинявшейся юденрату еврейской полиции гетто охранять ворота изнутри. Снаружи границы гетто патрулировали немцы и белорусские полицейские. Русские евреи должны были носить на верхней одежде, например на пальто или пиджаке, две круглые желтые латы (одна — на груди, другая — на спине), идентифицирующие их как евреев. Немецкие евреи носили желтые латы в виде звезды Давида, как и все евреи в гетто за пределами Советского Союза, что отличало их от белорусских евреев. Но и белорусским, и немецким евреям было запрещено покидать гетто без нашивок. Позже, когда немцы узнали о существовании в гетто подпольной организации и стали пытаться выследить ее членов, они потребовали, чтобы каждый еврей дополнительно носил прямоугольную белую нашивку с написанными черными буквами названием улицы и номером дома, в котором он живет. Выход за территорию гетто не в рабочей колонне карался смертью, но многие все равно шли на такой риск. В первые недели покидать гетто было несложно, потому что забор еще не был закончен (см. рис. 5).

Еврейское кладбище и вовсе оставалось неогороженным в течение нескольких месяцев. Некоторые евреи пользовались этим, чтобы выходить из гетто и возвращаться в него, хотя большинство избегали этого маршрута, потому что этот участок особенно тщательно патрулировался полицией и солдатами. Выйти через кладбище было проще всего, но это было очень опасно. Хотя многие евреи покидали гетто вопреки немецким приказам, мало кто решался оставаться за его пределами, особенно в первые месяцы, когда было непонятно, куда они могут пойти. Минск был небольшим городом. Согласно Всесоюзной переписи 1939 года, его население накануне войны составляло около 239 000 человек[10]. В таких городах все знали друг друга, вышедших за границы гетто евреев вполне могли узнать белорусские полицейские. Скрываться продолжительное время было очень сложно, так как Минск был административным центром региона и кишел немецкими солдатами.

Евреи так часто покидали гетто, потому что в нем почти нечего было есть. Немцы, согласно проводимой ими политике, раздавали продовольственные пайки и работающим, и неработающим евреям. Описания того, что в них входило, разнятся. Зелик Яфо, сын помощника Мушкина, Моше Иоффе, вспоминал, что оккупанты давали евреям либо 200 г хлеба, либо 200 г муки в день[11]. Но такой паек полагался только тем, кто работал на немцев. Евреи, которые не могли этого делать в силу возраста, немощи или необходимости ухаживать за маленькими детьми, получали лишь половину от такой нормы [Zhits 2000: 37]. В реальности большинство евреев, работавших за пределами гетто, получали еду на своих рабочих местах, причем ее количество и качество могли отличаться. Прожить на пайках, которые выдавались немцами безработным евреям в гетто и распределялись юденратом, было попросту невозможно, да и выдавались они далеко не всегда, поэтому многие дети, подростки и неко-

---

[10] Подробнее см. [Поляков 1992: 70].

[11] Воспоминания Зелика Яфо. Октябрь 1978 года // Yad Vashem Archives. 03/4125. P. 16.

торые взрослые регулярно уходили из гетто на поиски еды. В основном они поднимали проволоку и пролезали под ней, но иногда прорезали в заборе дыры и как могли старались их замаскировать, чтобы иметь возможность и дальше пользоваться этим выходом. Некоторые выходили из гетто и возвращались в него с рабочими колоннами, выскальзывая из них, когда те вступали в город. Просившим еду на улицах редко отказывали, но многие евреи были пойманы и расстреляны за то, что покинули гетто. Кроме того, еду можно было выменять через забор на одежду или другие вещи у белорусов. Условия жизни в оккупированном Минске были далеко не такими ужасными, как в гетто, но многие нуждались в предметах первой необходимости, потому что немцы забирали все, что могло пригодиться им или их армии. Если в сельской местности крестьяне еще могли прокормить себя тем, что выращивали сами (при условии, что продукты не реквизировали партизаны или немецкие солдаты), в Минске постоянно ощущалась острая нехватка всего, включая продовольствие. Справиться с ситуацией многим минчанам помогало участие в трехсторонней торговле: они приносили еду к забору гетто, меняли ее на одежду, часы и другие товары, которые затем везли в деревню, где за них можно было получить новые продукты. Предметы роскоши вроде ювелирных украшений и алкоголя можно было использовать для торговли с немцами или взяток. Но в Минске военного времени все равно царил голод; жизни многих белорусов вращались вокруг того, чтобы добыть достаточно пропитания для себя и своей семьи. Самым распространенным блюдом в эти годы была похлебка из муки (состоявшая из одной муки, которую добавляли в кипящую воду)[12].

Как и выход из гетто, торговля у забора была запрещена; пойманным за этим занятием белорусам и евреям грозил арест, а для последних все и вовсе могло закончиться смертью. Тем не менее евреи продолжали этим заниматься, иногда подкупая белорусского полицейского, чтобы тот притворился, что не видит

---

[12] Интервью с Л. А. Башкевич и Г. А. Казак. Минск, 19 сентября 2003 года.

обмена[13]. Без этого источника пропитания многие узники гетто умерли бы от голода, хотя многие и так умерли от голода или болезней, с которыми могли бы справиться, не будь они так ослаблены. Семьи, уже жившие в кварталах, которые немцы превратили в гетто, наверняка имели какие-то запасы муки, картошки и крупы; у многих были огороды, где они выращивали овощи. Семьям, которые заставили туда переехать, пришлось оставить все ценное белорусам (хотя не все хранители еврейского имущества оказались достойны такого доверия). Среди вещей, которые они взяли с собой, были и продукты питания, но еда в гетто быстро кончалась. Евреям, которые работали на немцев в городе или мастерских внутри гетто, в полдень давали несколько кусков хлеба и жидкий суп. Этот суп им наливали в контейнеры, которые они приносили с собой; многие затем забирали его домой к своим семьям.

В самом гетто юденрат, когда у него появлялись ресурсы, организовывал столовую: кусочки хлеба и водянистый суп раздавали тем, кто не работал и умер бы с голоду без этих пайков. Согласно Анне Мачиз, написавшей для советской власти докладную записку о гетто после того, как ей удалось бежать и присоединиться к партизанам, еда в столовой по большей части состояла из отбросов с немецких кухонь. Картофельная шелуха была основой рациона[14]. Уже через несколько месяцев после создания гетто базовые продукты, которые многие семьи принесли с собой, стали роскошью, а картофельная шелуха, крапива и трава — повседневной пищей. Обмен одежды на еду у ворот и самовольные вылазки в поисках пропитания за пределы гетто превратились в необходимость, которая стоила риска быть пойманным и избитым или застреленным. Часто с задачей пролезть под забором, выпросить или украсть где-то еду и вернуться незамеченным обратно лучше всего справлялись дети. Кроме того, у них было на это время, так

---

[13] Интервью с М. М. Канторовичем. Минск, 17 сентября 2003 года. Белорусский полицейский дежурил на улице Опанского. Он регулярно брал взятки и не обращал внимания на происходивший у забора обмен.

[14] См. сноску 21 в [Кнатько 1999: 55].

как маленьких детей как минимум не привлекали к работе за пределами гетто, так что, несмотря на опасность, родители разрешали им это делать. В дневное время по гетто постоянно носились стайки детишек; позже партизаны поймут, что именно дети лучше всего знали его улицы, переулки и пути отхода.

Поздним летом и ранней осенью 1941 года население гетто страдало от жары: слишком много людей теснилось в домах и квартирах, рассчитанных на одну семью, а из-за частых немецких облав и расстрелов люди старались как можно реже выходить на улицу. К концу осени число узников заметно сократилось из-за погромов, главной проблемой стал уже холод. Зима 1941–1942 годов выдалась необычайно холодной даже по меркам этого региона. В некотором смысле наступление русской зимы было благом: она ослабила и деморализовала немецкие войска. Но жителям гетто тоже было тяжело пережить мороз. Дрова и другие отопительные материалы быстро иссякли. Тогда люди начали рубить заборы и даже выдирать доски из собственных домов, чтобы было что жечь. Некоторые из них попали в гетто в легкой летней одежде. Многим приходилось ходить, завернувшись в любые лохмотья, которые они могли найти. В марте 1942 года, когда Якова Гринштейна привезли из его города, где ликвидировали почти всех евреев, в Минское гетто, его поразили ветхость домов, в которых были выбиты окна и не хватало многих досок, а также вид оборванных жителей, многие из которых к тому времени опухли от голода[15].

Согласно Всесоюзной переписи 1939 года, в Минске проживало около 71 000 евреев, что составляло чуть меньше 30 % от всего населения города [Поляков 1992: 70]. Анна Мачиз сообщала, что к началу войны в Минске проживало около 75 000 евреев. Эта цифра может быть более точной, так как еврейское население увеличилось после 1939 года из-за притока беженцев с оккупированных немцами территорий на западе[16]. Вероятно, нескольким тысячам удалось бежать в первые дни войны из Минска на восток, где они и оставались до ее окончания. Однако в первые недели

---

[15] Grinstein Y. Umkum un Vidershtand // Yad Vashem Archives. 033/459.

[16] Мачиз А. Минское гетто // НАРБ. Ф. 4. Оп. 33а. Коробка 86. Д. 656. С. 183.

и месяцы после создания гетто немцы привезли в него еще несколько тысяч евреев из других городов, где они уничтожали еврейское население, но делали исключение для тех, кто обладал определенными навыками. Таких евреев вместе с семьями свозили в Минское гетто. Другие бежали в Минск от расстрелов и самостоятельно проникали в гетто, потому что в нем было безопаснее, чем за его пределами. В ноябре 1941 года немцы начали привозить в Минское гетто евреев из Германии и других частей Центральной Европы, из-за чего его население увеличилось по меньшей мере еще на 5 000 человек. Переживший войну лидер подполья Гирш Смоляр писал в своих мемуарах, что на второй месяц существования гетто, до начала крупных погромов и приезда гамбургских евреев (так в Минске называли всех евреев из Центральной Европы, поскольку первый эшелон был из Гамбурга), его население перевалило за 100 000 человек [Smolar 1989: 52].

В гетто говорили и на идише, и на русском, которые в той или иной степени были понятны большинству евреев. Взрослые и дети чаще использовали идиш, но старшие также понимали русский и худо-бедно могли на нем изъясняться. Молодежь, получившая образование в минских школах при Советах, хорошо знала русский, хотя у многих сохранялся заметный идишский акцент. На нем они могли общаться между собой, а со старшими и с маленькими детьми, которые еще не начали учить русский, говорили на идише. Некоторые евреи из-за пределов Минска знали белорусский, так как выросли в городах и деревнях, где он был основным языком. Польские евреи говорили на идише, польском, а нередко еще и русском. Были в гетто и люди, выросшие в ассимилировавшихся семьях, которые привыкли говорить на русском. Большинство из них выучили идиш уже за забором, если, конечно, не знали его ранее.

ЮДЕНРАТ, ЕВРЕЙСКАЯ БОЛЬНИЦА И ПОДПОЛЬЕ

Общественной жизни в Минском гетто практически не существовало. Во многих крупных гетто Польши и Литвы работали школы и библиотеки, периодически проводились культурные мероприятия, а кое-где (по крайней мере какое-то время) продолжали свою деятельность основные сионистские и другие еврейские организации. В Минском гетто не было ничего подобного. Некому было проводить культурные мероприятия: большинство представителей интеллигенции было убито. Не осталось здесь и аналогов еврейских организаций, продолжавших заниматься интеллектуальной деятельностью в гетто на западе: в довоенном Минске их в принципе не существовало. К тому же немцы с самого начала установили в Минском гетто куда более открыто репрессивный режим по сравнению с гетто Польши и Литвы. Евреям было запрещено собираться на улицах компаниями больше четырех человек. Если четверо евреев встретились на улице и к ним подошел пятый, его могли застрелить на месте[17]. Большинство взрослых и подростков, за исключением женщин, на попечении которых были маленькие дети, стариков, больных и инвалидов, ранним утром уходили из гетто на работу и возвращались к пяти или шести вечера. После семи часов вечера евреям было запрещено покидать дома: любой еврей, пойманный на улице позже этого времени, мог быть расстрелян. Днем по гетто бегали ребятишки, но взрослые старались не задерживаться на улицах, чтобы не привлекать к себе внимания. Контакты большинства евреев ограничивались собственным домом, ближайшими соседями и, если они работали, коллегами, среди которых иногда попадались немецкие евреи и белорусы.

Тем не менее в гетто существовали общественные институты, прежде всего — юденрат, члены которого назначались немцами для контроля над жизнью гетто и исполнением немецких приказов. Кроме того, юденрат отвечал за оказание социальных услуг населению, насколько ему это было под силу. Даже в условиях весьма ограниченных ресурсов юденрат содержал пекарню, столовую, детский дом и дом престарелых (см. рис. 6).

---

[17] В своих мемуарах Анна Красноперко рассказывает, как немец застрелил ее друга Фиму Осиновского, когда тот подошел к друзьям на улице и оказался пятым в группе [Красноперко 1989: 115].

Рис. 6. Здание юденрата. Фото из коллекции Белорусского государственного архива кинофотофонодокументов

Вторым важнейшим институтом гетто была еврейская больница, состоявшая из двух корпусов, в одном из которых находилась инфекционная клиника, а в другом — больница общего профиля. Хотя они располагались неподалеку, обычная больница на самом деле находилась за пределами гетто.

Наконец, в гетто существовала подпольная организация, которую нельзя считать полноценным общественным институтом: все-таки она была тайной и тщательно охраняла свой секретный статус. Но подполье оказало огромное влияние на жизнь в гетто: его существование сказалось на поведении немцев, а программа отразилась на действиях тысяч евреев и, вероятно, повлияла на образ мыслей почти всех жителей гетто, кроме совсем маленьких детей.

Подполье было тесно связано и с юденратом, и с еврейской больницей. Из этих трех организаций и состояла неофициальная сеть Сопротивления.

Официально юденрат и еврейская больница находились под контролем немцев, и в определенной степени им приходилось следовать их приказам. Юденрат отвечал за распределение трудовых бригад, которые покидали гетто каждое утро, чтобы работать на немцев, информировал оккупационные власти об условиях жизни в гетто и собирал с евреев деньги и ценные вещи, когда немцы требовали контрибуцию. Помимо этого, в его подчинении находилась еврейская полиция, следившая за выполнением немецких приказов. Но члены первого юденрата никогда не отправляли евреев на казнь (позже немцы назначат на их место людей, которые начнут это делать). В первые восемь месяцев существования гетто все сотрудники юденрата были также членами подполья и выполняли его поручения. В марте 1942 года немцы арестовали и впоследствии казнили нескольких членов юденрата, после чего стали назначать в его состав коллаборантов и ставить их во главе полиции гетто. Персонал еврейской больницы тоже заставляли предоставлять информацию оккупантам, но, как и юденрат, она была одним из центров подпольной деятельности. Главврач еврейской больницы, Лейб Кулик, и многие другие ее сотрудники либо входили в подполье, либо были тесно с ним связаны. У некоторых были контакты в белорусском подполье, другие имели выходы на партизанские отряды.

Ни один юденрат в оккупированной немцами Восточной Европе не был настолько связан с подпольным движением, как юденрат Минского гетто, особенно в первые восемь месяцев его существования. Отчасти это вышло случайно: Илья (Элиас) Мушкин, которого немцы поставили во главе юденрата, очевидно, искал этих контактов. Но в то же время связь юденрата с подпольем не была чистой случайностью. Практически все квалифицированные специалисты в Минске были членами коммунистической партии. Мушкин и другие члены юденрата находились в контакте с подпольными группами за пределами гетто еще до того, как юденрат наладил связи с подпольем в самом гетто, причем они не сами решали, работать ли им вместе: осенью 1941 года лидер общегородского подполья, Исай Казинец, приказал руководству недавно созданной подпольной организации гетто сотрудничать с юденратом, с которым он и его товарищи в русском районе уже установили контакты. Это сотрудничество было следствием того, что и члены юденрата, и подпольщики входили в коммунистическое подполье, чье влияние распространялось далеко за пределы гетто, и были обязаны выполнять его директивы.

Более подробно история отношений подпольной организации гетто с юденратом, еврейской больницей, городским подпольем и партизанским движением будет рассмотрена в главе 4. Однако описание жизни в гетто требует хотя бы краткого рассказа об этих организациях.

В первые месяцы немецкой оккупации небольшие группы людей — в основном коммунисты, а также сочувствующие и те, кому они могли доверять, — стали проводить тайные встречи в гетто и за его пределами, в районе, который евреи называли русским, а белорусы городом, чтобы обсудить, что им делать дальше. Поначалу на этих встречах почти не звучало слово «подполье», лишь некоторые группы обсуждали создание такой организации. Прежде всего люди встречались, чтобы решить, что они, как коммунисты и единомышленники, могут сделать, чтобы помочь Красной армии победить немцев.

Поздним летом и осенью 1941 года по гетто и русскому району поползли слухи о том, что в лесах вокруг Минска формируются партизанские отряды. Они состояли из бывших красноармейцев, которые оказались отрезанными от своих частей и застряли на оккупированной территории. Немцы искали таких солдат: новобранцев было легко отличить по бритым головам и очень коротким прическам, да и других было нетрудно опознать, особенно если они не смогли найти гражданскую одежду. Они отправляли красноармейцев в лагеря, условия содержания в которых были настолько ужасными, что для многих это заканчивалось смертью. То, как немцы обращались с военнопленными, подталкивало тех, кто оставался на свободе, объединяться в группы и уходить в леса, где они выживали благодаря помощи местного населения и готовились к борьбе с оккупантами. Поначалу многие крестьяне считали партизан досадной помехой, но со временем стало понятно, что немцы были худшими вредителями. Они тоже забирали у крестьян скотину и продукты питания, но куда меньше, чем партизаны, были заинтересованы в поддержке местного населения. Партизаны, случалось, убивали отдельных крестьян, но немцы убивали всех без разбору, а со временем стали уничтожать целые деревни — стоило только заподозрить их в поддержке партизан.

В годы войны жестокость немцев по отношению к белорусским крестьянам только нарастала, а вместе с ней росла и ненависть белорусов к оккупантам. Все больше территорий в белорусских лесах и пуще — участке густого реликтового леса — переходило под контроль партизан. К последнему году войны Белоруссия стала центром советского партизанского движения: ее леса заполняли партизаны, чьи отряды состояли уже не только из красноармейцев, но и из многих других людей разных национальностей. С течением времени (и под давлением Москвы) партизаны стали куда охотнее принимать добровольцев. Но в первые месяцы оккупации в лесах вокруг Минска действовало всего несколько партизанских отрядов. Было нелегко установить с ними контакт и убедить их принять новых членов, что увеличило бы количество ртов, которые нужно кормить. Для подпольщиков гетто это было особенно трудной задачей, так как выход из гетто был сопряжен со множеством опасностей, а многие партизанские отряды весьма неохотно принимали евреев.

В первые месяцы после создания гетто, особенно в сентябре-октябре 1941 года, многие заинтересованные в отпоре немцам люди искали себе подобных. Среди них были члены тайных групп, что возникали в гетто и русском районе, а также одиночки, которые не были членами тайных собраний, но стремились в них войти. В самом гетто несколько таких групп объединились в подпольную организацию и создали руководящий комитет из трех человек. Аналогичные процессы происходили за пределами гетто, где также был сформирован центральный подпольный комитет. Члены обеих подпольных организаций стали налаживать контакты с партизанскими отрядами в лесах и друг с другом. В конце ноября — начале декабря (в зависимости от того, чьей версии придерживаться) за пределами гетто, но с участием представителей его подполья состоялось тайное собрание, на котором была создана минская подпольная организация, официально получившая название Второго (Вспомогательного) городского комитета Коммунистической партии Белоруссии. Главной задачей минского подполья была поддержка партизанского движения, которое оно должно было снабжать припасами и добровольцами. Кроме того, хотя эти цели были связаны, оно занималось пропагандой, убеждая людей вступать в Сопротивление, и саботажем деятельности немцев в городе. Участники подпольной организации гетто с самого начала были убеждены, что немцы в итоге его уничтожат. Таким образом, отправка людей в лес не только укрепляла потенциал Сопротивления, но и была возможностью спасти как можно больше евреев.

Вскоре после создания городского комитета его председатель, Исай Казинец, проник в гетто, встретился с руководителями местного подполья и приказал им войти в контакт с юденратом, с которым до этого взаимодействовали сам Казинец и его товарищи. В результате между руководством подпольной организации гетто и юденратом установились тесные связи, прежде всего с его главой — Ильей Мушкиным — и еще несколькими людьми, наиболее вовлеченными в подпольную работу. До войны Мушкин был инженером и членом горсовета Минска, а также состоял в компартии. Существуют разные версии того, как именно он оказался во главе юденрата. По одной из них, немцы обратились в горсовет за рекомендацией, а там им назвали имя Мушкина. Если верить Зелику Яфо, чей отец, Моше Иоффе, был помощником Мушкина, а затем сменил его на посту председателя юденрата, в первые дни оккупации, еще до создания гетто, немецкий офицер собрал евреев на улице и спросил, кто из них понимает по-немецки, пригрозив расстрелять всех, если никто не ответит. Мушкин признался, что немного понимает. Тогда немецкий офицер, впечатленный хорошей одеждой Мушкина и тем, с каким достоинством он держался, назначил его председателем юденрата[18].

---

[18] Воспоминания Зелика Яфо. Октябрь 1978 года // Yad Vashem Archives. 03/4125. P. 10.

Но если немцы думали, что Мушкин был их человеком, с которым можно работать, они ошибались: он был коммунистом, а также очень порядочным и храбрым человеком, готовым рисковать собой и делать все возможное для защиты жителей гетто[19]. Очевидно, немцы не понимали, что в Минске, как и в других городах Советского Союза, профессиональный статус и нередко сопутствовавшие ему хорошие манеры не были признаком политического консерватизма или симпатий к нацистскому авторитаризму. На самом деле те, кто казался немцам представителем некоей элиты, с большой долей вероятности являлись коммунистами. Некоторые специалисты действительно вступали в партию, потому что это было необходимо для продвижения по службе, но были среди них и те, кто искренне верил в коммунистические идеалы равенства и интернационализма и ненавидел фашизм. К последним относился и сам Мушкин.

Кроме того, в первоначальном составе юденрата особенной преданностью делу подполья отличались начальник еврейской полиции Зяма Серебрянский, заведующий производственным сектором Гирш Рудицер, назначавшей евреев на работы за пределами гетто, и глава жилищного отдела Борис Дольский, который распределял новоприбывших по квартирам и вел доступные немцам списки с указаниями, кто где живет. Заведующий отделом помощи Михаил Зоров совместно с подпольщиками руководил работой столовой. Кроме того, юденрат контролировал мастерские в гетто, где евреи делали вещи для себя и одежду для немцев, и следил за тем, чтобы часть продукции доставалась тем, кто уходил к партизанам. По разным данным, этими мастерскими руководили Рудицер и/или Зоров [Zhits 2000: 30].

Члены юденрата передавали подполью собранную ими информацию о намерениях немцев, прежде всего — о планировавшихся насильственных акциях против населения гетто. Это

---

[19] Дан Жиц пишет, что Мушкин не был членом компартии [Zhits 2000: 30]. Зелик Яфо, сын Моше Иоффе, помощника и переводчика Мушкина в юденрате, утверждает, что тот был коммунистом, см.: Воспоминания Зелика Яфо. Октябрь 1978 года // Yad Vashem Archives. 03/4125. P. 11. Так как Яфо знал Мушкина лично, я доверяю его версии.

давало подпольщикам время распространить слухи о том, что людям пора бежать из гетто или прятаться в малинах — убежищах, созданных по всей его территории[20]. Немцы заставляли юденрат собирать у населения золото, ювелирные украшения и другие ценные вещи, но его члены старались передавать как можно больше ценностей партизанам. Юденрат помогал подполью, назначая его членов на работы в русском районе, где они могли заниматься саботажем, и удаляя из жилищных списков имена тех, кто ушел в лес, чтобы защитить их семьи и соседей от мести немцев. Главврач еврейской больницы Лейб Кулик прятал в ней подпольщиков, если это было необходимо. Хотя немцы и разрешили еврейским врачам работать только в гетто, больницы за его пределами тоже стали центрами Сопротивления. Многие врачи и представители медицинского персонала были членами компартии, и среди них всегда было много евреев. Как правило, они поддерживали тесные отношения с неевреями, которые продолжали работать в городских больницах, и эти связи сохранились даже с началом войны. Еврейские врачи собирали медикаменты и передавали их партизанам, часто используя свои контакты за пределами гетто. Многие медицинские работники наладили связи с подпольем, а также установили собственные контакты с партизанскими отрядами и в итоге покинули гетто, чтобы к ним присоединиться[21]. Когда для подпольщиков стало слишком опасным появляться на улицах, сотрудники еврейской больницы приходили к ним домой, а также следили за тем, чтобы их имена не упоминались в больничной документации, если нужно было скрыть это от немцев. Оккупанты настолько боялись болезней, что больница стала едва ли не самым безопасным местом во всем гетто. Какое-то время ее котельная, в которой тогда жил Гирш Смоляр, даже была штаб-квартирой подполья [Smolar 1989: 25].

---

[20] От מלונה (на иврите мелуна) — «пристанище», «место ночлега». Малины — это шкаф с потайной дверью, ложная стенка, чердак с тайным лазом, замаскированный погреб, подземный ход. — *Примеч. ред.*

[21] Воспоминания Ю. И. Тайца. Ноябрь 1979 года // Yad Vashem Archives. M 41/17.

Отношение самих жителей гетто к юденрату было неоднозначным. Поначалу его членов считали коллаборантами и предателями, но со временем молва стала твердить, что некоторые из них, прежде всего Мушкин, делают все возможное, чтобы помочь жителям гетто. Многим стало известно о контактах юденрата с партизанами, а когда пошли слухи о существовании в гетто подпольной организации, некоторые догадались, что юденрат связан и с ней. Одним утром жившая в гетто Софья Садовская, которая устроилась в еврейскую больницу раздатчицей пищи, столкнулась по дороге на работу с Борисом Дольским. Их семьи дружили до войны, так что они были хорошо знакомы. Но эта встреча была ей неприятна. Садовская знала, что Дольский заведует жилищным отделом юденрата, а значит, служит немцам. В ответ на его приветствие она еле кивнула головой и хотела пройти мимо. Дольский остановил ее и спросил, не хочет ли ее свекор, который, как он слышал, знает немецкий язык, стать его заместителем. Садовская ответила, что ее свекор за чечевичную похлебку не продастся. Дольский посмотрел на нее с удивлением и прошептал: «Я считал тебя умнее. Неужели ты не понимаешь, что там нужны свои люди?» Позже Садовская узнала, что Дольский работал в юденрате по заданию: он находил для подпольщиков нелегальные квартиры, вычеркивал из книг учета имена тех, кто уходил в лес, и получал от врачей еврейской больницы справки-свидетельства о смерти, чтобы объяснить отсутствие беглецов на работе. Свекор Садовской все-таки стал заместителем Дольского.

Позже Садовская сама присоединилась к подполью по приглашению знакомой медсестры. Ее свекор умер от тифа во время эпидемии в гетто, Дольского арестовали и казнили немцы. Подпольная организация приказала Садовской устроиться в жилотдел. К тому времени начальником биржи труда стал Наум Эпштейн — коллаборационист и враг подполья, заручившийся достаточным влиянием в юденрате, чтобы фактически в одиночку решать, кто должен стать начальником жилотдела. Несмотря на страх перед возможными последствиями и перспективой общения с Эпштейном, Садовская все-таки пошла и попросилась; при разговоре Эпштейн смеялся, что может наконец-то назначить на место, которое до сих пор занимали «бандиты-партизаны», «спокойную женщину с ребенком». Садовская стала главой жилищного отдела и продолжила дело Дольского, убирая из картотеки имена тех, кто ушел к партизанам [Садовская 1970].

Мушкина арестовали в феврале 1942 года. Ему было приказано явиться в генеральный комиссариат, который был штаб-квартирой немцев в Минске, и с тех пор Мушкина никто не видел. Так как больше никого не арестовали, руководство подполья предположило, что причиной ареста стали не связи с Сопротивлением, а действия самого Мушкина. По одной из версий, он прятал в своем доме немецкого офицера, который хотел присоединиться к партизанам, но был пойман, пытаясь выбраться из Минска, и выдал главу юденрата [Смоляр 1947: 52; Smolar 1989: 71]. По другой — Мушкина арестовали за попытку подкупить немецкого полицейского, чтобы освободить арестованного еврея [Zhits 2000: 61].

После ареста Мушкина юденрат возглавил его помощник — Моше Иоффе. Беженец из Вильнюса, Иоффе был выбран заместителем Мушкина, потому что свободно говорил по-немецки. Несмотря на появление в юденрате коллаборационистов, он продолжил дело своего предшественника, хотя и был вынужден осмотрительнее подходить к контактам с подпольем. В марте 1942 года были арестованы Серебрянский, Дольский и Рудицер — члены юденрата, принимавшие самое активное участие в подпольной деятельности. Позже их казнили. После этого немцы назначили в юденрат нескольких польских евреев, на чье сотрудничество они могли рассчитывать. Хаим Розенблат из Варшавы возглавил специальный оперативный отдел, который официально был частью еврейской полиции, но ввиду тесных связей с немцами вскоре взял и ее под свой контроль. Другой коллаборационист, еврей из Лодзи Наум Эпштейн, стал начальником биржи труда. Учитывая то, какую важность немцы придавали формированию в гетто трудовых батальонов, у него было достаточно влияния, чтобы отдавать приказы Розенблату и его отделу. Оперотдел устраивал жестокие расправы над жителями гетто, пытаясь добраться до участников подполья. У всех причастных к ним, включая Эпштейна и Розенблатта, не было связей с минской общиной, а также, очевидно, совести. Их действия создали польским евреям дурную репутацию. В подпольной организации гетто было несколько выходцев из Польши, но им пришлось немало потрудиться, чтобы доказать, что они не такие, как польские евреи из юденрата, и им можно доверять[22].

Подпольная деятельность в юденрате с появлением в нем Эпштейна и Розенблата стала невероятно опасной: о любом неверном шаге немедленно доносили, так что Иоффе и остальным приходилось действовать с большой осторожностью. Тем не менее работа продолжалась. Обе секретарши Эпштейна: Сара Левина и Мира Стронгина — были членами подполья. Они собирали информацию о планах Эпштейна и передавали ее другим подпольщикам, которым нередко удавалось вовремя предупредить и спасти возможных жертв будущих акций. Мира Стронгина работала секретаршей и у Розенблата. Рассказ Софьи Садовской о том, как она убедила Эпштейна назначить ее вместо Дольского начальником жилищного отдела, служит еще одним примером того, как подпольщики продолжали свою деятельность в юденрате, несмотря на возросшую опасность.

В последние четыре дня июля 1942 года немцы устроили в гетто еще один крупный погром. Сначала евреям приказали собраться на Юбилейной площади, где их уже ждали грузовики. Моше Иоффе приказали подняться на трибуну и сказать собравшимся евреям, что если они послушают немцев и сядут в грузовики, то выживут, а если ослушаются, то их расстреляют на месте. Иоффе стало понятно, что происходит, и он крикнул: «Товарищи! Меня ввели в заблуждение. Вас будут убивать. Сегодня погром!» На площади начался хаос, и немцы открыли стрельбу. Иоффе увели с трибуны и расстреляли[23]. Его коллег, пытавшихся спрятаться в здании юденрата, тоже убили. Во время этого погрома немцы вошли в еврейскую больницу и расстреляли всех сотруд-

---

22 Grinstein Y. Umkum un Vidershtand // Yad Vashem Archives. 033/459. P. 61.

23 Воспоминания Зелика Яфо, сына Моше Иоффе. Октябрь 1978 года // Yad Vashem Archives. 03/4125.

ников и пациентов, которых смогли найти. Среди убитых был и доктор Кулик.

После этого юденрат прекратил свое существование, а Эпштейн стал управлять гетто в качестве начальника еврейской полиции. Многие подпольщики к тому времени уже ушли в леса. Часть оставшихся погибла в ходе погрома, но некоторым удалось спрятаться и выжить. Из-за тщательной конспирации их было сложнее вычислить, чем членов подполья, которые работали в юденрате и еврейской больнице и были вынуждены действовать более открыто.

ПОГРОМЫ В ГЕТТО

Немцы и их подручные: белорусские полицейские, украинцы, литовцы — устраивали насильственные акции на территории гетто еще до его официального создания, а после градус насилия только повысился. За несколько дней до того, как распоряжение о создании гетто вступило в силу, немецкие солдаты пришли в район будущего гетто, стали заходить в дома и убивать всех, кого находили внутри. Гинде Тассман, которой тогда было 11 лет, удалось пережить расправу над своей семьей, потому что умирающий отец укрыл ее своим телом. Через 1,5 года она стала проводником и вывела немало людей из гетто в лес к партизанам[24]. После создания гетто немцы провели серию дневных рейдов, во время которых они собирали евреев в большие группы, поначалу состоявшие из молодых мужчин, но позже — и из молодых женщин, и выводили из гетто. Больше эти люди никогда не возвращались. Некоторых евреев немцы расстреливали на месте. Ходили слухи, что тех, кого вывели из гетто, тоже казнили. Тысячи людей были убиты во время этих акций, хотя оценки общего числа жертв разнятся[25].

---

[24] Интервью с Гиндой Нехамчик (Тассман). Бат-Ям, Израиль, 13 ноября 2000 года.

[25] В докладе о подполье гетто, который она написала после своего побега к партизанам, А. С. Мачиз оценивает общее количество убитых в ходе акций 14, 26 и 31 августа 1941 года примерно в 5 000 человек, см.: Мачиз А. С.

Помимо этого, немцы устраивали ночные рейды. Несколько оккупантов въезжали в гетто, останавливались перед каким-нибудь домом, выбранным, судя по всему, наугад, вламывались внутрь и убивали всех, кого находили. Из-за всех этих акций в первые месяцы существования гетто евреи старались как можно дольше оставаться дома в дневное время, несмотря на жару и тесноту. Грохот автомобиля, мчавшегося ночью по мощеным улицам гетто, вселял ужас в его обитателей, потому что это значило, что сейчас начнется очередной рейд. В гетто Польши и Литвы немцы приложили немало усилий, чтобы убедить местных жителей, что евреи, которых они забирали с собой, отправляются в трудовые лагеря в других местах. В Минске они практически не пытались скрывать свои намерения, наоборот, открыто убивали евреев прямо на территории гетто. В других городах Белоруссии расправы над евреями тоже не были тайной. Яков Гринштейн, его жена Белла и их дети были среди тех, кого немцы не стали убивать во время акции в поселке Узда к западу от Минска. Их вывели из дома и привели в большой зал местного ресторана, где вместе с семьями собирали других квалифицированных еврейских специалистов. Из окон ресторана они видели проезжавшие мимо грузовики с евреями. Ночью до них долетали крики и звуки выстрелов, а затем они увидели возвращавшиеся грузовики, которые были пустыми. У собравшихся в зале не было сомнений в том, что именно произошло с их родственниками и друзьями[26].

От местного населения немцы тоже не скрывали убийств евреев. Якову Могильницкому было 13 лет, когда его семью загнали в наспех построенное гетто в деревне Шумилино на севере Белоруссии. По требованию матери он прополз под забором и выбрался из гетто: она сказала, что чувствует, будто случится

Минское гетто // НАРБ. Ф. 4. Оп. 33а. Д. 656. С. 185–186. После войны одна из руководительниц подполья, Р. А. Липская, подсчитала, что общее число жертв среди евреев должно было превысить 10 000 человек, см.: Липская Р. А. Отчет секретаря подпольной десятки в Минском гетто // НАРБ. Ф. 4686. Оп. 2. Д. 77. С. 1.

[26] Grinstein Y. Umkum un Vidershtand // Yad Vashem Archives. 033/459. P 23–26.

что-то плохое, и настояла на том, чтобы он бежал. Яков взял с собой еду и деньги и заночевал в лесу. Через несколько дней он вернулся в гетто. По дороге он встретил местных крестьян, которые, увидев, куда он направляется, сказали ему не ходить туда и спросили, не еврей ли он. Яков ответил: «Нет», — но крестьяне ему не поверили. «Ты еврей, — сказали они ему. — Не ходи туда: всех евреев там убили»[27].

С учетом того, насколько открыто немцы действовали в Белоруссии, к тому времени, когда они приступили к масштабным чисткам в Минском гетто, у его обитателей почти не оставалось иллюзий относительно их намерений. В отличие от евреев в польских и литовских гетто, которые называли массовые убийства, начинавшиеся с вывоза тысяч узников за его пределы, немецким словом aktion, минские евреи пользовались для их обозначения традиционным русским термином «погром». Первый из них произошел 7 ноября 1941 года. Это была 24-я годовщина Октябрьской революции — день, который евреи и неевреи обычно отмечали в кругу своих друзей и родственников. Утром 7 ноября немецкие солдаты, их белорусские и украинские пособники вошли в гетто и оцепили район в его юго-восточной части, ограниченный Республиканской, Хлебной и Замковой улицами, а также улицей Немига на юге. Они врывались в дома на Замковой и в переулках

---

[27] Интервью с Я. Р. Могильницким. Минск, 5 октября 1999 года. После своего ухода из гетто Могильницкий несколько месяцев жил впроголодь, работал на местных крестьян и ночевал в сараях. Все в округе, по его словам, знали, что он еврей, предупреждали его о появлении немцев или белорусов и говорили, где можно спрятаться. В начале января 1942 года голодный и замерзший Могильницкий постучался в один из домов в деревне Пятницкое. Дверь открыл пожилой мужчина, который предложил ему войти. Мужчина, которого звали Сергей Трофимович Кутенко, сказал мальчику, что узнает в нем еврея. Он добавил, что всю жизнь работал с евреями, и предложил Якову остаться с его семьей. В этом доме Могильницкий провел почти год. Осенью 1942 года кто-то донес немцам, что Кутенко укрывает у себя еврея. Они пришли, когда Якова не было дома, и сильно избили хозяина. Позже от полученных травм он скончался. После его смерти Могильницкий ушел из этого дома и снова стал ночевать в сараях. Дочь Кутенко убедила партизан из местного отряда взять мальчика к себе, заявив, что им пригодится его знание немецкого (хотя он знал только идиш).

к западу от нее и заставляли всех, кого находили, выстраиваться колоннами снаружи. В руки тех, кто оказался во главе как минимум одной из колонн, вложили плакаты с надписью «Да здравствует большевистская революция!» и сделали фотографии, которые позже были опубликованы в одной из подконтрольных немцам минских газет [Smolar 1989: 41].

Михаил Новодворский был в то время ребенком и пережил погром, вырвавшись из колонны и убежав в другой район гетто. Он вспоминал, как немцы вошли в дом, где жила его семья, и стали избивать всех, называя их коммунистами. Агрессоры утверждали, что на улице собрались люди с красными флагами, а они пытаются подавить восстание[28]. По-видимому, немцы пытались выставить евреев коммунистами, чтобы оправдать массовые убийства в глазах белорусов, а также собственных солдат. Но если немцы надеялись завоевать так расположение местных жителей, они просчитались. За пределами Советского Союза отождествление евреев с коммунистами могло настроить против них местное население. Но в бывшей Советской Белоруссии этого не произошло. Местные, за исключением тех, кого немцы наняли в полицию, не принимали участия в погромах и, согласно немецким запискам, в большинстве своем опасались, что станут следующими[29], причем такие страхи были вполне обоснованными. Ближе к концу войны немцы начали массово уничтожать белорусов в деревнях на подконтрольных партизанам территориях, подозревая их в пособничестве партизанскому движению. Тысячи белорусских сел были уничтожены, пока немцы пытались подавить сопротивление.

Так как погром 7 ноября и последовавшие за ним погромы проходили днем, когда колонны еврейских рабочих уже покидали гетто, мишенью немцев в основном становились дети, женщины (которые оставались дома, чтобы следить за детьми), старики, больные и инвалиды. Седьмого ноября 1941 года они вывели из гетто тысячи евреев, предположительно от 12 000 до

---

[28] Воспоминания М. Т. Новодворского [Аркадьева и др. 2001: 113–136].

[29] См. документы 113 и 118 в [Черноглазова 1999: 162, 167].

17 000 человек, посадили их в грузовики и отвезли в урочище Тучинка — место массовых расстрелов под Минском, где все евреи были убиты[30]. Перед этим до членов юденрата дошли слухи о том, что в этот день произойдет сокращение территории гетто, о чем они сообщили подполью. И юденрат, и подпольщики решили, что речь идет об уменьшении гетто, после чего оно станет еще более перенаселенным, а не о приближающейся резне. Тем не менее в Тучинку отправили одного из членов зарождавшегося в русском районе подполья. Спрятавшись на дереве, он наблюдал за расстрелами, а с наступлением темноты вернулся в Минск, чтобы сообщить обо всем этом[31]. В следующие дни в гетто также вернулись несколько выживших, чьи ранения оказались несмертельными. С наступлением ночи им удалось выбраться из ям, заполненных трупами; их рассказы быстро распространились среди оставшегося населения[32].

Двадцатого ноября немцы вернулись в гетто и устроили еще один погром к востоку от района, где прошла предыдущая акция. Они оцепили квартал от Замковой улицы до восточной границы гетто. Описания этого погрома более фрагментарны; вероятно, потому, что после предыдущего прошло всего две недели: в воспоминаниях выживших эти события слились в один долгий кошмар. После погрома 7 ноября Михаил Новодворский нашел убежище в еврейской больнице, где его дядя работал врачом. Старшему брату Михаила тоже удалось спастись, и он поселился в районе, расположенном дальше по склону холма, где и прошла следующая акция. Утром 20 ноября Михаил отправился повидать своего брата. Свернув с Юбилейной площади на Республиканскую улицу, он увидел, что немцы ведут по ней колонну евреев. За строем полицейских он заметил своего брата. В тот день в Тучинке

---

[30] Кнатько пишет: «По разным свидетельствам, было расстреляно от 12 000 до 17 000 человек» [Кнатько 1999: 49]. А. С. Мачиз оценивает количество погибших в ходе этого погрома в 12 000–13 000 евреев, см.: Мачиз А. С. Минское гетто // НАРБ. Ф. 4. Оп. 33а. Д. 656. С. 187–188.

[31] Воспоминания товарища (Даниила) Кудрякова // НАРБ. Ф. 4. Оп. 33а. Д. 661.

[32] Интервью с Раисой Хасеневич. Минск, 16 сентября 2003 года.

было убито от 5 000 до 10 000 евреев[33]. После этого большая часть опустошенной погромами территории была исключена из состава гетто. Забор передвинули, а в освободившиеся дома заселили белорусов. В то же время в Минск стали прибывать эшелоны с евреями из Центральной Европы, прежде всего из Гамбурга. Хотя многие были расстреляны по прибытии, тысячи все равно оказались в Минском гетто, где было создано несколько зондергетто, или специальных гетто. В итоге евреев из Центральной Европы, которых местные называли немецкими или гамбургскими евреями, поселили в районе к юго-востоку от Республиканской улицы, который обнесли отдельным забором из колючей проволоки. Здесь было создано гетто внутри гетто со своим юденратом и собственной полицией. Контакты между двумя группами евреев были запрещены, поэтому случались крайне редко, особенно внутри гетто, хотя многие русские и немецкие евреи были знакомы по работе. Немецкие власти демонстративно отдавали предпочтение немецким евреям, которым доставались увеличенные пайки и часто менее изнурительная работа. Но в конечном счете те оказались в куда более затруднительном положении по сравнению с русскими евреями, так как не могли напрямую общаться и торговать с белорусами. У многих немецких евреев были ценные вещи, пригодные для обмена (хорошая одежда, часы, ювелирные украшения), и некоторым из них удалось договориться с местными евреями, которых они встречали на работе, чтобы те за небольшую комиссию обменяли у белорусов эти вещи на еду. Но в большинстве своем гамбургские евреи все равно голодали.

Многие из них, по-видимому, верили, что переживут войну, потому что в течение долгого времени царившее в гетто насилие обходило их стороной. В одном из послевоенных интервью Гирш Смоляр рассказывал о том, как подполье пыталось наладить

---

[33] Кнатько пишет: «Согласно свидетельствам очевидцев, было расстреляно до 10 000 человек» [Кнатько 1999: 50]. Подпольщица А. С. Мачиз докладывает об убийстве примерно 5 000 евреев, см.: Мачиз А. С. Минское гетто // НАРБ. Ф. 4. Оп. 33а. Д. 656. С. 185–186.

контакты с немецкими евреями, чтобы предупредить их об истинных намерениях немцев и убедить присоединиться к Сопротивлению. Один молодой чешский еврей с радостью пошел на контакт: он утверждал, что его отец был членом перебравшегося в Лондон чехословацкого правительства в изгнании, а подпольщики отправили его к партизанам. Среди немецких евреев также нашелся социал-демократ, который помог подпольщикам подготовить листовки на немецком языке, предназначенные для распространения среди солдат, но сразу сказал, что больше не станет ничего делать. Все остальные, с кем связывалось подполье, вообще отказались от какого-либо участия в Сопротивлении. «Это для восточных евреев, а не для нас»[34] — такой была их позиция, по версии Смоляра. По словам другого члена подпольной организации гетто, Якова Гринштейна, евреи из Германии были уверены, что немцы не причинят им вреда[35].

После 20 ноября в гетто несколько месяцев не было крупных погромов. Частично это объяснялось тем, что немецкие власти в Минске нуждались в квалифицированных еврейских рабочих, частично — зимней погодой. Зима 1941–1942 годов была необычайно холодной даже по белорусским меркам, из-за чего земля сильно промерзала. В совместном отчете полиции безопасности и СД говорилось: «Даже если бы экономические соображения позволяли проведение широкомасштабных акций по ликвидации евреев, это невозможно в текущих погодных условиях, поскольку промерзшая земля крайне затрудняет рытье могил для массовых погребений»[36]. Но нападения на евреев в гетто, включая расстрелы, не прекращались. На Крымской улице, неподалеку от северной границы гетто, начал работать небольшой рынок. На нем, вопреки немецким приказам, продавались небольшие порции еды и такие товары, как табак и алкоголь. Иногда немцы приходили на рынок и убивали всех, кто там был. Иногда они совершали

34 Стенограмма интервью с Гиршем Смоляром. Апрель 1972 года // Yad Vashem Archives, 03/3605. P. 49–50.

35 Grinstein Y. Umkum un Vidershtand // Yad Vashem Archives. 033/465. P. 110.

36 НАРБ. Ф. 4683. Л. 3. Документ 1056. С. 223. Цит. по: [Кнатько 1999: 50].

убийства просто ради собственного развлечения, как, например, в тот день, когда они собрали самых красивых девушек гетто, которых отвели на еврейское кладбище, заставили раздеться и расстреляли. Несмотря на такие эпизоды, отказ от масштабных погромов зимой 1941–1942 годов предоставил населению некоторую передышку, а подполью — возможность организоваться.

Третий крупный погром произошел в гетто 2 марта 1942 года. В этот день евреи отмечали Пурим. Как и в случае с 7 ноября, немцы выбрали для своей акции широко отмечаемый праздник. И снова это был праздник, посвященный победе: Пурим отсылает к истории Эсфири, которая спасла еврейский народ от истребления. Как и во время предыдущих погромов, немцы и их пособники оцепили гетто утром, дождались, пока его покинут рабочие колонны, вошли внутрь и устроили облаву, выгоняя евреев из домов и арестовывая тех, кто был на улицах. Перед этим они потребовали у юденрата предоставить 2 марта дополнительную рабочую силу в размере 5 000 человек. Юденрат отказался, заподозрив немцев в подготовке погрома, и слухи об этом распространились по гетто. Все, кто мог, покинули его территорию и остались у друзей. Другие спрятались в малинах. В итоге немцы не смогли найти требуемые 5 000 человек и остались ждать у ворот, когда вернутся рабочие. В некоторых колоннах они отделили специалистов от неквалифицированных рабочих и казнили тех, кто не обладал особыми навыками. Жертвами этого погрома стали примерно 6 000 евреев. Часть из них вывезли в лагеря под Минском и расстреляли. Несколько тысяч согнали в овраг на Ратомской улице, который называли ямой, расположенный на тот момент у самой границы гетто. Перед расстрелом их заставляли выстраиваться рядами на краю оврага[37].

Самый масштабный погром начался 28 июля и продлился четыре дня. Как и раньше, немцы дождались, когда рабочие ко-

---

[37] Кнатько приводит цифру в 6 000 убитых и ссылается на: НАРБ. Ф. 4683. Л. 3. Документ 991. С. 96; НАРБ. Ф. 4683. Л. 3. Документ 913. С. 58 [Кнатько 1999: 50]. Но она также отмечает, что в официальных немецких документах говорится о 3 412 убитых. Возможно, речь идет только о тех, кто погиб в яме. Остальные были убиты в других местах.

лонны покинут гетто. Погрому также предшествовали тревожные слухи, и многие евреи успели спрятаться. Но, так как эта бойня продолжалась несколько дней, даже выжившим было тяжело оценить количество жертв. Послевоенные оценки варьируются от 18 000 до 30 000 убитых. В течение четырех дней около 30 грузовиков и 4 душегубки, или мобильные газовые камеры, совершали по пять-шесть рейсов в гетто и обратно [Кнатько 1999: 51][38]. Часть евреев, работавших за пределами гетто, разместили на время погрома в специально созданном лагере[39]. Других забирали с рабочих мест, сажали в грузовики и увозили на казнь[40]. Во время этого большого погрома, длившегося с 28 по 31 июля, оставшимся в живых немецким евреям было приказано собраться с вещами у ворот гетто для переселения. Так они и сделали, после чего их посадили в газвагены, которые немцы только недавно начали использовать в Минске. Белорусы и евреи называли их душегубками. Наблюдавший за этим из укрытия, пристроенного к чердаку еврейской больницы, Смоляр вспоминал, как немецкие евреи стояли у ворот своего гетто с чемоданами и зонтиками в руках. По его оценкам, в той акции было убито около 5 000 человек[41].

После июльского погрома в гетто осталось всего около 12 000 евреев[42]. Новых погромов не было больше года, но регулярные

---

[38] Приведенные оценки принадлежат выжившему узнику гетто П. Я. Добину и немецкому свидетелю (и палачу) по фамилии Гесс: НАРБ. Д. 4. Л. 29. Документ 112. С. 462, 497.

[39] Rubenchik (Iberman) Y. Lo Le'Shem Itur G'vura [Even-Shoshan 1975–1985: 371–378].

[40] Интервью с Гилой Гордон. Мигдаль-ха-Эмек, Израиль, 9 ноября 2000 года.

[41] Интервью с Гиршем Смоляром, 25 мая 1972 года // Yad Vashem Archives, 03/3605. P. 50. А. С. Мачиз сообщает, что в ходе этого погрома было убито 3 000 немецких евреев, см.: Мачиз А. С. Минское гетто // НАРБ. Ф. 4. Оп. 33а. Д. 656. С. 197–199.

[42] Такую оценку дает Смоляр в [Smolar 1989: 108]. Он указывает, что в немецких документах приводится цифра 8 794 человека, но она не включает в себя скрывавшихся в гетто людей, большинство из которых были женщинами и детьми. Кнатько ссылается на доклад комиссара г. Минска, согласно которому на ноябрь 1942 года в городе (и, предположительно, в гетто) оставалось 9 472 трудоспособных еврея [Кнатько 1999: 41].

убийства в гетто продолжались. Многие, по-видимому, были случайными, но часть была направлена против тех, кто был неспособен к продуктивному труду. Яков Гринштейн позже вспоминал, как однажды, когда он шел из гетто на работу, какой-то немец вывел из колонны маленького мальчика и застрелил его[43]. До мартовского погрома большинство групп, уходивших из гетто в леса, создавались и возглавлялись подпольщиками. Тем, кто не участвовал в подпольном движении, было настолько трудно самостоятельно найти партизан и уговорить их себя принять, что их шансы на выживание стремились к нулю. Однако погром 2 марта убедил многих колебавшихся евреев, что бегство из гетто стоит всех рисков, тем более число партизанских отрядов, открытых к приему добровольцев, в том числе невооруженных евреев, постоянно росло. Подпольная организация гетто стала все больше влиять на формирование некоторых партизанских отрядов. Информация об их местонахождении (а также некоторых других отрядов) просачивалась в гетто, и все больше евреев отправлялось на их поиски. После большого погрома в июле 1942 года численность евреев в гетто неуклонно сокращалась не только из-за убийств, но и ввиду продолжавшегося бегства в леса.

В сентябре 1943 года немцы начали готовиться к уничтожению гетто. Примерно тогда же они стали свозить евреев в концлагерь на Широкой улице для последующей ликвидации. Шестнадцатилетнего Михаила (Мишу) Трейстера забрали прямо с рабочего места — из сапожного цеха швейной фабрики «Октябрь», где производилось обмундирование для немецкой армии (см. рис. 7).

Его посадили в кузов грузовика вместе с другими евреями, работавшими в том цеху. Миша ждал, чтобы понять, куда поедет автомобиль: в Тростенец, где находился лагерь смерти, или же на Широкую улицу, где евреи и военнопленные содержались перед отправкой в такие лагеря (если, конечно, не умирали раньше от голода, болезней или побоев). Если машина направится в Тростенец, думал Миша, он просто выпрыгнет из кузова, несмотря на шанс быть застреленным. Если же грузовик поедет на Широ-

---

43 Grinstein Y. Umkum un Vidershtand // Yad Vashem Archives. 033/465. P. 100.

Рис. 7. Михаил Трейстер. Фото из личного архива М. Трейстера

кую, у него будет время придумать, как выбраться. На перекрестке автомобиль повернул на Широкую.

Так Миша оказался в лагере, где помимо него содержалось еще несколько тысяч евреев. Через несколько дней на Широкую в сопровождении четырех еврейских полицейских приехал Наум Эпштейн, который к тому времени фактически руководил гетто. Людей во дворе призвали к вниманию. Эпштейн объявил, что произошла ошибка: среди тех, кого привезли в лагерь, было 36 человек, которых немцы хотели оставить в живых, потому что они были особо ценными специалистами в своих областях и слишком хорошими работниками, чтобы их убивать. Эпштейн начал зачитывать имена, и после каждого из них из толпы выходил человек и говорил: «Есть!» Когда Эпштейн назвал имя «Наум Розин», возникла секундная тишина, а затем Миша услышал собственный голос, который произнес: «Есть!»

Протиснувшись сквозь толпу, Трейстер присоединился к тем, кто стоял в строю. Эпштейн знал Мишу, потому что его помощник Розенблат жил в комнате, смежной с той, в которой жили Миша, его мать и сестра, и все, кто приходил к Розенблату, проходили через комнату Трейстеров. Когда Миша встал в строй,

Эпштейн удивленно взглянул на него, но промолчал. Тогда Мише пришло в голову, что тощий 16-летний подросток вряд ли может сойти за особо ценного специалиста. Но его присутствие в строю не вызвало вопросов, и 36 человек вернулись обратно в гетто. Между тем вскрылась еще одна ошибка: примерно половины имен не должно было быть в этом списке. На время проверки мужчин отправили в минскую тюрьму, чтобы определить тех, кого надо вернуть на Широкую. Оказалось, что Наум Розин действительно был ценным специалистом, в котором нуждались немцы. Мишу выпустили уже на следующее утро. После этого он неделю прятался дома, так как знал, что, если обман раскроется, его убьют, а затем вместе с двумя друзьями отправился в лес. Вступив в партизанский отряд, Миша вернулся в гетто за матерью и сестрой. К тому времени малейшего слуха о том, что кто-то собирается бежать из гетто, было достаточно, чтобы собрать толпу людей, требовавших, чтобы их взяли с собой. Мише пришлось сформировать три группы, которые должны были одновременно покинуть гетто. Он понимал, что людей слишком много, чтобы остаться незамеченными, но у него не было выбора. К счастью, для его группы все закончилось успешно: она добралась до леса. Две другие попали в засаду немцев, и большинство беглецов было убито [Smolar 1989: 142].

История Миши Трейстера напоминает нам, что своими знаниями о Минском гетто мы обязаны тем, кому удалось в нем выжить, хотя шансы на это были ничтожны. Если больше никому из тех, кого отпустили с Широкой как квалифицированных специалистов, не удалось бежать из гетто, Миша Трейстер может быть единственным выжившим из тысяч собравшихся в тот день в лагерном дворе. Если бы имени Наума Розина не оказалось в списке мастеров, которые были нужны немцам, Трейстер погиб бы с остальными. Из тех, кого он пытался вывести из гетто, половине не удалось бы добраться до леса. У людей, которые шли на риск, было больше шансов выжить, чем у тех, кто этого не делал, но выживание требовало везения, причем часто неоднократного.

Последний погром и окончательная ликвидация Минского гетто пришлись на 21 октября 1943 года. За несколько дней до этого по периметру гетто выставили часовых, чтобы никто не мог попасть внутрь или выйти наружу. Двадцать первого октября немцы окружили гетто и при поддержке Эпштейна, Розенблата и их подельников собрали почти всех из остававшихся внутри 2 000 евреев, погрузили их в грузовики и отвезли либо в лагеря смерти, либо в рабочие лагеря[44]. Вместе с полицией немцы прочесали гетто в поисках малин, расстреливая тех, кого находили, и забрасывая гранатами места, где, по их мнению, могли прятаться люди. Немногим евреям удалось укрыться в местах, до которых они не добрались, а выживших было еще меньше. Роза Цукерман, чья история будет рассказана позднее, 13 дней не выходила из малины, пока не решила, что снаружи было достаточно безопасно, чтобы связаться с белорусским другом, который забрал Розу, ее дядю и его дочь и отвел к партизанам[45]. Подпольщик Арон Фитерсон ушел из гетто летом 1943 года, вступил в партизанский отряд и вернулся в Минск после его освобождения Красной армией в 1944 году. Там он встретился с человеком по фамилии Бублер, с которым был немного знаком до войны. Бублер рассказал Фитерсону, что он был одним из 17 евреев, которые незадолго до ликвидации гетто устроили подземное укрытие на еврейском кладбище. Вход и выход они замаскировали досками и вставили в землю жестяные трубы, которые обеспечивали минимальную вентиляцию. Правда, воздуха все равно было недостаточно, так что большинство тех, кто прятался внутри, задохнулось. Выход из убежища вел к границе гетто, благодаря чему им удалось связаться со знакомой белоруской, которая жила в русском районе. Она приносила в землянку еду, а когда Красная армия вошла в Минск в июле 1944 года, рассказала солдатам о прятавшихся евреях. Солдаты отправились на еврейское кладбище и вызволили из-под земли тех, кто еще был жив. Бублер и Фитерсон искали эту женщину, но им не удалось ее найти, так как ее дом сгорел, а сама она исчезла[46].

---

[44] Интервью с Михаилом Трейстером. Минск, 20 сентября 2003 года.

[45] Интервью с Р. Е. Зеленко (урожденная Цукерман). Минск, 10 июля 2000 года.

[46] Воспоминания Арона Фитерсона // Yad Vashem Archives. M 41/19. P. 30.

Глава 4
Подпольная
организация гетто

ТАЙНЫЕ ГРУППЫ В ГЕТТО

Минское гетто было создано 1 августа 1941 года, и уже через несколько дней в нем возникли первые тайные группы, состоявшие главным образом из коммунистов и людей, которым они доверяли. В одной из них большинство людей были членами молодежной организации коммунистической партии — комсомола. В другой, которой предстояло сыграть важную роль в объединении этих групп в подпольную организацию, состояли коммунисты из Польши и других стран, бежавшие на восток, чтобы спастись от немцев. Эти группы были немногочисленны — не больше нескольких десятков человек. Общее число жителей Минска равнялось 239 000, из которых 8 131 человек был членом коммунистической партии, еще 2 514 считались кандидатами на вступление (правда, 23 000 состояли в комсомоле, в который записывали почти всех школьников)[1]. Многие коммунисты и подавляющее большинство комсомольцев никогда не сотруд-

---

[1] Численность населения Минска взята из [Поляков 1992: 70]. Данные о количестве членов ВКП(б) и комсомола взяты из отчета о минском подполье, составленного по инициативе ЦК КПБ в 1959 году, см.: Т. Горбунов и др. К вопросу о партийном подполье в г. Минске в годы Великой Отечественной войны, июнь 1941 — июль 1942. С. 1 // НАРБ. Личный фонд Е. И. Барановского.

ничали с подпольем, так как надеялись пережить войну, не привлекая к себе внимания немцев.

По состоянию на август-сентябрь 1941 года в гетто действовали по меньшей мере четыре тайные группы, члены которых постепенно узнавали о существовании друг друга и устанавливали между собой контакты. В то же время аналогичный процесс происходил и в той части города, которую евреи обычно называли русским районом, а белорусы — городом. В течение осени 1941 года люди, связывавшие свои надежды с Сопротивлением, устанавливали контакты с единомышленниками повсюду, где их находили: и в гетто, и в русском районе, которые они связали между собой, и в лесах, где создавались партизанские отряды. Большинство членов тайных групп были взрослыми людьми в возрасте от 20 до 40 лет, а иногда и старше, но среди них встречалась и молодежь, в том числе члены комсомола, а также юные красноармейцы, застрявшие на оккупированной территории и укрывшиеся в Минске. Несколько еврейских подростков, регулярно пересекавших границу гетто, сыграли ключевую роль в налаживании связей между этими группами и партизанами.

В те первые месяцы протестная активность была спонтанной, рассеянной и в общем-то хаотичной. Каждая ячейка действовала по своему усмотрению, лишь иногда консультируясь с членами других групп, с которыми она поддерживала связь. Никто не знал реальных масштабов деятельности подполья, и иногда случались накладки. Лена Майзлес состояла в группе, которая занималась печатью и распространением в гетто листовок с новостями о ходе войны и призывами к борьбе. Однажды другой участник группы, работавший в русском районе, сказал ей, что по городу гуляет коммунистическая листовка. Лене удалось раздобыть копию. Оказалось, что это была одна из тех листовок, которые она сама редактировала[2].

В августе-сентябре 1941 года для обозначения своей деятельности члены тайных групп чаще пользовались словом «Сопротивление», чем словом «подполье», поскольку их группы пред-

---

[2] Воспоминания Е. П. Майзлес // НАРБ. Ф. 4386. Оп. 2. Д. 80. С. 5.

ставляли собой неформальные и автономные объединения. На тот момент они не думали о чем-то более масштабном. Дело было не в стремлении к децентрализации, даже наоборот: как коммунисты, они опасались, что могут пойти наперекор авторитету партийного руководства, если создадут подпольную организацию без разрешения сверху. Поскольку верхушка белорусской коммунистической партии сбежала и находилась за линией фронта, в оккупированной Белоруссии партия фактически прекратила свою деятельность. Оставшиеся на ее территории коммунисты не имели партийной структуры, перед которой нужно отчитываться, и не получали приказов, которые следовало исполнять. Их членство в партии было приостановлено, и тем, кто пережил войну, пришлось заново подавать заявления на получение партийного билета, чтобы восстановить свой статус. Но они оставались коммунистами в глазах немцев, что делало их мишенью для арестов. Многие продолжали считать себя коммунистами и вели себя так, как, по их мнению, в этих обстоятельствах должны были вести себя коммунисты. Они не сомневались в своем праве собираться небольшими группами для обсуждения того, как они могут помочь борьбе с оккупантами и победе Красной армии, но многие чувствовали, что выход за эти рамки и создание полноценной подпольной организации станут нарушением порядков, установленных коммунистической партией.

В первые месяцы немецкой оккупации большинство членов тайных групп были уверены, что руководство партии оставило в тылу комитет, которому было поручено создание коммунистического подполья. Ходили слухи, что некоторые коммунистические руководители по-прежнему скрываются в городе и вскоре вступят в контакт с членами партии[3]. Таким образом, создание подпольной организации стало бы посягательством на полномочия комитета, которому было поручено это задание. Впрочем, находились и те, кто не разделял этой уверенности либо считал, что группам не помешает установить между собой более тесные связи. В гетто такой точки зрения придерживались члены группы,

---

[3] Там же. С. 3.

состоявшей в основном из коммунистов из-за пределов Белоруссии; часть из них была выходцами из Польши. Они стали налаживать связи с другими группами в гетто, выступая за создание единой подпольной организации на его территории. В русском районе тем же самым занялась ячейка, ядро которой состояло из рабочих-нефтяников, бежавших из Польши. Ее члены также рассматривали идею создания подпольной организации, которая охватила бы весь Минск.

Где-то в октябре 1941 года еврейский подросток, который жил в русском районе, но часто наведывался в гетто, сумел организовать встречу между руководством двух подпольных групп. Она и открыла дорогу к формированию общегородской организации. С ее созданием автономные до того ячейки внутри гетто и за его пределами стали частью четкой иерархической структуры. Но в то же время минское подполье сохранило свой стихийный и децентрализованный характер. Многие акции, которые спонсировало и поддерживало руководство, на самом деле инициировались рядовыми членами ячеек, которые пользовались любой возможностью для диверсий, создания и распространения пропагандистских материалов или спасения евреев из гетто. Подобные операции часто требовали совместных усилий от представителей различных групп (иногда по обе стороны гетто). Порой они предполагали участие людей, которые не были членами подполья, что приводило к расширению контактов между евреями и белорусами. Поддержка и наставления руководства помогли расширить деятельность подполья и повысить его эффективность. Но резкое превращение в массовое движение также сделало его уязвимым: волны арестов дважды приводили к полному уничтожению верхушки городской организации. Они в меньшей степени затронули гетто, потому что здешние подпольщики куда строже соблюдали так называемые правила конспирации.

Именно неформальные связи между рядовыми членами сыграли важную роль в поддержании деятельности подполья за пределами гетто и сохранении связей между ним и русским районом после масштабных арестов ведущих активистов.

СОЗДАНИЕ ПОДПОЛЬНОЙ ОРГАНИЗАЦИИ ГЕТТО

Лидером тайной группы, возглавившей создание подпольной организации гетто, был Гирш Смоляр — 36-летний польский коммунист и беженец из Белостока, работавший журналистом в коммунистическом издательстве[4]. Смоляра хорошо знали как в Польше, так и в Белоруссии: в 1920-х годах Коммунистическая партия Польши на несколько лет отправила его в Минск, чтобы защитить от ареста польскими властями. Смоляр прекрасно владел русским языком. В возглавляемую им группу входили как минчане, так и коммунисты из-за пределов Белоруссии. После своего создания эта группа решила заняться пропагандой (которая заключалась в написании и распространении листовок с новостями о ходе войны и призывами к участию в Сопротивлении), наладить связи с потенциальными союзниками за пределами гетто, а также с другими ячейками внутри гетто и способствовать их объединению в подпольную организацию[5].

Вскоре группа Смоляра вступила в контакт с ячейкой, возглавляемой Наумом Фельдманом — 41-летним печатником и членом коммунистической партии. В эту группу входили как его коллеги, так и представители других профессий. Некоторые из них впоследствии сыграют важную роль в деятельности подполья: 42-летняя Лена (Ента) Майзлес, работавшая до войны в партийном аппарате, возглавит десятку — подпольную группу; 34-летний коммунист Зяма Окунь по приказу организации вступит в полицию и тоже станет главой подпольной ячейки; 39-летний Миша Чипчин, бывший технический директор крупнейшей в Минске типографии им. Сталина, будет руководить подпольной типографией[6].

---

[4] Сведения о биографии Смоляра (Григорий (Гирш) Давыдович Смоляр) приводятся по: НАРБ. Ф. 4. Оп. 33а. Д. 656. С. 185, 192, 340–390.

[5] Смоляр описывает создание своей тайной группы в [Smolar 1989: 27–31].

[6] Биографические данные этих членов подполья основаны на информации, собранной из документов НАРБ директором архива Е. И. Барановским и представленной в его работе «Члены подпольной организации, действовавшей на территории Минского гетто в годы Великой Отечественной

Фельдман и его группа надеялись сбежать в лес и либо присоединиться к одному из партизанских отрядов, которые, по слухам, там находились, либо создать собственный. Пока же, раз уж в ячейке было сразу несколько печатников, они решили, что их вкладом в Сопротивление станет создание подпольной типографии. Несколько членов группы работали в Минске в расположенной за пределами гетто типографии «Прорыв», где под руководством оккупантов выпускалась газета для немецких солдат и гражданских. Вместе с другими евреями и белорусскими военнопленными, работавшими в той же типографии, они начали строить планы, как им пронести в гетто материалы, необходимые для создания печатного станка. У одного из подпольщиков вопреки немецким приказам было при себе радио. Члены группы слушали советские радиотрансляции о ходе войны, писали от руки листовки и раздавали их внутри гетто. Часть листовок они также передали своим городским контактам[7].

В один из октябрьских дней 1941 года Смоляр встретился с Фельдманом и его группой и поднял вопрос о создании в гетто подпольной организации. Поначалу члены фельдмановской ячейки отвергли это предложение. Они заявили, что не хотят переходить дорогу законному комитету, который перед тем, как покинуть Минск, наверняка сформировало партийное руководство. Члены группы подчеркивали, что собрались вместе не для

войны» (имеется в распоряжении автора), а также на биографических очерках членов минского подполья в [Бараноўскі и др. 1995]. Подробнее о биографии Наума Фельдмана см. [Бараноўскі и др. 1995: 119]. В апреле 1942 года Фельдман ушел в партизанский отряд. Подробнее о биографии Чипчина см. [Там же: 122]. Чипчина арестовали и повесили 7 мая 1942 года. Сведения о Лене Майзлес (Ента Песаховна Майзлес) основаны на: НАРБ. Ф. 4386. Оп. 2. Д. 100. С. 14, 177. Ей удалось пережить войну. Сведения о Зяме Окуне (Залман Миронович Окунь) взяты из: НАРБ. Ф. 4386. Оп. 2. Д. 100. С. 16, 199; Ф. 3500. Оп. 6. Д. 172. С. 2. Окунь был убит в гетто.

[7]   Структура и история этой группы приводятся Наумом Фельдманом в двух рукописях, написанных им после войны. См.: Воспоминания Н. Л. Фельдмана // НАРБ. Ф. 750. Оп. 1. Д. 307; о коммунистическом подполье в Минске во время Великой Отечественной войны см. воспоминания Н. Л. Фельдмана // Yad Vashem Archives. M41/18.

создания подпольной организации, а для того, чтобы понять, как они могут противостоять немецкой оккупации и приблизить победу СССР на индивидуальном уровне. После войны Лена Майзлес писала, что, как и все коммунисты, комсомольцы и другие известные им и просоветски настроенные люди, члены ячейки, считали, что где-то в городе должен быть комитет, который готовится наладить подпольную борьбу с немцами[8]. Фельдман спросил Смоляра, кто уполномочил его создать подпольную организацию. Смоляр ответил, что он и его группа находятся в контакте с людьми «на той стороне». Позже Смоляр писал, что Фельдман, видимо, воспринял это так, будто Смоляр был связан с коммунистическим руководством, что, конечно, было неправдой [Smolar 1989: 34]. Но Смоляр не стал его поправлять. Какой бы ни была причина, Фельдман и его группа решили поддержать Смоляра и приступить к созданию подпольной организации гетто. Фельдман и Зяма Окунь вошли в руководящий комитет, созданный ранее ячейкой Смоляра, и Окуню было поручено вступить в полицию гетто, чтобы там у подполья был свой человек [Там же: 35].

В то время в гетто существовали и другие подпольные группы. Тридцатиоднолетний член коммунистической партии Борис Хаймович успел побывать и в Дроздах, и в минской тюрьме, после выхода из которой оказался в гетто. Там он вступил в контакт с членами группы Смоляра, узнав об их планах по созданию в гетто единого подпольного центра[9]. Кроме того, он познакомился с 25-летней комсомолкой Нехамой (Надей) Рудицер, ее мужем Иосифом и братом Мишей (они все были Рудицерами, потому что девичья фамилия Нехамы была такой же, как у Иосифа). Нехама спасла из Дроздов друга своего мужа, Абрама Релкина, переодев его в женскую одежду, которую она тайком пронесла. Позже они вернулись в лагерь и вывели еще несколько

---

8   Воспоминания Е. П. Майзлес // НАРБ. Ф. 4386. Оп. 2. Д. 80. С. 3.

9   Воспоминания Хаймовича // НАРБ. Ф. 4683. Оп. 3. Д. 1196. См. также [Бараноўскі и др. 1995: 195]. Борис Павлович (Файвелович) Хаймович ушел к партизанам в декабре 1941 года и пережил войну.

человек, а Релкин присоединился к их подпольной группе. Когда Хаймович встретился с Нехамой и ее кружком, они рассказали ему, как спасали людей из лагеря в Дроздах, а также признались, что у них есть радиоприемник, по которому они тайно слушают новости. Хаймович решил, что Рудицерам и их друзьям можно доверять, и стал вместе с ними слушать советские трансляции, а также писать и распространять листовки с призывами к отпору врагам[10].

Другая группа была создана Михелем (Мишей) Гебелевым — 36-летним коммунистом и бывшим инструктором-пропагандистом одного из минских райкомов партии[11]. Как и группа Хаймовича — Рудицеров, группа Гебелева в основном занималась пропагандой. Благодаря помощи военнопленного, работавшего на складе, где немцы хранили конфискованные радио, одному из членов ячейки удалось раздобыть приемник, а другой сумел украсть из полицейского участка в Минске пишущую машинку, в чем ему тоже помог работавший там военнопленный. Благодаря этому группа могла слушать трансляции Совинформбюро, печатать листовки и распространять их как в гетто, так и за его пределами[12].

Еще одна ячейка, которую в итоге возглавил Мотя (Мейр или Матвей) Пруслин, начала формироваться еще до создания гетто. Когда немцы вывезли мужчин из Минска в Дрозды, Циля Ботвинник-Лупьян вместе со своими подругами по комсомолу, Славой Гебелевой-Асташинской и Рахилью Кублиной, а также состоявшей в партии Розой Липской собрали еду и одежду и отправились в лагерь. Там они раздали одежду военнопленным, чтобы те могли, переодевшись, перебраться в находящийся рядом лагерь для гражданских. Когда мужская одежда закончилась, в ход

[10] См. воспоминания Нехамы Рудицер // НАРБ. Ф. 4683. Оп. 3. Д. 1196. См. также воспоминания Б. Ф. Хаймовича // НАРБ. Ф. 4683. Оп. 3. Д. 1196.

[11] Подробнее о Мише Гебелеве см.: НАРБ. Ф. 4386. Оп. 2. Д. 100. С. 6, 69; Ф. 3500. Оп. 6. Д. 262. С. 186; Ф. 3500. Оп. 3. Д. 143. С. 4.

[12] Купреева А. П. Исследование активности территориальной ячейки, действовавшей в гетто на Татарской улице // НАРБ. Ф. 4683. Оп. 3. Д. 1198. С. 8–10. См. также воспоминания Е. А. Эльтерман // НАРБ. Ф. 4683. Оп. 3. Д. 1196.

пошли женские платья, благодаря чему удалось бежать примерно 15 заключенным. После создания гетто эти женщины вошли в группу, которую возглавил Мотя Пруслин. При попытке уйти в лес в апреле 1942 года Пруслин был схвачен немцами и повешен. Его место заняла Роза Липская[13].

Все эти группы возникли в первые несколько месяцев существования гетто и быстро сумели наладить связи друг с другом. Во многом это произошло благодаря тому, что большинство их членов были коммунистами, а коммунисты в гетто легко находили друг друга, так как были знакомы еще до войны. Смоляр утверждал, что Хаймович присутствовал на совещании, когда его группа решила создать единый подпольный центр [Smolar 1989: 29]. Хаймович не помнил, посещал ли он именно то собрание, но признавал, что не раз встречался с членами группы Смоляра[14]. Лена Майзлес писала, что в конце августа — начале сентября встретилась с Мишей Гебелевым и Мотей Пруслиным и поняла, что они возглавляют такие же тайные группы, как и та, в которой она сама состояла[15].

Осенью 1941 года все эти группы присоединились к подпольному центру, созданному Смоляром. Первой это сделала ячейка Фельдмана, за ней последовали остальные. Была введена система десяток: каждый отряд состоял из 10 человек (плюс-минус) и имел лидера, который поддерживал связь с центром. Остальные члены десяток должны были сохранять анонимность, чтобы их личности никому не были известны за пределами группы — на случай ареста и допроса кого-то из центра. Со временем количество таких групп в гетто увеличилось. Некоторые расширились и разделились, но появлялись и новые. В конечном счете в гетто действовало по меньшей мере 16 десяток. Это число основывается на показаниях выживших, а значит, могли быть еще отряды, о которых они не знали, потому что все их члены погибли во время войны. Кроме того, здесь не учитываются комсомольские

---

[13] Воспоминания Ц. Я. Ботвинник-Лупьян // НАРБ. Ф. 4386. Оп. 2. Д. 59. С. 1–2.

[14] Воспоминания Б. Ф. Хаймовича // НАРБ. Ф. 4683. Оп. 3. Д. 1196. С. 93 (186).

[15] Воспоминания Е. П. Майзлес // НАРБ. Ф. 750. Оп. 1. Д. 307. С. 167.

отряды в составе подпольной организации. По послевоенным оценкам Смоляра, в подполье гетто состояло около 450 человек, из которых примерно 150 были членами комсомольских ячеек[16].

Все эти контакты привели к созданию единого подпольного движения в гетто, в центре которого находилась группа Смоляра. Поначалу руководящий комитет состоял из Смоляра и еще двух членов его отряда, но их вскоре убили. Первым погиб Яков Киркаешта, попавший в одну из августовских облав, устроенных немцами. За ним погнались и застрелили, когда он покидал встречу со своей группой. Однако Якову удалось увести преследователей от дома, где проходило собрание, и тем самым защитить своих товарищей[17]. Другим членом подпольной тройки был Нотке Вайнгауз — бывший редактор детской газеты «Пионер», издававшейся в Минске. Он был схвачен и убит во время первого погрома, который немцы устроили в гетто 7 ноября 1941 года. Место Киркаешты в тройке занял Миша Гебелев, а Мотя Пруслин заменил Вайнгауза (см. рис. 8). И 37-летний Гебелев, и 36-летний

---

[16] В своих докладах о подполье Липская, Мачиз и Смоляр писали, что в гетто действовали 12 десяток. Мачиз также уточняет, что эти данные актуальны для февраля 1942 года. См.: Липская Р. А. Отчет секретаря подпольной десятки в Минском гетто // НАРБ. Ф. 4685. Оп. 2. Д. 77. С. 2; Приложение к воспоминаниям А. С. Мачиз // НАРБ. Ф. 4683. Оп. 3. Д. 1196. С. 7/168; Смоляр Г. Население Минского гетто в борьбе против немецких захватчиков (неопубликованная рукопись). С. 8. В то же время А. П. Купреева, исследовавшая подполье Минского гетто для Института истории партии при ЦК КПБ, на основании интервью с живыми современниками и письменных документов говорит, что таких групп было 16. Шесть групп в приведенном ею списке состояли из людей, умерших во время войны, поэтому известны только имена их руководителей. Вполне возможно, что существовали и другие группы, из членов которых никто не выжил, поэтому о них не сохранилось никаких сведений. См.: Купреева А. П. Деятельность подпольной партийной организации в Минском гетто. Доклад, подготовленный старшим научным сотрудником Института истории АН БССР. 16 декабря 1981 года // НАРБ. Ф. 4683. Оп. 3. Д. 1197. С. 45–52. При этом в список Купреевой явно не вошли группы комсомольцев. В одном из своих интервью в Израиле Смоляр говорил, что подполье состояло примерно из 450 человек, из которых около 150 были членами комсомола. См.: Yad Vashem Archives. 03/3605. P. 97.

[17] Воспоминания Б. Ф. Хаймовича // НАРБ. Ф. 4683. Оп. 3. Д. 1196. С. 94.

Рис. 8. Слева направо: Гирш Смоляр, Миша Гебелев и Мотя Пруслин. Фото из коллекции Белорусского государственного архива кинофотофонодокументов

Пруслин были членами коммунистической партии и до войны работали пропагандистами в минском райкоме. Оба обладали тесными связями среди коммунистов русского района, особенно Гебелев, который позже станет представителем гетто в руководящем органе общегородской подпольной организации. Гебелев был, пожалуй, центральной фигурой в подполье гетто вплоть до своей смерти летом 1942 года, после чего лидером организации стал Смоляр[18].

Когда Смоляр сказал Фельдману и его группе, что у него есть контакты «на той стороне», он не подразумевал под этим наличие связи с советскими властями за линией фронта (как, по его мнению, подумал Фельдман и др.). На самом деле он имел в виду то, что его ячейка активно развивает контакты с подпольными ячейками за пределами гетто — как в городе (который евреи называли русским районом, потому что там, в отличие от гетто, где в ходу был идиш, говорили на русском), так и в лесу. В первые

[18] Подробнее о Моте Пруслине см.: НАРБ. Ф. 4386. Оп. 2. Д. 100. С. 17, 221. Пруслин ушел к партизанам в марте 1942 года и был убит немцами. О Гебелеве см.: НАРБ. Ф. 4386. Оп. 2. Д. 100. С. 6, 69; Ф. 3500. Оп. 6. Д. 262. С. 186; Ф. 3500. Оп. 3. Д. 143. С. 4.

месяцы оккупации в русском районе сформировались такие же тайные группы, как и в гетто. Их члены тоже считали, что где-то в городе прячется комитет, которому была поручена организация подпольного движения, и надеялись, что скоро он даст о себе знать. Как и в гетто, одна из таких групп, ядро которой составляли нефтяники и беженцы из Белостока, взялась налаживать контакты с другими группами и в итоге стала для них руководящим центром.

Центральную роль в этих попытках создать в городе подпольную сеть сыграл бывший инженер Исай Казинец, работавший в Белостоке в советской нефтяной конторе. Как и Смоляр, он стремился наладить контакты с партизанскими отрядами, а также с группами по другую сторону границы гетто.

ПЕРЕСЕЧЕНИЕ СЕТЕЙ ПОДПОЛЬНЫХ КОММУНИКАЦИЙ

Первые контакты между гетто и городом, а также гетто и лесом состоялись благодаря двум еврейским подросткам, которые, полагаясь на свой безупречный русский и «правильную» внешность (они не выглядели стереотипными евреями), рискнули остаться в городе, но регулярно навещали в гетто родных и друзей. Семнадцатилетнего Давида Герцика, которого знали по его русской кличке Женька, представил Смоляру его отец, когда Женька в очередной раз наведался в гетто. Парень сказал, что ему, наверное, удастся свести Смоляра с людьми, которые занимались организацией подпольной сети в городе. В один из дней (в конце октября или начале ноября 1941 года) Женька вывел Смоляра из гетто через дыру в заборе, которой сам регулярно пользовался, и привел его в квартиру, где их уже ждали двое мужчин и женщина[19]. Один из мужчин представился Смоляру

---

[19] Смоляр утверждает, что эта встреча состоялась в октябре, но А. П. Купреева пишет, что она произошла в ноябре. См.: Купреева А. П. Деятельность подпольной партийной организации в Минском гетто // НАРБ. Ф. 4683. Оп. 3. Д. 1197. С. 14. Документ датирован 16 декабря 1981 года. Смоляр упоминает об этой встрече в: Смоляр Г. Население Минского гетто в борьбе против немецких захватчиков (неопубликованная рукопись). С. 5. В своем отчете

как Славек. Это был Исай Казинец, лидер зарождавшейся городской подпольной сети. Имя Славек было одним из его подпольных псевдонимов[20]. Смоляр позже описывал Казинца как приветливого и дружелюбного молодого человека лет тридцати, одетого по-граждански, но с военной выправкой. Он писал, что вместе со Славеком на встречу пришла «молодая женщина в красном берете» [Смоляр 1947: 27]. Это была Леля Ревинская, которая тоже входила в одну из подпольных групп и состояла с Казинцом в отношениях (см. рис. 9). Личность второго мужчины так и не была установлена.

Смоляр и Казинец обменялись информацией, убедились, что оба представляют просоветские группы, и Смоляр рассказал о рождении подпольной организации гетто. Казинец задал ему тот же вопрос, что раньше задавал Фельдман: кто уполномочил Смоляра на создание такой организации. На этот раз Смоляр прямо ответил, что таких полномочий у него нет, при этом он процитировал слова Ленина о том, что революционеры должны брать инициативу в свои руки, оказавшись в трудной ситуации, а не ждать указаний сверху. Казинец возразил, что в городе наверняка есть организация, которой лидеры коммунистической

ЦК КПБ Смоляр пишет, что встреча с Казинцом состоялась за два дня до собрания, на котором было создано минское подполье. Купреева, которая цитирует этот документ, указывает, что в таком случае их встреча должна была пройти в ноябре. Купреева также присутствовала на собрании выживших подпольщиков Минского гетто в 1954–1955 годах и приводила высказывание Майзлес о встрече коммунистических активистов в гетто, состоявшейся по инициативе Гебелева в октябре 1941 года. По словам Майзлес, присутствовавший на собрании товарищ из русского района рассказал о ширящемся партизанском движении в минской округе и призвал активистов гетто помогать партизанам, собирать и прятать оружие для тех, кто уходит в леса, и устраиваться на немецкие заводы для проведения диверсий. Заявление Майзлес приводится в протоколе собрания бывших участников коммунистического подполья, прошедшего в Минске в декабре 1954 — январе 1955 года. См.: НАРБ. Ф. 4683. Оп. 3. Д. 839. С. 68. Кроме того, оно цитируется Купреевой, см.: Купреева А. П. Деятельность подпольной партийной организации в Минском гетто // НАРБ. Ф. 4683. Оп. 3. Д. 1197. С. 14.

[20] Еще один псевдоним — Победит (победит — сверхпрочный металл, применяемый для сверления). — *Примеч. ред.*

Рис. 9. Исай Казинец и его подруга Елена (Леля) Ревинская. Фото из коллекции Белорусского государственного архива кинофотофонодокументов

партии поручили формирование подпольного движения, и не стоит узурпировать ее роль. Смоляр ответил, что, если бы такой комитет существовал, создание подпольной организации было бы самым простым способом его найти. Мужчины договорились, что будут поддерживать связь через Женьку. После этого Женька и Смоляр вернулись в гетто через ту же самую дыру в заборе. Позже Казинец дал Смоляру новый подпольный псевдоним — Скромный, немало смутив его. Но Смоляр не мог ничего с этим поделать: в подполье те, кто занимал более высокое положение, имели право давать прозвища по своему усмотрению.

В послевоенном интервью Смоляр объяснял это решение Казинца тем, что тот считал его членом Коммунистического интернационала, но думал, что Смоляр стесняется это признать. Кроме того, Смоляр утверждал, что его аргументы убедили Казинца создать централизованную подпольную организацию.

Помимо этого, Казинец мог все-таки считать Смоляра представителем коммунистических властей[21].

Первый контакт подпольщиков гетто с партизанами состоялся благодаря еще одному еврейскому подростку. Феде Шедлецкому, как и Женьке, было 17 лет, он тоже не стал перебираться в гетто и хотел найти способ поучаствовать в Сопротивлении. Его школьный друг, Миша Рудицер, наоборот, жил в гетто с сестрой Нехамой и ее мужем Иосифом, но, случалось, проводил время в городе. Он и познакомил Федю со скрывавшимся в Минске бывшим офицером Красной армии Даниилом Кудряковым. Кудряков предупредил молодых людей, что немцы собираются убить всех евреев, и привел Шедлецкого к художнику, который сделал ему фальшивые документы на имя белоруса. Кроме того, Кудряков познакомил Федю с Казинцом, который решил, что юноша был членом зарождавшегося подполья. Он рассказал Феде, что до него дошли слухи о партизанах в Руденском районе к югу от Минска, и поручил ему установить с ними контакт. Шедлецкий нашел в Минске знакомого, чьи родственники жили в том районе, отправился к ним в деревню и с помощью своего связного вышел на партизанский отряд под командованием капитана Быстрова (кроме этого, известного как Сергеев; фамилия Быстров была псевдонимом). Федя стал его связным с городским подпольем. Первым делом Быстров попросил у новых союзников прислать ему котелок для приготовления пищи. Помимо этого, он сообщил о своей готовности принимать в отряд добровольцев, особенно если они будут вооружены.

---

[21] В своем интервью Яд Вашем в апреле 1972 года Смоляр заявил, что в 1961 году он ознакомился с протоколами собрания членов городского подполья, в которых Казинец сообщал своим товарищам о встрече со Смоляром, называл его членом Коминтерна и утверждал, что с таким опытом позицию Смоляра нужно воспринимать всерьез. Смоляр сказал, что видел эти документы в одном из институтов Минска и что потом они, видимо, куда-то исчезли. В подтверждение своих слов Смоляр сослался на И. Г. Новикова, писавшего о том же в своем хорошо известном романе «Руины стреляют в упор» [Новиков 1977]. Интервью Смоляра см.: Yad Vashem Archives. 03/3605. P. 34.

Когда Федя вернулся в город и начал готовиться к тому, чтобы отвести первую группу к партизанам, его арестовали и заперли в сарае неподалеку от гетто, который служил немцам временной тюрьмой. Шедлецкий упросил охранника отпустить его в туалет и, пообещав вернуться, сумел выскользнуть из рук тюремщиков. В свое время Кудряков говорил Феде, что в случае риска попасть в плен он всегда может укрыться в гетто. Кудряков объяснял это тем, что, хотя гетто и было сущим адом из-за неприкрытого насилия, немцы и их пособники старались держаться от него подальше, когда не проводили облав. Это делало гетто лучшим местом, чтобы спрятаться от них. Федя последовал его совету и нашел убежище у сестры Миши Рудицера, Нехамы. Так он вступил в контакт с ячейкой, в которой состояли сама Нехама, ее муж, брат, их друг Релкин и Хаймович. Позже Федя добился от Быстрова согласия принять группу из гетто, в которую входили Хаймович и Рудицеры, а также все, кого они смогли завербовать. Параллельно Кудряков связал их с городскими подпольщиками, которые помогли организовать побег из гетто и сопроводили евреев в лес. До конца 1941 года им удалось переправить в лес две группы, собранные группой Хаймовича — Рудицеров, которые вошли в состав отряда Быстрова.

Во время одного из своих визитов в гетто Федя узнал от друга, что глава юденрата Илья Мушкин собирает у евреев деньги и ценности и передает их немцам. Борис Хаймович и Рудицеры были не настолько изолированы, чтобы не знать о других группах в гетто; как минимум Хаймович периодически контактировал с другими членами центра, созданного Смоляром и его командой. К тому времени Смоляр был в курсе связей Мушкина и других членов юденрата с подпольными ячейками в городе. Но Нехама и ее друзья об этом не знали и считали Мушкина пособником немцев. Федя позже вспоминал:

> С наступлением ночи мы с Мишей Рудицером направились к дому, где жил Мушкин. С собой мы взяли пистолеты и гранату, которую принесли из [партизанского] отряда. Рудицер остался на улице. Я постучал в окно. Когда я постучал второй раз, Мушкин меня впустил. Войдя, я сказал ему,

что дом окружен и в его интересах, чтобы этот разговор прошел мирно. Я сообщил ему, что меня послали партизаны, которые нуждались в теплой одежде, медикаментах и котелке для приготовления пищи. Меня удивило, что он согласился все это предоставить. Мы договорились встретиться через три-четыре дня в мастерской [которой управлял юденрат на территории гетто]. Я предупредил, что его застрелят, если он меня сдаст. Мушкин лишь улыбнулся в ответ.

Через несколько дней Федя вернулся в гетто на лошади и встретился с Мушкиным, получил от него требуемое и отвез все на квартиру к Рудицерам, где припасы забрал один из членов городского подполья и доставил их к партизанам[22].

Между тем Мушкин сообщил Смоляру, что в гетто прибыл человек из леса, и призвал подпольщиков организовать с ним встречу. Руководители подпольной организации попросили Федю передать Быстрову сообщение, пообещав дополнительные поставки, если тот согласится принять группу добровольцев из гетто. Но еще до завершения этих переговоров подполье гетто вошло в состав общегородской организации, а руководивший всем подпольем городской комитет взял на себя ответственность за взаимодействие с партизанами. За это время Быстров успел принять у себя две группы, собранные группой Хаймовича — Рудицеров. В конечном счете Федя сложил с себя функции связного и стал бойцом его отряда.

Даже после того, как городской комитет взял на себя переговоры с партизанами, отряд Быстрова какое-то время оставался основным пунктом назначения для групп, покидавших гетто. Но через несколько месяцев он переместился в Могилевскую область на восточной окраине Белоруссии, что положило конец его контактам с Минским подпольем[23].

---

[22] Воспоминания Ф. Д. Шедлецкого (бывшего члена 208-го партизанского отряда им. Сталина и партизанской бригады «Беларусь») // Yad Vashem Archives. М 41/49. P. 6.

[23] Воспоминания Ф. Д. Шедлецкого (бывшего члена 208-го партизанского отряда им. Сталина и партизанской бригады «Беларусь») // Yad Vashem Archives. М 41/49. P. 12; Смоляр Г. Население Минского гетто в борьбе против немецких захватчиков (неопубликованная рукопись). С. 13.

Когда Смоляр познакомился с Казинцом, он, видимо, решил, что тот был белорусским или русским коммунистом. Казинец действительно состоял в коммунистической партии, но не был ни белорусом, ни русским: он был евреем, бежавшим из Белостока в Минск, а родился и вовсе на Украине. Немцы узнали об этом, когда арестовали его в марте 1942 года, но в подполье только ближайшее окружение Казинца знало о его национальности. Возможно, об этом не говорили, потому что с точки зрения советской идеологии разделение на евреев и неевреев было проявлением антисемитизма, а указание на еврейское происхождение Казинца могло быть воспринято как признак дурного отношения к нему. К тому же, если бы об этом было широко известно, пусть даже только в подполье, это могло подвергнуть Казинца опасности, особенно если о его национальности узнали бы немцы. Судя по всему, ни во время войны, ни в первые годы после ее завершения никому из участников подполья в гетто не было известно, что Казинец — еврей[24]. Уже посмертно ему было присвоено звание Героя Советского Союза. В 1969 году, во время празднования 25-й годовщины освобождения Минска, в городе был открыт памятник в честь Исая Казинца. По такому случаю из Польши приехала его сестра Рахиль. В разговоре с советскими документалистами, которые делали фильм о Сопротивлении в Минске, она упомянула, что имя, данное ее брату при рождении, — Иешуа, и рассказала об украинской еврейской семье, в которой они выросли. Эта информация появилась в выходившей на идише польской газете, которая послала на мероприятие своего корреспондента. Советская пресса писать об этом не стала[25].

---

[24] Смоляр Г. Население Минского гетто в борьбе против немецких захватчиков (неопубликованная рукопись). С. 5. В этой написанной вскоре после войны рукописи Смоляр называет Казинца Славеком и отмечает: «Настоящее имя этого товарища, бывшего одним из руководителей минского коммунистического подполья и погибшего в апреле 1942 года, до сих пор не известно».

[25] См. сноску 47 в [Ainsztein 1974: 895]. Смоляр упоминает в своем интервью 1972 года, что кое-кто называл Казинца евреем, но отмечает, что этому нет никаких доказательств. См.: Yad Vashem Archives. 03/3605. P. 37.

Эскалация насилия со стороны немцев и их пособников лишь убедила подпольщиков в необходимости срочной отправки как можно большего числа евреев в лес и заставила их еще активнее искать союзников за пределами гетто; 14, 26 и 31 августа, то есть почти сразу после его создания, немцы провели в гетто серию облав, жертвами которых стало около 5 000 человек, преимущественно молодые мужчины[26]. После этого облавы прекратились, но в следующие месяцы немцы вместе с подручными стали наведываться в гетто по ночам, врываясь в дома, выбранные, по-видимому, наугад, и убивая всех, кого находили внутри. В ноябре градус насилия резко повысился из-за погромов 7 и 20 числа, в ходе которых было убито по меньшей мере 17 000 евреев, а также, возможно, тысячи человек других национальностей[27].

К тому времени подпольная организация гетто уже тесно сотрудничала с юденратом. Вскоре после знакомства со Смоляром Казинец проник в гетто, чтобы встретиться с лидерами местного подполья. Скорее всего, эта встреча произошла во второй половине октября, так как именно на ней руководство организации гетто согласилось на регулярной основе взаимодействовать с юденратом. Это сотрудничество явно началось до погрома 7 ноября. Сама встреча состоялась в еврейской больнице гетто, куда Женька привел Казинца. Между больницей и подпольем установились тесные связи с тех пор, как ее главврач, Лейб Кулик[28], предложил Смоляру работу в больничной котельной, а также разрешил ему там жить и питаться. Так кочегарка стала штаб-квартирой подполья. Немцы избегали больницы из-за страха перед болезнями, в первую очередь тифом, что делало ее

---

[26] Мачиз А. С. Минское гетто // НАРБ. Ф. 4. Оп. 33а. Коробка 86. Д. 656. С. 185. Мачиз была узницей гетто и написала этот отчет в декабре 1943 года после своего ухода к партизанам.

[27] Различные оценки количества убитых в этих погромах евреев и их источники приводятся в [Кнатько 1999: 49–51].

[28] Тридцатитрехлетний Лейб (Лев Яковлевич) Кулик был членом коммунистической партии, возглавлял подпольную ячейку в еврейской больнице. Расстрелян в декабре 1942 года [Бараноўскі и др. 1995: 78].

относительно безопасным местом. Многие работники больницы завязали знакомства с членами подполья и нередко посещали собрания в котельной, чтобы узнать новости о ходе войны и обменяться информацией. Для встречи с Казинцом Кулик предложил использовать его кабинет и выдал всем белые халаты на случай немецкой проверки, чтобы все выглядело как собрание врачей.

На этой встрече Казинец сумел навязать представителям гетто два решения, которым они поначалу сопротивлялись. Во-первых, он объявил, что с этого момента все взаимодействие с партизанами будет осуществляться через городское подполье, оно же будет обеспечивать проход тем, кто решится бежать в лес. Во-вторых, он потребовал, чтобы подполье гетто взяло на себя взаимодействие с юденратом. Поначалу его лидеры не хотели жертвовать налаженными связями с отрядом капитана Быстрова, но они понимали, что городское подполье взаимодействует со многими партизанскими отрядами. Гетто нуждалось в этих контактах, так что у них не было выбора. Что касается юденрата, сперва представители гетто заявили, что все его члены являются коллаборационистами, поэтому подпольщикам не стоит с ними связываться. Казинец ответил, что, в отличие чиновников за пределами гетто, эти люди не могли отказаться от назначения в юденрат, поэтому к ним следует относиться так же, как к евреям, которых заставляли работать на заводах, чья продукция шла на нужды немецкой армии. Кроме того, добавил Казинец, если подпольщики все же свяжутся с юденратом, они смогут поработать с чудесными и невероятно преданными делу людьми. Он сообщил, что председатель юденрата, Илья Мушкин, заведующий производственным сектором, Гирш Рудицер, и начальник еврейской полиции, Зяма Серебрянский, были членами подполья и выполняли его приказы[29].

---

[29] Интервью с Г. Смоляром. Апрель 1972 года // Yad Vashem Archives. 03/3605. P. 40–41. Зяму Серебрянского не стоит путать с Зямой Окунем. Окунь был членом действовавшей в гетто подпольной группы Фельдмана, которому подпольщики поручили поступить на службу в охрану порядка. Серебрянский возглавлял еврейскую полицию гетто и, соответственно, был членом

Лидеры подпольной организации гетто с неохотой согласились на это условие. На первой встрече с Мушкиным они договорились, что любая информация о планах и действиях немцев будет немедленно передаваться юденратом подполью. К тому времени выходы на него были у каждого члена юденрата. Помимо Мушкина, Рудицера и Серебрянского, прочные связи с подпольем установили глава жилищного отдела, Борис Дольский, и заведующий отделом помощи, Михаил Зоров. Остальные были не так рады бремени, которое на них взвалили, и проявляли куда меньше инициативы в подпольной работе. После войны Смоляр писал:

> Эти люди из юденрата, каждый на своем месте, выполняли наши распоряжения, кто смело, кто менее решительно, и почти каждый из них пользовался нашим доверием. Только к одному из них мы относились несколько сдержанно — к М. Тульскому. Наша связистка из концлагеря на Широкой улице сообщила, что... поведение Тульского внушало подозрение [Смоляр 1947: 50][30].

Никому из первоначального состава юденрата не удалось пережить войну[31].

За несколько недель до 7 ноября, когда в гетто случился первый крупный погром, подпольщики, работавшие в мастерских, которые обеспечивали немецкую полицию, сообщили, что до них дошли разговоры о предстоящем сокращении территории гетто [Смоляр 1947: 23]. За несколько дней до погрома начальник еврейской полиции, Зяма Серебрянский, информировал подполье, что до юденрата дошли слухи о планах отрезать от гетто целый

юденрата. Вместе с Мушкиным и другими он поддерживал контакты с городскими подпольщиками, пока Казинец не поручил подполью гетто начать работать с сотрудниками юденрата, которых он считал членами подполья. Серебрянский был одним из них.

[30] См. также [Садовская 1970: 73–85]; Yad Vashem Archives. M 41/16.

[31] Смоляр рассказывает об этой встрече в [Smolar 1989: 59–61] и своем интервью 1972 года, см.: Yad Vashem Archives. 03/3605. P. 40. Об отношениях подполья гетто и юденрата см. также [Cholavsky 1988: 114–116].

кусок на юго-востоке, где проживало около 20 000 человек [Smolar 1989: 40]. И члены юденрата, и подпольщики решили, что речь идет о выселении. Но, понимая, что эта новость не предвещает ничего хорошего, они советовали всем жителям района по возможности покинуть гетто и пожить у друзей или найти где укрыться в гетто за пределами означенной зоны. Многие из них, особенно пожилые, все равно остались. Другие, главным образом молодые люди, последовали совету и ушли. Двадцатого ноября немцы вернулись в гетто, объяснив это тем, что в прошлый раз, 7 ноября, не выполнили нормы, и зачистили еще один район, убив всех его жителей. Скорее всего, членам подполья не удалось значительно сократить число жертв, но своими действиями они заслужили репутацию организации, которая заботится о благополучии жителей гетто.

Зимой 1941–1942 годов, пока не сменился состав юденрата, он очень тесно сотрудничал с подпольем гетто. Когда люди уходили в лес, начальник еврейской полиции, Серебрянский, выставлял у ворот работавших на него подпольщиков. Он сообщал подполью, когда гестапо планировало облавы на дома, жители которых ушли в лес, что позволяло подпольщикам предупреждать оставшихся людей, чтобы те успели спрятаться. Когда члены юденрата узнали, что гестапо собирается разделить гетто на две части (одна — для специалистов и их семей, другая — для всех остальных), они проинформировали об этом подполье. Руководство организации, рассудив, что немцы хотят отделить неквалифицированных рабочих, чтобы их убить, изготовило большое количество фальшивых документов, свидетельствовавших о высокой квалификации их предъявителей. Обнаружив, что подавляющее большинство жителей гетто являются специалистами, немцы отказались от своих планов[32].

Необходимость налаживать связи с союзниками за пределами гетто делала роль связного особенно важной. За взаимодействие с городскими подпольными группами с осени 1941 года отвечал

---

[32] Интервью с Г. Смоляром. Апрель 1972 года // Yad Vashem Archives. 03/3605. P. 41–42.

член руководящей тройки подпольной организации гетто — Миша Гебелев. Он обладал широкими связями среди городских коммунистов и ввиду частых отлучек поддерживал контакты с ними от лица гетто еще до того, как официально был назначен связным. Темные вьющиеся волосы и черты лица могли навести на мысль о еврейском происхождении, но спокойствие и уверенность Гебелева, который вел себя так, словно имеет полное право ходить по улицам Минска, похоже, все перевешивали. Гебелев часто покидал гетто через дыру в заборе на улице Мясникова неподалеку от еврейского кладбища. Рядом он прятал пиджак, шапку и ящик с инструментами, которые брал с собой, когда направлялся в город. Став связным, он также носил с собой изготовленные подпольщиками документы, в которых был записан как русский по фамилии Русинов. Городское подполье помогло ему найти квартиру в русском районе, где Гебелев проводил не меньше времени, чем в гетто, и сформировал подпольную группу, которая помогала ему в работе. В июле 1942 года полицейский поймал его на выходе из гетто и арестовал, но не как еврея, а как контрабандиста. Подпольщики пытались вытащить Гебелева из тюрьмы с помощью взятки, но не успели. Его казнили, вероятно, в ходе зачистки, устроенной, чтобы освободить место для новых заключенных[33].

Гебелев, конечно, не был единственным связным в гетто. Аналогичное назначение получила Хася Пруслина — уважаемый и известный член коммунистической партии, мать двоих детей и сестра Моти Пруслина, входившего в руководящую тройку подполья (см. рис. 10).

Ее муж служил в Красной армии на востоке, с войны он так и не вернулся. Как и в случае с Гебелевым, обширные связи и всеобщее уважение делали Пруслину идеальным кандидатом в связные. Пруслина взялась за работу после погрома 7 ноября, когда был убит ее девятилетний сын, после чего у нее осталась

---

[33] НАРБ. Ф. 4386. Оп. 2. Д. 18. С. 18. См. также: Купреева А. П. Деятельность подпольной партийной организации в Минском гетто // НАРБ. Ф. 4683. Оп. 3. Д. 1197. С. 14.

Рис. 10. Хася Менделеевна Пруслина
в 1941 году. Фото из личного архива
З. А. Никодимовой

только четырехлетняя дочь Зинаида, которую она отдала в семью
одного из городских подпольщиков[34]. Став связной, почти все
свое время Пруслина проводила с друзьями из городского подполья за пределами гетто. Она сформировала собственную
группу и при помощи других подпольщиков занялась изготовлением фальшивых документов, которые затем передавала членам
подпольной организации гетто. Помимо документов, она пере-
носила через границу между городом и гетто подпольные газеты,
листовки и сообщения.

Хотя ей было всего 40 лет, Пруслина считала себя старухой.
Она была уверена, что пережитый во время войны стресс добавил
ей лет, и пользовалась этим, когда ее останавливали для допроса.
Однажды к ней подошел немецкий солдат, когда она переходила
дорогу в районе, который еще не был обнесен забором (из-за
чего было непонятно, где проходит граница гетто). При себе
у Пруслиной были документы с именами и адресами подпольщиков, из-за чего, как женщина позже писала, она скорее бы пред-
почла умереть на месте, чем подвергнуться обыску. Представив-
шись белоруской из города, Пруслина заявила, что не переходила границы и всего лишь шла к колонке на окраине гетто, чтобы

---

[34] Женщина, которой Пруслина отдала свою дочь Зинаиду, была арестована.
Девочку забрала соседка и устроила ее в детский дом, из которого ее позже
перевели в другой. Пруслина активно искала свою дочь и в итоге смогла ее
найти. Зинаида Андреевна Никодимова до сих пор живет в Минске. Она
очень сильно помогла этому исследованию.

набрать воды для своей семьи. Как она писала в своих мемуарах, пока она говорила, вокруг них собралось несколько белорусских женщин, которые стали громко причитать, выражая сочувствие ее судьбе. К немецкому солдату подошла молодая красивая белоруска и прервала допрос, сказав: «Чего ты привязался к этой старухе? Не пойти ли нам чего-нибудь перекусить?» В итоге солдат ушел с девушкой, а Пруслина сумела благополучно пройти в город. Она навсегда осталась благодарна неизвестной женщине, спасшей ей жизнь[35].

Помимо Гебелева и Пруслиной, в гетто были и другие связные. Так, у Гебелева и Смоляра были собственные посыльные, которые переправляли через границу сообщения и документы. Гебелев и Пруслина создали в городе свои десятки, которые они возглавляли. Некоторые ячейки в гетто поддерживали собственные контакты с группами или отдельными подпольщиками в городе и назначали своих членов выполнять функции связных. Кроме того, в городском подполье были люди, которые регулярно посещали гетто для поставок печатных материалов или обмена информацией. Они прикрепляли к одежде желтые круглые латы и либо пробирались через забор, либо входили в гетто с колоннами рабочих, которых вели вечером назад. Вдобавок к этой сети подпольная организация гетто назначила внутреннего связного — 21-летнюю комсомолку Эмму Родову. Ей была поручена организация жившей в гетто молодежи в комсомольские группы, которые были связаны с подпольем. Двадцать шестого октября 1941 года, когда немцы устроили в Минске день казней, несколько еврейских рабочих шли по площади, где было повешено трое человек. На их телах висели плакаты с надписью: «Мы партизаны, стрелявшие по германским войскам». Один из рабочих узнал среди повешенных еврейку Машу Брускину, которая была еще подростком. Гибель Брускиной вдохновила ее бывших друзей и одноклассников, среди которых была и Родова, примкнуть к Сопротивлению. Судя

---

[35] Пруслина Х. М. Отчет ЦК КПБ о подпольной деятельности в годы Великой Отечественной войны (1941–1944). С. 10–11. Рукопись находится в распоряжении автора.

по всему, 17-летний Женька (Давид Герцик), организовавший встречу Смоляра с Казинцом, знал Родову и ее друзей еще до войны. Он и познакомил Эмму и других членов ее кружка с лидерами подпольной организации гетто [Tec, Weiss 1997].

Эмма Родова стала главным внутренним связным подполья. Она устраивала собрания подпольщиков и передавала сообщения, когда им было слишком опасно встречаться лично. Эмма была создана для этой роли: она со всеми ладила, все помнила, но говорила только то, что было необходимо, не разглашая ничьих секретов. Родова знала больше имен и адресов подпольщиков, чем кто-либо другой, и оставалась в гетто дольше многих, поддерживая деятельность подполья, когда его лидеры стали уходить в лес. Сара Левина писала о ней после войны: «Эта 20-летняя комсомолка возглавила коммунистически настроенную молодежь в ужасные годы оккупации. Скромная, немногословная, смелая, она совершала самые рискованные поступки. В ее темных умных глазах отражались одновременно печаль и решительность»[36].

В сентябре 1942 года Родова сообщила, что за ней следят члены спецгруппы — пособники немцев, которых те поставили во главе еврейской полиции, когда узнали о связях юденрата с подпольем. Она получила разрешение покинуть гетто и присоединиться к партизанам. Но Родову арестовали прежде, чем она смогла уйти. Член спецгруппы узнал ее у ворот гетто, где она ждала подпольщиков, возвращавшихся с колоннами рабочих. Эмму посадили в тюрьму и долго пытали, но она ничего не рассказала немцам.

Девятого января 1943 года ее казнили.

СОЗДАНИЕ МИНСКОГО ПОДПОЛЬЯ

В конце ноября — начале декабря 1941 года, после опустошительных для гетто погромов, в городе состоялось собрание, целью которого было создание всеобщей минской подпольной органи-

---

[36] Воспоминания Сары Левиной // БГАМЛИ. Архив В. Б. Карпова. Ф. 305. Оп. 1. Д. 311. С. 6.

зации. Гетто на нем представлял Миша Гебелев. Структурно возникшая организация делилась на пять районов, одним из которых было гетто. На низшем уровне она состояла из групп по 5–10 человек (в гетто и какое-то время в городе для их обозначения использовался термин «десятка»), лидеры которых взаимодействовали с районными комитетами. Каждый район имел своего представителя в центральном органе подполья, городском комитете, который управлял всей организацией. Его секретарем выбрали Казинца. Остальные члены, включая Гебелева, были делегированы в комитет своими районами. Все это очень напоминало устройство подпольной организации, которая к тому времени уже существовала в гетто.

В первую очередь такая структура была призвана упростить передачу приказов сверху вниз, а также сохранить в тайне личности подпольщиков, сведя к минимуму число членов организации, которые знали друг друга. Правда, заложенные в нее принципы иерархии и секретности толком не работали. Многие подпольщики были знакомы друг с другом и не слишком серьезно относились к поддержанию секретности, особенно за пределами гетто. В условиях военного времени десяткам часто приходилось проявлять инициативу и действовать по своему усмотрению. Подпольные организации гетто и города осуществили три крупных совместных проекта, и в каждом случае инициатива исходила от рядовых членов, чьи идеи были одобрены и поддержаны городским комитетом. Это были важные операции, и они достигли своих целей, но сам процесс не до конца соответствовал советской концепции принятия решений сверху вниз.

Проекты, о которых идет речь, включали в себя создание подпольной типографии и распространение ее продукции, спасение из гетто детей, отправку к партизанам грузов и добровольцев.

Инициаторами создания типографии стали белорусские военнопленные, которые искали способ связаться с подпольным движением, и еврейские печатники, входившие в одну из тайных групп гетто. Городской комитет одобрил этот проект и помог с ресурсами для его реализации. Вывоз детей из гетто инициировали несколько подпольщиц, действовавших как в самом гетто, так и за его пределами. Этот проект был также поддержан горкомом. О желании добровольцев отправлять в лес тайные группы заявляли буквально с момента создания гетто. Но без поддержки руководства городского подполья эти планы были малоосуществимы и в любом случае не смогли бы достичь таких масштабов.

Стоит отдать должное лидерам подполья за то, что они поддерживали инициативы снизу. В своих послевоенных мемуарах Смоляр нередко забывал упомянуть, кому именно принадлежала та или иная идея, и вместо этого писал обобщенное «мы», в которое как будто записывал себя и других руководителей подпольной организации гетто. Такой подход соответствовал советским представлениям о роли руководства, но некоторые выжившие жаловались на Смоляра за то, что он слишком часто приписывал себе чужие заслуги, опуская имена тех, кому они действительно принадлежали[37], поэтому по мере возможности я старалась сверять свидетельства Смоляра с рассказами других людей.

---

[37] «Мы организовали специальную женскую группу из наших членов... которая должна была находиться в постоянном контакте с аналогичной группой белорусок... для определения белорусских семей и детских домов, которые могли приютить еврейских детей» [Smolar 1989: 70]. В целом эта формулировка верна, но Смоляр не говорит о том, что инициаторами кампании выступили Хася Пруслина (со стороны гетто), Леля Ревинская и Людмила Кашечкина (за его пределами): интервью с Р. А. Черноглазовой, 15 сентября 2005 года; Черноглазова ссылается на услышанное ею во время собрания выживших подпольщиков, проходившего в Минске в декабре 1954 — январе 1955 года. Кроме того, Смоляр пишет: «Мы начали подготовку к отправке с Федей первой организованной группы из гетто. Ответственность за это была возложена на Бориса Хаймовича... немедленно связавшегося... с Кудряковым» [Smolar 1989: 63]. Е. Л. Шнитман, который был одним из членов этой группы, говорит, что она была организована подпольной группой Хаймовича — Рудицеров в сотрудничестве с городскими подпольщиками. О Смоляре он не упоминает. См.: НАРБ. Ф. 4683. Оп. 2. Д. 77. С. 139–140, 218, 219. Борис Хаймович не говорит о том, кто был инициатором создания группы, которую он отвел к партизанам, но отмечает, что в книге Смоляра [Смоляр 1947] есть ошибки, что он не помнит, чтобы присутствовал на встрече руководителей подполья со Смоляром, как тот утверждает. О подпольной типографии Смоляр пишет: «Организация первой подпольной типографии в белорусской столице была поручена Мише Чипчину...

Созданный для управления минским подпольем комитет официально носил имя Второго (Вспомогательного) городского комитета Коммунистической партии Белоруссии. Слово «вспомогательный» (как и слово «второй») было призвано подчеркнуть его подчиненное положение относительного первого, законного, комитета, в существование которого верило большинство присутствовавших на учредительном собрании. Западники, к которым принадлежал и Смоляр, настаивали на создании подпольной организации и насмехались над нерешительностью белорусских коммунистов — как евреев, так и неевреев. Но у белорусов были причины для беспокойства. Они не хотели, чтобы возникло впечатление, будто они пошли против законного комитета, назначенного коммунистической партией, который, как они считали, скоро заявит о себе. Они не сомневались, что Красная армия вскоре прогонит немцев, и понимали, что с возвращением советской власти любые действия, которые покажутся ей посягательством на ее авторитет, могут повлечь за собой серьезные последствия. Впрочем, их колебания были вызваны не только страхом:

В [работах советских историков] редко упоминается, что за созданием типографии стояла именно организация гетто» [Smolar 1989: 34]. Но Г. В. Суслова в своих воспоминаниях ноября 1980 года отмечает: «Хочу сказать, что Смоляр в своей книге [Smolar 1989] неверно истолковал роль Подопригоры в доставке шрифтов в типографию и ни разу не упомянул его друзей. Если я правильно помню, он написал: "В гетто была организована подпольная типография. Андрей Иванович Подопригора... взялся за доставку шрифтов". Но автор врет. Откуда брались шрифты, бумага, чернила, кто делал оборудование для типографии? Этим занималась бесстрашная четверка: Подопригора, Полонейчик, Трошин, Удод, и никто другой. Славка поручил это Подопригоре, а не Смоляру. И зачем было врать?» См.: Yad Vashem Archives. M41/25. P. 8. Наконец, Эсфирь Кисель отмечала, что Смоляр опустил тот факт, что ее муж, Давид Кисель, возглавил подполье после ухода из гетто Смоляра. По ее словам, это было связано с тем, что после войны Кисель был арестован и отправлен в тюрьму по не связанным с подпольной деятельностью причинам. Купреева подтверждает, что Давид Кисель стал главой подполья после ухода Смоляра, и ссылается на показания самого Смоляра и Нади Шуссер на слушаниях по делу Киселя (30 августа 1945 года, дело № 2561), см.: Купреева А. П. Деятельность подпольной партийной организации в Минском гетто // НАРБ. Ф. 4683. Оп. 3. Д. 1197. С. 37–38.

они искренне придерживались советских принципов руководства и переживали из-за ситуации, в которой могло оказаться, что они невольно пошли им наперекор, поэтому они всячески стремились подчеркнуть свою преданность Советскому Союзу и коммунистической партии.

Как выяснится, белорусские подпольные лидеры были абсолютно правы в своих опасениях. Но в других моментах они все-таки ошибались. Во-первых, законный подпольный комитет так и не заявил о себе, потому что его не существовало: верхушка партии бежала так поспешно, что не успела оставить никого после себя. Во-вторых, оккупация продлилась гораздо дольше, чем кто-либо, включая подпольщиков, мог предположить в первые месяцы войны. Определение «вспомогательный» отпало само собой, и руководящий орган минского подполья в итоге стали называть просто городским комитетом. Да и когда советская власть наконец вернулась в Белоруссию (сначала — в годы войны — в виде советского партизанского движения, постепенно распространившего свое влияние на ранее независимые отряды, а затем полноценно, когда произошло освобождение), слово «вспомогательный» в названии ничем не помогло участникам подполья.

Конфликт между минским подпольем и советскими властями будет освещен в конце этой книги. После того будет рассказано о Сопротивлении в гетто и его связях с союзниками в городе и лесу.

ГЕТТО, ГОРОД И ЛЕС

Вступление подпольщиков гетто в общегородскую организацию было обусловлено как практическими, так и идеологическими причинами. Настоящие коммунисты не могли даже помыслить о том, чтобы подполье гетто продолжило действовать отдельно, не воспользовавшись возможностью объединиться с белорусским подпольем в городе. Вместе они могли сделать гораздо больше для подрыва немецкой власти, чем по отдельности. Кроме того, главной целью подполья гетто была отправка в лес как можно большего количества евреев, а городское подполье находилось в куда более выгодной позиции для создания широкой сети контактов с партизанскими отрядами, действовавшими в районе Минска. Подпольщикам в гетто требовались эти контакты, и предоставить их могла только городская организация. К тому же городским подпольщикам было куда проще определять маршруты для обхода немецких блокпостов, а гетто нуждалось в проводниках, которые были у города. Острая потребность в отправке евреев в лес была одновременно основой союза подпольных организаций гетто и города и источником противоречий между ними. На фоне набирающих обороты немецких погромов неспособность подполья в первую очередь отправлять в лес именно евреев могла показаться кому-то бездушной. Но лидеры организации гетто были согласны с городским комитетом в том, что боеспособность партизанского движения должна была быть высшим приоритетом[38].

Гетто играло важную роль в общегородском подполье, направляя партизанам существенную материальную помощь. Немцы требовали от юденрата собирать с населения гетто контрибуции деньгами, мехами и украшениями. Но под руководством Мушкина юденрат старался переправлять как можно больше собранных средств партизанам. Подпольщики и другие жители гетто запасались медикаментами, крали оружие, собирали и сами шили одежду. Все это тоже отсылали партизанам. Какие-то пожертвования поступали и из города, но для его жителей этот вопрос стоял менее остро, чем для людей в гетто, которые отчаянно желали установить связь с партизанами или хотя бы поддержать их — в надежде, что это приблизит победу. Городские жители (даже те, которые надеялись на быструю победу СССР), очевидно, не сомневались, что смогут пережить оккупацию, если не будут высовываться. В гетто же не только подпольщики, но и все остальные его жители были готовы пойти на значительные жертвы, чтобы помочь партизанам. Эти материальные пожерт-

---

[38] При этом Холявский обвиняет городской комитет в антисемитизме из-за того, что выживание евреев не стояло для него на первом месте [Cholavsky 1988: 174].

вования, несомненно, сыграли важную роль в укреплении отношений между общегородским подпольем и партизанским движением в окрестностях Минска, особенно в первые годы войны, когда многие отряды были плохо снаряжены и были заинтересованы скорее в получении предметов первой необходимости, чем в новых членах.

Союз с городом был необходим гетто, но в некоторых моментах он оказался разочаровывающим. Подпольная организация гетто надеялась вывести даже не тысячи, а десятки тысяч евреев, включая тех, кто не мог сражаться: детей, стариков и женщин. Городской комитет делал все возможное, чтобы удовлетворить запросы подполья гетто и помочь ему с отправкой групп в лес или предоставить евреям места в отрядах, которые уходили из города. Но количество спасенных евреев даже близко не соответствовало надеждам подпольщиков. Впрочем, иначе и не могло быть, так как приоритетом горкома были военнопленные, а представители гетто оказались в этом вопросе в меньшинстве. Кроме того, отправку евреев в лес поначалу ограничивали требование партизан, чтобы добровольцы приносили с собой оружие (хотя с течением войны к этому стали относиться менее строго), и постоянный страх подпольщиков случайно отправить к ним человека, который окажется немецким агентом, поэтому они старались включать в группы, уходившие в лес, только хорошо знакомых им людей или тех, кто прошел тщательную проверку. Подпольщицы Нина Лисс и Роза Липская поочередно уходили из гетто в поисках мест в белорусской деревне, где не было немцев, чтобы отослать туда детей, стариков и женщин, неспособных держать оружие[39]. Но им так и не удалось найти ничего подобного.

Несмотря на то что лидеры подпольной организации гетто — сначала Гебелев, а затем Смоляр — постоянно давили на городское руководство, чтобы оно отправляло в лес больше евреев, в целом

---

[39] Липская Р. А. Отчет секретаря подпольной десятки в Минском гетто // НАРБ. Ф. 4386. Оп. 2. Д. 77. С. 7. Об участии Нины Лисс в поиске мест, куда можно отправить женщин и детей из гетто, см. отчет, написанный А. С. Мачиз в декабре 1943 года // НАРБ. Ф. 4. Оп. 33а. Д. 656. С. 188.

они считали, что Казинец и его комитет достаточно чутко относятся к нуждам гетто. После войны Смоляр даже выражал признательность городскому комитету за его отзывчивость. «С самого начала и до провала [март 1942 года] у нас были хорошие отношения с городским комитетом, — говорил он. — Славек [Казинец] и другие члены чутко, почти по-братски относились к нуждам гетто и нашим горестным призывам: откройте ворота, позвольте нам отправлять больше людей! Дошло до того, что Славек стал лично водить группы евреев в лес»[40].

Хотя лидеры подполья гетто в итоге пришли к выводу, что им нужны собственные партизанские базы, они были готовы пойти на большой риск, чтобы руководящий орган общегородского подполья продолжил свою работу. Горком был почти уничтожен волной арестов, о которых пойдет речь ниже. Но Гебелев, как один из выживших членов, все равно принял участие в попытке создания нового комитета, несмотря на высокую вероятность того, что его постигнет та же участь.

ДВА ПРОВАЛА ПОДПОЛЬЯ

Первый городской комитет был уничтожен в конце марта — начале апреля 1942 года, когда на него обрушилась волна арестов, начавшаяся с Военного совета партизанского движения — группы кадровых офицеров, возглавлявшей боевое крыло подполья. Под пытками некоторые из них выдали немцам имена других подпольщиков, что привело к новым арестам, в том числе многих членов горкома. Гебелеву, который представлял в нем гетто, удалось скрыться, и в мае 1942 года он объединился с другими выжившими членами того, что теперь называлось Первым городским комитетом, для создания Второго горкома, который возглавил Иван Ковалев. Второй городской комитет функционировал до 25 сентября 1942 года, когда и он стал жертвой провала, за которым последовала новая волна арестов. На этот раз никому

---

40 Интервью с Гиршем Смоляром, апрель 1972 года // Yad Vashem Archives. 03/3605. Р. 37.

из членов комитета не удалось спастись. После этого больше никто не пытался создать в Минске единый руководящий центр. Но подполье продолжило свою деятельность: многие ячейки теперь действовали независимо, партизаны периодически устраивали в городе диверсии, и все больше минчан уходило из города, чтобы присоединиться к их отрядам.

В сентябре 1943 года первый секретарь ЦК КПБ и начальник находившегося в Москве Центрального штаба партизанского движения П. К. Пономаренко назначил членов Третьего минского городского комитета. Но этот комитет находился в лесу, и ни один из его участников не бывал в Минске до завершения войны. К тому времени все выжившие подпольщики уже ушли к партизанам в лес, гетто находилось на грани уничтожения. После ликвидации Второго городского комитета в Минске не существовало единого подпольного центра, а оставшиеся ячейки напрямую взаимодействовали с партизанскими отрядами. Третий, или «лесной», горком был создан за пределами города и по инициативе советских властей. Его члены не появлялись в Минске во время войны и не оказывали практически никакого влияния на подпольную деятельность в городе.

Первый провал был вызван арестом членов Военного совета, возникшего в Минске в сентябре 1941 года, то есть примерно за два месяца до создания городского комитета. До зимы лидеры организации гетто (по крайней мере Смоляр, которому удалось выжить и впоследствии написать мемуары) даже не знали о его существовании, пока Гебелев не сообщил им, что полномочия по формированию групп, направлявшихся к партизанам, были переданы горкомом совету, состоявшему из кадровых офицеров Красной армии. Какое-то время Военный совет фактически являлся параллельным органом власти в подполье[41]. Руководство

---

[41] Создание и работа Военного совета описаны в донесении Рафаэля Бромберга от 15 декабря 1942 года, отправленного им в ЦК КПБ из находившейся на партизанской территории деревни Хворостьево. Бромберг был евреем, жившим за пределами гетто, и членом подпольной группы А. А. Маркевича, который знал о городском комитете, но действовал независимо от него. Бромберг писал, что Военный совет сформировался в то же время, когда

подполья гетто обратилось к нему с просьбой включать больше евреев в группы, которые отправлялись в лес. Казинец ответил запиской, в которой сообщил, что Военный совет отказал гетто в его просьбе, потому что приоритет отдавался военнопленным — обученным офицерам и солдатам. Другая причина заключалась в том, что евреев будут узнавать в сельской местности, что может привлечь внимание немцев к партизанам [Smolar 1989: 68–69], при этом в Военном совете состояли евреи, а одного из них, М. Н. Никитина, совет даже назначил главой партизанского отряда. Но Никитин был офицером Красной армии, другое дело — отправка в лес необученных евреев из гетто. Руководство подполья гетто опротестовало это решение как антисемитское, а потому — антикоммунистическое. Если верить Смоляру, горком поддержал этот протест [Smolar 1989: 68–69]. Немецкая разведка подтвердила опасения членов организации гетто, отметив, что в некоторых случаях Военный совет давал неправильные указания группам, которые уходили из гетто, из-за чего те блуждали по лесу, пока не натыкались на немцев или местную полицию, что заканчивалось либо арестом, либо их гибелью[42]. Как ни странно, протест гетто достиг своей цели. Военный совет пошел на попятную, и евреев снова стали включать в группы, которые уходили из города. Но крупный погром 2 марта 1942 года еще раз

в Минске стали возникать другие подпольные группы, и начиная с августа 1941 года занимался сбором оружия, созданием партизанских отрядов, вербовкой в них людей и освобождением военнопленных. См.: НАРБ. Ф. 4. Оп. 33а. Д. 657. С. 43.

[42] В донесении немецкой разведки говорилось: «Примечательно, что главы отделов и лидеры военного совета отрицательно относятся к еврейским партизанам, которых считают трусами, непригодными для активных действий. Интерес евреев к партизанскому движению был вызван главным образом их желанием выбраться из гетто; после этого они избегали дальнейшей деятельности и предпочитали идти своим путем. Случалось, что Военный совет давал еврейским партизанам ложные приказы и ошибочные маршруты, из-за чего такие группы бесцельно блуждали по округе и иногда попадались вермахту». См.: Из сводки донесений из оккупированных восточных областей № 2 начальника германской полиции безопасности и СД. Берлин, 8 мая 1942 года. С. 4 // НАРБ. Ф. 4683. Оп. 3. Д. 944. Л. 257, 259.

указал на необходимость ускорить отправку евреев. С одобрения городского комитета подпольная организация гетто стала самостоятельно отправлять в лес группы с целью установить прямой контакт с партизанами.

К концу марта 1942 года подполье гетто достигло своей цели. К тому времени Военный совет, а вместе с ним и горком прекратили свое существование. Двадцать пятого марта 1942 года немцы окружили дом в русском районе, в котором встречались руководители Военного совета, и арестовали всех, кто был внутри. Во время допроса некоторые из арестованных дали показания против других членов подполья. За этим последовала волна арестов, которая в первую очередь затронула городское подполье, потому что контакты Военного совета с гетто были ограничены. Работавшие в тюрьме военнопленные смогли предупредить городской комитет, который успел разослать людей, чтобы сообщить об опасности другим членам подполья, но большинству не удалось избежать ареста. Гебелев пытался найти Казинца, чтобы предложить ему укрыться на территории гетто, но вместо этого Казинец отправился с Лелей Ревинской на запланированную встречу со связным из партизанского отряда, где их и арестовали сотрудники гестапо. В следующие недели немцы повесили на городских площадях 28 членов подполья, среди которых были члены городского комитета, Леля Ревинская, а также входившие в юденрат Рудицер и Серебрянский [Cholavsky 1988: 152].

Доподлинно неизвестно, как немцы узнали о месте, где проходило собрание Военного совета. Но эта информация могла попасть к ним двумя путями. Во-первых, и немцы, и подпольщики активно вербовали военнопленных (а немцам к тому же иногда попадались пленные со связями в подполье). В начале осени 1941 года медсестра Ольга Щербацевич занялась спасением военнопленных из госпиталя, в котором работала. Она включала их в группы, которые затем отправлялись в лес к партизанам. Одним из тех, кому помогла Щербацевич, был Борис Рудзянко. Когда сын Ольги, Володя, пытался вывести Рудзянко из города, их поймал немецкий патруль, а бывший офицер сдал Щербацевичей оккупантам. Двадцать шестого октября Ольгу и ее семью повесили в Минске вместе с другими подпольщиками. Согласно немецким источникам, Рудзянко также рассказал о запланированном на 4 января 1942 года восстании военнопленных. Вместе со своими союзниками из горожан они должны были захватить аэропорт, объединиться с окружившими город партизанами и, прорвав фронт силами 10 000 человек, уйти на восток [Cholavsky 1988: 152][43]. Накануне планировавшегося восстания немцы арестовали и убили несколько сотен военнопленных. Рудзянко, несомненно, говорил правду, когда представлялся Щербацевич бывшим офицером Красной армии, желавшим попасть к партизанам. Но когда его схватили немцы, он решил стать их информатором. Вернувшись в Минск, он продолжил сотрудничать с подпольем. Пока шла война, его действия не вызывали подозрений, потому что отряды, которые он отправлял в лес, всегда благополучно добирались до цели. Но группы, за которые Рудзянко не отвечал, часто попадали в плен. На это обратили внимание после войны, и Рудзянко арестовали[44]. Однако немцы активно вербовали шпионов среди военнопленных, и Рудзянко, скорее всего, был не единственным их источником.

Вполне вероятно, что немцы получали информацию и напрямую — из самого подполья. Далеко не все подпольщики, особенно в городской организации, строго соблюдали правила конспирации. В гетто такое случалось реже, потому что последствия утечек здесь были более очевидными. На протяжении 20 лет Коммунистическая партия Белоруссии не только действовала абсолютно публично, но и была центром официально одобренной политической активности. К началу войны почти ни у кого из ее членов не было опыта подпольной борьбы, а некоторые и вовсе

---

43   Холявский высказывает предположение, что немцы выдумали этот заговор, чтобы арестовать и казнить военнопленных, которых они подозревали во враждебности к оккупационному режиму. Его сомнения в немецкой версии основаны на отсутствии в советских документах упоминаний о планировавшемся восстании. Однако Смоляр пишет, что Казинец знал о таких планах и вместе с другими членами подполья участвовал в подготовке восстания [Smolar 1989: 61–62].

44   Интервью с Р. А. Черноглазовой. Минск, ноябрь 2004 года.

считали недостойным скрывать свое участие в Сопротивлении. Особенно прославился своим высокомерным отношением к правилам конспирации Военный совет. Некоторые его члены настаивали на сохранении привилегий, которыми они пользовались в Красной армии, в частности помощи секретарей. Пережившие мартовскую волну арестов подпольщики подозревали, что один из таких секретарей, который знал, где и когда пройдет встреча, и был немецким агентом[45].

Второй городской комитет, основанный в мае 1942 года, пять месяцев спустя тоже пал жертвой волны арестов. Она началась 25 сентября, и снова некоторые из арестованных сломались на допросах и выдали товарищей немцам. На этот раз возможным предателем оказался секретарь комитета, Ковалев. Согласно некоторым сообщениям, германские офицеры привезли его на фабрику в Минске, где он выступил с речью, в которой заявил, что Советы все равно не смогут выиграть войну, и призвал присутствовавших поддержать немцев [Smolar 1989: 112][46]. Были арестованы все члены Второго горкома, а также секретари некоторых районов. Волна арестов прокатилась по всему городу[47]. Многие подпольщики спаслись, бежав в лес, где они присоединились к партизанам.

После такого никто даже не пытался создать в Минске новый городской комитет. Впрочем, несмотря на уничтожение командного центра, движение Сопротивления в городе только ширилось. По мере того как становилось понятно, что СССР побеждает в войне, рос и градус немецкого насилия, но это привело лишь к тому, что жители Минска стали активнее уходить к партизанам[48],

---

[45] Воспоминания Будаева, Веремейчик, Иваношука, Хмилевского и Александровича // НАРБ. Ф. 4683. Оп. 3. Коробка 78. Д. 837.

[46] Сохранились заявления нескольких подпольщиков о том, стал Ковалев осведомителем или нет. См. заявления Иваношука, Калиновского, Корпусенко, Александровича и Сайчика в: НАРБ. Ф. 4. Оп. 33а. Д. 661.

[47] Эти события описываются в отчете Пруслиной, рукопись которого находится в распоряжении автора. Пруслина Х. М. Отчет ЦК КПБ о подпольной деятельности в годы Великой Отечественной войны (1941–1944). С. 17–18.

[48] Воспоминания Н. М. Тимчук // НАРБ. Ф. 4. Оп. 33а. Д. 661.

а в городе участились диверсии. В отличие от начальных стадий войны, когда партизанские отряды в столичном регионе зависели от помощи из города (и гетто), теперь уже партизаны поддерживали минское Сопротивление, а иногда и сами приходили в город, устраивали диверсии и возвращались в лес.

До сих пор неизвестно, что привело к провалу подполья в сентябре 1942 года. Многие подпольщики, которым удалось избежать арестов, впоследствии возлагали вину на Ковалева. Винили и других арестованных членов Второго горкома. Некоторые считали, что Ковалев и/или другие коллаборанты стали сотрудничать с немцами после арестов, другие подозревали, что сотрудничество могло начаться раньше. Официальная советская позиция, согласно которой всякий, кто ломался под пытками, объявлялся предателем, стирала границы между вынужденным и невынужденным коллаборационизмом. Это, в свою очередь, приводило к подозрениям, что те, кто пошел на сотрудничество после ареста, делали это и раньше. Но вполне возможно, что причины провала лежали за пределами Второго горкома. Проблемы, которые привели к падению Первого комитета, за эти пять месяцев никуда не делись. И подполье, и германские власти по-прежнему занимались вербовкой военнопленных. Немцы, несомненно, продолжали получать информацию о подполье от ранее завербованных агентов. Второй горком решил не восстанавливать Военного совета и отказался от создания любых независимых институтов, так как считал, что односторонний контроль поможет усилить безопасность. Но некоторые члены городского подполья, судя по всему, продолжали пренебрегать правилами. Накануне сентябрьского провала агент Центрального штаба партизанского движения, которого отправили в Минск установить контакты с местным движением Сопротивления, сообщал о частых нарушениях конспирации в минском подполье. Он считал, что после ареста Ковалев и другие начали снабжать немцев информацией, но видел главную проблему в том, что слишком много людей в минском подполье знали слишком много: слишком многим членам подполья, включая членов городского комитета, писал он, известны имена и адреса многих других подпольщиков; слишком много людей знают адреса подпольных квартир; слишком много людей посещают подпольные собрания[49].

РЕПРЕССИИ В ГЕТТО

Попытки немцев подавить подпольную активность проявлялись в гетто иначе, чем в городе. В конце марта — начале апреля 1942 года было арестовано несколько членов здешнего подполья, но массовых арестов в гетто не было. К концу сентября, когда случился второй провал городского подполья, почти все (еще живые на тот момент) члены организации гетто ушли в лес, так что его население сократилось примерно на 2 000 человек. Аресты подпольщиков поражали жителей города своей жестокостью, но в гетто они меркли на фоне продолжавшихся погромов. И все же эти неудачи не могли не сказаться на подполье гетто. Мартовские аресты ослабили связи с юденратом и временно оставили его без связи с городским подпольем, а значит, и с партизанскими отрядами, контакты с которыми осуществлял город, что серьезно осложнило работу подпольщиков. После этого они активизировали свои усилия по налаживанию собственных контактов с партизанами, а также приступили к созданию баз, которые помогли бы сформировать новые отряды, готовые принимать евреев из гетто.

Наиболее гладко сеть альянсов подпольной организации гетто с союзниками (как внутри, так и за его пределами) функционировала зимой 1941–1942 годов, после чего она стала разваливаться под напором немецких атак. В один из февральских дней Илью Мушкина вызвали в здание немецкой администрации в Минске, откуда он так и не вернулся. По гетто ходили слухи, что перед арестом Мушкин в течение нескольких недель укрывал у себя дома немецкого офицера, отказавшегося участвовать в войне. Говорили, что этот офицер покинул гетто, воспользовав-

---

[49] Владимир Казаченок, доклад Пономаренко от 25 декабря 1942 года // НАРБ. Ф. 3. Оп. 33а. Коробка 86. Д. 6546.

шись фальшивыми документами и переодевшись в гражданскую одежду. Подпольщики предполагали, что его могли поймать, а на допросе он выдал Мушкина [Смоляр 1947: 52; Smolar 1989: 71]. Тот факт, что из всех членов юденрата, которые сотрудничали с подпольем, арестовали только Мушкина, наводил на мысль, что именно это было причиной ареста. Его задержание привело в ужас жителей гетто, потому что Мушкина считали принципиальным человеком, который делал все возможное, чтобы защитить евреев от немцев[50].

Второго марта 1942 года в гетто состоялся третий крупный погром. Как и 7 ноября (в годовщину Октябрьской революции), немцы выбрали для расправы популярный у белорусских евреев праздник: в тот день они отмечали Пурим, посвященный победе над Артаксерксом, планировавшим уничтожить всех евреев в Персидской империи. Как и в случае с прошлым погромом, юденрат и подполье были предупреждены заранее. На этот раз они имели более четкое представление о том, что должно произойти. В конце февраля Гирш Рудицер и Зяма Серебрянский, которые из всех членов юденрата после ареста Мушкина имели самые тесные связи с подпольем, сообщили его руководству, что немцы приказали юденрату собрать утром 2 марта для отправки на спецработы 5 000 евреев, при этом среди них не должно было быть квалифицированных специалистов. Чтобы лучше понять намерения немцев, Борис Дольский, заведующий жилищным отделом, спросил, можно ли включить в это число детей и стариков. Ответ, что это не имеет значения, убедил руководство юденрата в том, что немцы собираются устроить погром [Садовская 1970: 196–197].

После обсуждения совет юденрата решил не выполнять этого приказа. Вместе с подпольщиками он разослал предупреждение, чтобы жители покинули гетто или, если это было не-

50 Фрума Давидсон. Стенограмма интервью № 1293 (3 марта 1969 года); Рахиль Шимонович. Стенограмма интервью № 1396 (15 июля 1968 года); Мириам Тукарски. Стенограмма интервью № 1306 (апрель 1968 года) // Oral History Project Archives. Hebrew University. Все интервью записаны на идише. См. также [Cholavsky 1988: 115–116].

возможно, спрятались. В мастерских юденрата была устроена малина, способная вместить несколько сотен человек, а под забором был прорыт секретный тоннель, через который жители могли выбраться в город. Утром 2 марта, когда рабочие колонны покинули гетто, в него вошли айнзацкоманды в сопровождении литовских и белорусских полицейских и начали хватать всех, кто попадался им на улицах. Тысячи людей вывезли за пределы гетто и расстреляли в карьере. Но, видимо, их было меньше 5 000, которые немцы требовали у юденрата, поэтому возвращавшихся вечером рабочих остановили у ворот и поставили на колени в снег, после чего многих из них расстреляли[51]. Пуримский погром в очередной раз указал на необходимость срочного решения вопроса с отправкой евреев в лес. Подпольщики (да и простые жители) были уверены, что за ним последуют новые погромы. Все больше людей стало сбегать из гетто, не дожидаясь помощи подполья, несмотря на связанные с этим опасности.

Именно в это время организация гетто обратилась с просьбой разрешить ей создание собственных баз в лесу, получила отказ от Военного совета, а затем все-таки добилась одобрения своих планов от горкома.

Когда подполье провалилось в первый раз, немецкие офицеры приходили в гетто в поисках его четырех лидеров: Миши Гебелева, Наума Фельдмана, Зямы Окуня и Гирша Смоляра. Гебелеву и Фельдману удалось спрятаться. Немцы нашли четырех однофамильцев Фельдмана, застрелили их и, видимо, решили, что выполнили свою миссию. Уже 12 апреля Фельдман, которого они искали, ушел с группой добровольцев к партизанам. Зяму Окуня схватили на улице по пути из одного убежища в другое и застрелили.

Гирш Смоляр залег на дно. Еще до этих событий к нему в кочегарку пришел член юденрата, которому он не доверял, и Смоляр сразу же перебрался в другое убежище. В ночь на 31 марта он услышал выстрелы, а утром вышел из малины, чтобы посмотреть,

---

51 Интервью с Л. З. Гуткович. Минск, 6 июля 2000 года.

что случилось, и вместе с другими мужчинами попал под облаву, устроенную комендантом гетто, Рихтером. Их отвели к дому, в одной из квартир которого со своей семьей жила подпольщица Нина Лисс. За несколько дней до этого Нина вернулась из поездки по Западной Белоруссии, где она безуспешно искала место, куда можно было вывезти из гетто женщин и детей. Тела Нины, ее семьи и других жильцов лежали перед домом, на лестнице и в самой квартире. Смоляру, которого Рихтер, очевидно, не узнал, и другим мужчинам было приказано отнести их на кладбище и похоронить.

Тут на месте происшествия неожиданно появился Гирш Рудицер — еще один член юденрата, заведующий производственным сектором. Он выдернул Смоляра из толпы, завел его в переулок и сообщил, что прошлой ночью в квартире Лисс побывало гестапо. Подпольщик, которому удалось спастись, рассказал, что немцы искали Смоляра, но, хотя Лисс и знала, где он скрывается, она отказалась его выдать. Утром гестаповцы заявились в здание юденрата и потребовали до полудня предоставить им Смоляра[52], пригрозив в противном случае расстрелять всех членов совета. Смоляр попросил Рудицера передать доктору Кулику сообщение с просьбой о немедленной госпитализации. Рудицер так и сделал, и Кулик прислал за Смоляром носилки, на которые его уложили, укутав так, словно он был болен тифом (из-за чего его лицо было закрыто). После этого Смоляра отнесли в инфекционное отделение больницы. Позже подпольщики пришли навестить своего больного друга и рассказали ему, что произошло. Когда гестаповцы ушли, члены юденрата собрались, чтобы решить, что делать. Некоторые были готовы рассмотреть вопрос о выдаче Смоляра, но Моше Иоффе, сменивший Мушкина во главе юденрата, предложил им взять пример с библейской истории об Иосифе и сделать так же, как сделали его братья, которые, прежде чем продать Иосифа в рабство в Египет, вымарали его одежду кровью. После этого они послали одежду своему отцу Иакову, чтобы убедить

---

[52] Смоляр носил в гетто имя Ефима Столяревича, под этим именем его и искали немцы. — *Примеч. ред.*

его, что Иосифа убил дикий зверь[53]. Иоффе взял чистый бланк паспорта, внес в него данные Смоляра (Столяревича) и измазал кровью человека, недавно убитого немцами. Затем Иоффе пришел с этим паспортом к гестаповцам, заявив, что Смоляр уже мертв: его паспорт извлечен из одежды трупа на еврейском кладбище. Удовлетворившись этим, гестаповцы ушли из гетто еще до полудня [Smolar 1989: 85–86].

Смоляр прятался в больнице еще четыре месяца, пока в августе 1942 года наконец-то не выбрался из гетто. Какое-то время он еще оставался в инфекционном отделении, но однажды часто дежурившая на входе медсестра, связанная с подпольем, сообщила, что немцы, похоже, следят за больницей. Смоляра сразу перевели на чердак, где специально для него была устроена малина. К уже существовавшему дымоходу пристроили кирпичную стену, чтобы она казалась частью его основания. В образовавшемся закутке можно было только стоять, зато там было окошко, через которое Смоляр мог смотреть на улицу. Каждый день его навещала медсестра-подпольщица Ядвига Шпирер, которая приносила Смоляру еду и передавала сообщения от других подпольщиков. Иногда приходила и Эмма Родова. Порой Смоляр передавал Родовой ответы через Шпирер. Так он оставался на связи с подпольем.

После мартовских событий немцы поняли, что члены юденрата сотрудничали с подпольем, поэтому начали менять состав совета. Гирш Рудицер и Зяма Серебрянский были арестованы. Немцы назначили в юденрат своих людей, включая нескольких польских евреев, беженцев из Варшавы и Лодзи. Их не сдерживали ни совесть, ни связи с минской общиной. Немцы правильно рассудили, что они охотно пойдут на сотрудничество. В состав юденрата вошли Наум Эпштейн (из Лодзи) и Хаим Розенблат (из Варшавы), которым сразу были предоставлены широкие полномочия. Розенблат возглавил специальную оперативную группу,

---

[53] «И взяли одежду Иосифа, и закололи козла, и вымарали одежду кровью; и послали разноцветную одежду, и доставили к отцу своему, и сказали: мы это нашли; посмотри, сына ли твоего эта одежда или нет. Он узнал ее и сказал: это одежда сына моего; хищный зверь съел его; верно, растерзан Иосиф» (Быт. 37:29–33). — *Примеч. ред.*

которая формально входила в состав еврейской полиции, но ввиду тесных связей Розенблата и его коллег с немцами вскоре взяла ее под свой контроль. Помощником Розенблата был еще один еврей, Вайнштейн, имени которого мы не знаем. Эпштейна же поставили во главе биржи труда. В этой роли он смог подмять под себя юденрат, даже Розенблат выполнял его приказы [Smolar 1989: 91]. По гетто ходили слухи, что Розенблат и Вайнштейн были связаны с преступным миром Варшавы. Подпольщица Сара Левина, работавшая у Эпштейна секретаршей, писала, что в Варшаве он вступил в «Бейтар» — милитаризированную сионистскую организацию правого толка. Она считала, что именно поэтому ее начальник так ненавидел коммунистов и советских евреев[54]. С этого момента юденрат стал ареной противоборства между коллаборантами и теми, кто сотрудничал с подпольем. Последние больше не могли говорить о своих целях открыто: любая оплошность могла привести к аресту. В итоге все закончилось тем, что Дольского выдали немцам, а Зорова убили (они оба продолжали работать с подпольем)[55].

Новый глава юденрата, Моше Иоффе, взял пример с Мушкина и тоже остался в контакте с подпольщиками. Но с появлением в совете коллаборантов ему приходилось действовать куда осторожнее. Несмотря на возросшую опасность, свою работу смогли продолжить и те подпольщики, которые были рядовыми служащими юденрата. Например, внедрившиеся на биржу труда Мирра Стронгина и Роза Альтман по-прежнему направляли членов подполья на работу в город, где те могли проводить диверсии [Смоляр 1947: 73][56]. Кроме того, Стронгина работала

---

54 Воспоминания Сары Левиной // БГАМЛИ. Архив В. Б. Карпова. Ф. 305. Оп. 1. Д. 311. С. 14/99.

55 А. С. Мачиз рассказывает об акциях, которые проводила в гетто спецгруппа. См. приложение к воспоминаниям А. С. Мачиз // НАРБ. Ф. 4683. Оп. 3. Д. 1196. С. 10/171. Сара Левина выманила Эпштейна и других членов спецгруппы к партизанам, где они и были убиты. См. воспоминания Сары Левиной // БГАМЛИ. Архив В. Б. Карпова. Ф. 305. Оп. 1. Д. 311. Об аресте Дольского и гибели Зорова подробнее см. [Садовская 1970: 194, 199].

56 Grinstein Y. Umkum un Vidershtand // Yad Vashem Archives. 033/465. P. 83–84.

с Сарой Левиной в отделении еврейской полиции. Иногда им удавалось предупреждать людей о планирующихся облавах. Сара Голанд играла важную роль в организации групп, которые отправляли в лес. Когда ее арестовали по подозрению в связях с подпольем, Левиной удалось убедить Эпштейна отпустить ее: она указала на то, что у Голанд было двое маленьких детей. Невозможно даже представить, заявила она, чтобы мать малышей стала бы рисковать их жизнями, присоединяясь к подполью. Вскоре после этого Голанд ушла в лес с последней собранной ею группой и забрала с собой детей. Всем троим удалось пережить войну[57].

БЕГСТВО ИЗ ГЕТТО В ЛЕС

После Пуримского погрома 2 марта 1942 года резко выросло число евреев, которые хотели как можно скорее уйти в лес и присоединиться к партизанам. Возросло и давление на подпольщиков, которым нужно было вывести еще больше групп из гетто. Но к тому времени они уже лишились контактов с партизанскими отрядами, которые были у них осенью 1941 года, а новые еще только предстояло наладить. Находившийся к югу от города отряд Быстрова продолжал принимать группы из гетто, пока не сменил своей дислокации. Связь с ним была потеряна[58].

Горком, напротив, постоянно расширял сеть своих контактов с партизанами и рассылал группы, состоявшие как из белорусов, так и из евреев, по самым разным отрядам, сосредоточенным в основном на восточном и южном направлениях. Но к началу марта, когда у жителей гетто появилось чувство, что им нужно срочно из него выбираться, отряд Быстрова ушел еще дальше на

---

[57] Интервью с Сарой Голанд. Ноф-ха-Галиль, Израиль, 14 ноября 2000 года.

[58] Х. И. Рубенчик рассказывает, что ушла в этот отряд 24 декабря 1941 года с группой, в которую входили рабочие с городского радиозавода и несколько женщин из гетто. Часть из них в итоге вступила в отряд Быстрова, а остальные попали в отряд, базировавшийся неподалеку. См.: НАРБ. Ф. 4. Оп. 33а. Л. 84. Док. 644. С. 231–234.

восток и лишился какой-либо связи с Минском. Уничтожение горкома в том же месяце окончательно закрыло привычный маршрут для отправки евреев в лес.

Подполье гетто стало самостоятельно снаряжать группы, пытаясь наладить и расширить свои контакты с партизанскими отрядами, а также создать собственные лесные базы. В апреле 1942 года одна из таких групп под предводительством Израиля Лапидуса отправилась из Минска на юго-запад в направлении Слуцка. Там ей удалось создать свой партизанский отряд, позднее слившийся с уже существовавшим белорусским. Другая группа, которую возглавлял Наум Фельдман, ушла на запад в надежде присоединиться к действующему отряду, но получила отказ. Тогда группа Фельдмана объединилась с не имевшим собственного руководства белорусским отрядом в Старосельском лесу, названном так в честь находившейся поблизости деревни Старое Село, и создало в нем свою базу примерно в 20 км к западу от гетто.

В июне 1942 года Фельдман отправил в гетто Таню Лифшиц с просьбой прислать в их отряд командира. Подпольщица Соня Курляндская, работавшая в русском районе в лагере на Широкой улице, как раз искала среди военнопленных людей, годившихся на эту роль. Она обратила внимание на Семена Ганзенко, старшего лейтенанта Красной армии. Курляндская предложила вывести Ганзенко и еще нескольких военнопленных в лес. Среди сотрудников лагеря были и другие подпольщики, занимавшиеся грязной работой вроде уборки. Гебелев, Курляндская и Лифшиц встретились и разработали план. В день, когда из лагеря вывозили мусор, подпольщики посадили Ганзенко и остальных в бочки с отходами, дали им соломинки, через которые они могли дышать, погрузили бочки в кузов грузовика и выехали из лагеря. Машина остановилась в заранее обговоренном месте на окраине Минска, где их уже ждала Лифшиц, которая отвела беглецов в лес.

Ганзенко стал командиром нового отряда. В партизанском движении за ним закрепилась репутация порядочного человека и друга евреев. Он назначал евреев из Минского гетто на командные должности в своем отряде, а когда тот разросся до бригады, то и в других тоже[59].

Старосельский лес стал центром притяжения для бегущих из гетто евреев благодаря своей близости к Минску и наличию в нем еврейских партизан, в том числе на руководящих позициях. Кроме того, бежать из гетто на запад было проще, чем в других направлениях. Хотя на этом пути беглецам и приходилось пересекать городские улицы, в этом районе было гораздо меньше охраны, чем вдоль Свислочи и в центре города, то есть к востоку и югу от гетто. Благодаря симпатиям Ганзенко и растущему числу еврейских партизан в Старосельском лесу у бежавших из гетто евреев, особенно безоружных, было больше шансов вступить в партизанский отряд к западу от Минска, чем где-либо еще. Многие из них становились после обучения лесными проводниками, особенно дети и подростки.

Евреи (как члены подполья, так и не связанные с ним, причем вторых становилось все больше) бежали из гетто во всех направлениях, но у тех, кто отправлялся на запад, было, пожалуй, больше всего шансов добраться до своей цели.

В течение следующих 1,5 лет, с поздней весны 1942 года и до уничтожения гетто 22 октября 1943 года, влияние подполья гетто среди партизан в этом районе неуклонно росло. К весне 1943 года отряды стали отправлять еврейских связных обратно в гетто, чтобы вывести из него как можно больше людей.

Утром 28 июля 1942 года, когда колонны с рабочими покинули гетто, начался погром. Он продолжался четыре дня и привел к куда большему числу жертв, чем любой предыдущий погром в Минске. Полиция гетто, которой теперь руководили Эпштейн и Вайнштейн, помогала немцам и их приспешникам, белорусской

---

[59] История спасения Ганзенко подпольем гетто, его дороги в лес и назначения командиром отряда им. Буденного рассказывается в рукописи Гринштейна, а также в воспоминаниях Сары Левиной. См.: Grinstein Y. Umkum un Vidershtand // Yad Vashem Archives. 033/465. P. 72–74; Воспоминания Сары Левиной // БГАМЛИ. Архив В. Б. Карпова. Ф. 305. Оп. 1. Д. 311. С. 9/94. Также см. интервью с Яковом Гринштейном, Гиватаим, Израиль, 12 ноября 2000 года, и интервью с Таней Лифшиц, Бат-Ям, Израиль, 10 ноября 2000 года.

полиции и литовцам, сгонять людей по улицам к Юбилейной площади. Председателю юденрата, Моше Иоффе, было приказано обратиться к толпе и заверить людей, что их просто поведут на работы. Вместо этого Иоффе сказал им бежать. Началась паника, военные открыли огонь, а Иоффе отвели в переулок и расстреляли[60]. Во время этого погрома немцы вошли даже в еврейскую больницу. Инфекционное отделение они обошли стороной, но убили всех пациентов и сотрудников, включая доктора Кулика, на хирургическом этаже. Остальных членов совета, за исключением Эпштейна и Вайнштейна, вывели из здания юденрата и расстреляли. Выжить в этом погроме удалось только евреям, которые работали за пределами гетто, так как их не пускали обратно, пока не закончился погром, и тем, кто сумел спрятаться. Оценки общего числа убитых разнятся от 18 000 до 30 000 [Кнатько 1999: 51][61]. После июльского погрома в гетто осталось около 12 000 евреев[62].

---

[60] Стенограмма интервью с Зеликом Яфо, Тель-Авив, октябрь 1978 года // Yad Vashem Archives. 03/3125. См. также главу XII под названием «Четырехдневная бойня» в [Смоляр 1947: 78–81; Smolar 1989: 98–101]. Версия Смоляра отличается от рассказа Зелика о гибели его отца, Моше Иоффе. По словам Смоляра, Иоффе и другие члены юденрата укрылись в здании юденрата, в которое немцы вошли только на третий день погрома, убив всех, кроме членов спецгруппы и большей части полицейских. Кроме того, Смоляр утверждает, что Иоффе умолял немцев пощадить членов юденрата [Smolar 1989: 100]. Но Зелик был свидетелем смерти своего отца, а прятавшийся на чердаке еврейской больницы Смоляр — нет.

[61] По оценкам Липской, 10 000 евреев были убиты в ходе акций августа 1941 года, еще 20 000 — во время ноябрьских погромов, а 5 000 погибли в погроме 2 марта 1942 года. Оценки количества убитых в июльском погроме она не дает, см.: Липская Р. А. Отчет секретаря подпольной десятки в Минском гетто // НАРБ. Ф. 4386. Оп. 2. Д. 77. С. 1.

[62] Кнатько пишет со ссылкой на рапорт городского комиссара о ситуации в Минске, что к ноябрю 1942 года в городе из местных осталось 9 472 трудоспособных еврея [Кнатько 1999: 51]. Пруслина в своем отчете ЦК КПБ сообщала, что после июльского погрома 1942 года в гетто оставалось около 9 000 евреев. То же число приводит в своем отчете Липская, см.: Липская Р. А. Отчет секретаря подпольной десятки в Минском гетто // НАРБ. Ф. 4386. Оп. 2. Д. 77. С. 1. Тем не менее Смоляр указывает, что эта цифра включала в себя только трудоспособных евреев и не учитывала тех, кто прятался в малинах. По его оценке, в гетто оставалось 12 000 евреев [Smolar 1989: 108].

Когда бойня закончилась, подпольщица Мария Горохова сумела пробраться в гетто вместе с возвращавшимися рабочими колоннами. Городское подполье поручило ей узнать, кому из подпольщиков гетто удалось пережить погром, и вывести Смоляра в город. Горохова нашла Эмму Родову, которая отвела ее к малине Смоляра, и на следующее утро они покинули гетто с одной из рабочих колонн.

Смоляр больше месяца прятался в квартире Гороховой, после чего его перевезли домой к лидеру городского подполья, Назарию Герасименко. Там Смоляр познакомился с секретарем второго горкома, Иваном Ковалевым, который рассказал ему о планах подполья переправить в лес 5 000 человек, разослав их по 20 партизанским отрядам, с которыми комитет поддерживал связь. Ковалев пообещал, что в это число включат многих евреев из гетто. Смоляр отправил в гетто весточку с указанием руководящему комитету подготовить как можно больше людей к отправке в лес.

Но, прежде чем этим планам было суждено осуществиться, случился второй провал подполья: волна арестов уничтожила городской комитет, на этот раз окончательно; многие подпольщики были арестованы. В ночь на 25 сентября в квартиру Герасименко вломилось гестапо. Смоляр вылез в окно в одном нижнем белье и лежал на жестяной крыше, пока немцы арестовывали Назария, его жену Татьяну и их 12-летнюю дочь Люсю. Семью отвезли в лагерь смерти Тростенец под Минском и убили. Когда гестаповцы ушли, Смоляр пробрался обратно в квартиру, оделся и вернулся в гетто, где прятался, пока не ушел в лес с четырьмя другими членами подполья. Они отправились на запад, в Койдановский район, где в итоге вступили в действующую бригаду, сформировав в ней ядро нового партизанского отряда. Вскоре после этого к ним прибыли еще 25 евреев из Минского гетто, которые также создали собственный отряд. В течение двух месяцев численность этих подразделений выросла до 200 человек, большинство из которых были евреями [Smolar 1989: 112].

Выходцы из гетто были и в других партизанских отрядах, действовавших в этом районе, чьи границы простирались от

Дзержинска, расположенного к юго-западу от Минска, до Заславля на северо-западе. Старосельский лес, где базировался отряд Ганзенко, находился в самом центре этого региона, а отряд, к которому присоединился Смоляр, действовал южнее.

Подпольщики из гетто в той или иной форме поучаствовали в создании восьми партизанских отрядов, большинство из которых находилось в этом районе, но ни один из них не был полностью еврейским. В них вступали белорусы и представители других национальностей, и в конечном счете евреи оказались в меньшинстве. Впрочем, они тоже занимали руководящие посты в своих отрядах. Отчасти в силу общего стремления вывести из гетто как можно больше евреев они начали налаживать связи друг с другом. Способствовало этому и то, что многие из них раньше были членами подпольной организации гетто. Еврейское присутствие в партизанском движении начало оформляться именно в этом регионе — к западу от Минска.

Число тех, кто бежал из гетто в лес, резко выросло после июльских погромов. Осенью 1942 года подполье активизировало свои усилия по организации групп и их отправке за пределы гетто. Бежали и те, кто не имел связей с подпольем, причем их становилось все больше; обычно они формировали собственные группы. Побеги обоих видов (организованного и частного, если пользоваться терминологией подпольщиков) продолжались всю зиму и весну 1943 года. Большинство (если не все) организованных подпольем групп было вооружено. Некоторым из тех, кто самостоятельно уходил в лес, тоже удавалось найти оружие; другим оставалось надеяться, что их и так примут в партизаны. Часть отрядов действительно принимала безоружных добровольцев, потому что к тому времени их уже снабжала Красная армия. Женщин принимали реже, поэтому большинство групп, которые отправляли подпольщики, были в основном мужскими. В результате женщины-подпольщицы обычно задерживались в гетто дольше мужчин, а некоторых отправляли в лес только тогда, когда угроза ареста становилась очевидной. Эмма Родова, как уже говорилось выше, просила разрешения покинуть гетто, потому что за ней следила специальная оперативная группа. Разрешение было получено, но ее арестовали прежде, чем она смогла уйти, и долгое время пытали в минской тюрьме. Она умерла 9 января 1943 года, так ничего и не рассказав немцам [Smolar 1989: 108][63].

По мере того как подпольщики, прежде всего мужчины, уходили в леса, роль женщин в руководстве организации гетто росла. Когда ушел Смоляр, подполье гетто возглавил Давид Кисель, а в состав тройки, помимо него, вошли Надя Шуссер и Самуил Каждан. Каждана вскоре арестовали и казнили, а в ноябре 1942 года Кисель ушел в лес в одной группе со своей женой Эсфирью. Роза Липская, Надя Шуссер и Эмма Родова остались в гетто, чтобы руководить работой подполья[64]. Группа Липской продолжала красть оружие из немецких мастерских, где работали ее члены. Кроме того, Липская и Шуссер вместе с Сарой Голанд и Сарой Левиной занимались организацией групп для последующей отправки в лес. Поначалу они делали это через городское подполье и Смоляра, пока он еще прятался в городе, а когда Смоляр покинул Минск — через связных, которых партизанские отряды регулярно отправляли в гетто.

В конце концов всем остававшимся в гетто подпольщикам было позволено покинуть город и присоединиться к отрядам, с которыми они находились в контакте [Smolar 1989: 108][65]. Группа Розы Липской также проводила диверсии в немецких оружейных мастерских. В июле 1943 года, когда она обнаружила за собой слежку, ей и ее группе разрешили уйти в лес[66].

---

[63] См. также: Липская Р. А. Отчет секретаря подпольной десятки в Минском гетто // НАРБ. Ф. 4386. Оп. 2. Д. 77. С. 6.

[64] Купреева А. П. Деятельность подпольной партийной организации в Минском гетто // НАРБ. Ф. 4683. Оп. 3. Д. 1197. С. 37–40.

[65] См. также: Воспоминания Сары Голанд // Yad Vashem Archives. 03/5215. Р. 19–20; Интервью с Сарой Голанд. Ноф-ха-Галиль, Израиль, 14 ноября 2000 года.

[66] Липская Р. А. Отчет секретаря подпольной десятки в Минском гетто // НАРБ. Ф. 4386. Оп. 2. Д. 77. С. 8.

Глава 5
Солидарность в военном Минске

В Минске военного времени хватало примеров совместной борьбы евреев и белорусов против немецкой оккупации, а также случаев, когда белорусы помогали евреям выжить или бежать из гетто, иногда пряча их у себя, но чаще делая так, чтобы они добрались до партизан. За это некоторые из них были удостоены звания Праведника народов мира. Но таких было сравнительно немного, потому что советская власть запрещала подачу заявлений в израильскую комиссию по присвоению этого статуса. Это стало возможно только в 1992 году — после установления дипломатических отношений между Республикой Беларусь и Израилем. Однако к этому времени многие из тех, кто помогал евреям во время войны, уже умерли[1].

Концепция Праведника народов мира с ее альтруизмом все равно не до конца отражала реалии белорусского военного времени. Помогавшие евреям белорусы, безусловно, шли на риск, нередко очень большой, и в этом смысле вели себя аль-

---

1   По состоянию на 1 января 1997 года всего 240 человек в Республике Беларусь и России были удостоены звания Праведника народов мира. Ср. с Польшей (4 954), Нидерландами (3 944) и Францией (1 556). Количество праведников в Бельгии, Чехии, Словакии, Венгрии, Литве, Германии и на Украине также превышает это число. Такое малое количество праведников в России и Республике Беларусь отражает как отсутствие интереса со стороны Яд Вашем к поиску подходящих людей в этих странах, так и малое количество поданных заявок [Smilovitsky 1997b: 320].

труистично. Но в то же время они исходили из очень распространенной в годы войны в Минске позиции, что борьба с немецкой оккупацией соответствует общим интересам евреев и белорусов. Это чувство солидарности, которое ясно выразилось во взаимодействии еврейской и белорусской подпольных организаций, также стало неявной основой взаимодействия белорусов и евреев.

Даже в Минске, где за годы войны, пожалуй, подавляющее большинство белорусов стали воспринимать евреев как товарищей по несчастью, с которыми у них был общий враг, лишь немногие действительно помогали евреям. Все минчане хотели пережить войну, и большинство не решалось бросить вызов немцам. Те же, кто все-таки шел на риск, делали это в силу своих глубоких убеждений. К таким людям относились коммунисты, подпольщики и другие приверженцы той же идеологии, а также некоторые евангельские христиане. Другие поступали так по дружбе или в силу знакомства с отдельными евреями. Хотя большинство белорусов не лезли из кожи вон, чтобы помочь незнакомцам, мало кто проходил мимо, если видел человека, которому требовалась помощь. Встречи с белорусами, которые говорили, куда пойти, чтобы не столкнуться с немецким блокпостом, спасли жизнь многим евреям. Но находились и те, кто выдавал их новым властям.

В этой главе рассказано о двух кампаниях, в которых общегородское подполье и подпольная организация гетто работали вместе, таких как создание подпольной типографии и спасение из гетто детей, которых затем устраивали в детские дома или белорусские семьи. В обеих принимали участие не только подпольщики, но и люди, напрямую не связанные с Сопротивлением.

Первая городская подпольная типография была создана по инициативе еврейских и белорусских печатников, работавших вместе на немцев. Причастные к этому евреи были членами подполья, белорусы же только надеялись к нему присоединиться. Им помогала белорусская женщина, которая была замужем за евреем, служившим в Красной армии.

В кампании по спасению из гетто детей участвовали две группы подпольщиц, еврейская и белорусская, которые тесно сотрудничали друг с другом. Им помогали белорусы, многие из которых не имели никакого отношения к подполью, в том числе двое евангельских христиан, директора детских домов в Минске, а также люди, чьи должности позволяли подпольщицам осуществить задуманное.

В этой главе упоминается еще один проект Минского гетто, в котором участвовали обе подпольные организации, — диверсии на немецких заводах. Но так как евреи и белорусы обычно работали в разных бригадах, то и диверсиями они занимались раздельно.

Помимо этого, вы узнаете о Саре Голанд, которая не только вырвала своего мужа из лап немцев, но и занималась организацией групп, которые уходили из гетто. В этом ей помогали как евреи, так и белорусы, и далеко не все из них были связаны с подпольем.

Наконец, я расскажу о группе минских подростков, чья дружба, которой не помешали ни война, ни забор гетто, помогла спасти множество жизней.

В главе 6 будет описана дорога евреев до леса, а также то, как подполье и белорусы помогали им добраться до своей цели.

Обе главы основаны на свидетельствах бывших узников гетто, полученных в интервью спустя десятилетия после войны, и/или на написанных ими ранее мемуарах. Так как мой рассказ базируется на воспоминаниях выживших и не включает в себя истории тех, кто погиб, это неизбежно создает искажение, так как большинству из них удалось выжить как раз потому, что они получили помощь. Другие свидетельства попросту не сохранились. И все же историй сотрудничества подпольных организаций гетто и города, а также рассказов выживших достаточно, чтобы понять: в Минске военного времени происходило нечто такое, что не вписывалось в послевоенное представление о полном безразличии неевреев к евреям.

Наряду с основным минским подпольем в городе действовала еще одна, меньшая, организация. Официально она носила название партийного комитета г. Минска и близлежащих деревень, но обычно ее называли группой Маркевича — по имени ее лидера, Александра Маркевича[2]. Как и главная подпольная организация, группа Маркевича создала в городе свою тайную сеть. Несмотря на то что она состояла в основном из белорусов, среди ее членов были и евреи: несколько человек входили в группы, действовавшие на территории гетто, а две группы были полностью еврейскими. Одна из них состояла из евреев, которые жили в гетто, но работали на радиозаводе за его пределами; члены другой проводили в гетто все свое время.

Еврейско-белорусское сотрудничество в группе Маркевича сводит на нет подозрения в том, что отношения между евреями и белорусами в главном подполье были аномалией (например, вследствие влияния Казинца, который был евреем по национальности)[3].

---

[2] Когда началась война, А. А. Маркевичу было 37 лет, он был членом компартии. В [Бараноўскі и др. 1995: 83] приводится дата его рождения, но ничего не говорится о его партийной принадлежности. О членстве Маркевича в партии мне рассказал Михаил Канторович, которому об этом сообщила Леокадия Флейшер, входившая в руководящий комитет группы. Интервью с Михаилом Канторовичем. Минск, 8 октября 1999 года.

[3] Маркевич А. А. Отчет о деятельности подпольного партийного комитета в г. Минске с июля 1941 по 9 мая 1943 года // НАРБ. Ф. 4. Оп. 33а. Д. 656. Семнадцатилетний Миша Канторович ушел из гетто вскоре после его создания и отправился в дом, в котором до войны жила его семья, чтобы переодеться. Он был в хороших отношениях с людьми, которые въехали в его квартиру, и они посоветовали ему сходить в дом, где раньше жили его родственники, потому что туда тоже переехали хорошие люди. Миша последовал этому совету и познакомился с женщиной по имени Леокадия Флейшер, которой тогда было чуть больше 30 лет. Флейшер спросила его, был ли он членом комсомола (да) и как он относился к немцам (ненавидел, особенно за то, как они обращались с евреями). Услышав об этом, Флейшер пригласила Мишу присоединиться к борьбе с фашистами. Под ее руководством юноша собрал в гетто группу, которая занималась распространением нелегальной литературы. Флейшер также сказала Мише, что при необходимости он всегда может укрыться в ее доме. В конце сентября 1942 года, когда был уничтожен Второй горком и начались массовые аресты, члены группы Маркевича и многие участники общегородского подполья ушли в лес. Примерно в то же время к партизанам отправилась и Флейшер вместе

Кроме того, в Минске была как минимум одна подпольная группа, которая действовала самостоятельно и не имела контактов ни с городским комитетом, ни с отрядом Маркевича. Одной из главных задач, которые она ставила перед собой, был вывод евреев из гетто или, как выразился кто-то из ее членов, спасение советских граждан. Об этой группе будет рассказано подробно в конце главы.

ПОДПОЛЬНАЯ ТИПОГРАФИЯ

Первая подпольная типографии была создана в Минске по инициативе группы евреев и белорусских военнопленных, работавших вместе в городской типографии «Прорыв», где при советской власти издавалась газета для Красной армии, а с началом немецкой оккупации печатались две газеты на немецком языке. Типография находилась во дворе здания, которое до войны занимало военное училище, оно и отвечало за выход армейской газеты. Этот район был оплотом немцев в городе: они превратили стоявшее напротив здание театра оперы и балета Минска в военный склад. И здание, и двор, в котором находилась типография, круглосуточно охранялись. Типография располагалась на западном берегу реки Свислочь, недалеко от Татарского моста, соединявшего плотно застроенный восточный берег с Татарскими огородами, по сути полями, на которых жившие неподалеку семьи, не только татары, выращивали овощи. За Татарскими огородами и начиналось гетто.

Немцы управляли типографией, используя принудительный труд военнопленных и евреев из гетто. Часть евреев знали друг друга по довоенной работе в крупнейшей в Минске типографии им. Сталина; они также были членами подпольной ячейки под руководством Наума Фельдмана. Эта группа включала в себя бывшего технического директора сталинской типографии, Ми-

---

с небольшой группой, в которую входил Миша, несколько месяцев прятавшийся в ее квартире. Интервью с Михаилом Канторовичем. Минск, 8 октября 1999 года, 5 июля 2000 года, 17 сентября 2003 года.

Рис. 11. Иван Семенович Удод, Михаил Сидорович Полонейчик
и капитан Николай Иванович Иванов (использовавший псевдоним —
Андрей Иванович Подопригора). Фото из коллекции
Р. А. Черноглазовой и Белорусского государственного архива
кинофотофонодокументов

хаила Чипчина, ее главного наборщика, Залмана (Зяму) Окуня,
Иосифа Каплана и нескольких других печатников и наборщиков[4].

Фельдман пережил войну, и в его мемуарах мы можем найти
информацию о том, чем именно занимались печатники из его
группы. Подпольщики, которые непосредственно работали
в типографии, были убиты и не смогли рассказать свою историю.

Группа сотрудничавших с ними военнопленных состояла из
Андрея Ивановича Подопригоры и двух его друзей: Кузьмы Кузь-
мича Трошина и Ивана Семеновича Удода. Еще один военнопленный, коммунист Михаил Сидорович Полонейчик, понял, что
Подопригора и его друзья настроены просоветски и не испыты-
вают симпатий к нацистам, завязал с ними знакомство и в итоге

---

[4] Михаилу Чипчину было на тот момент 39 лет, Зяме Окуню — 34 года. Дата
рождения Иосифа Каплана неизвестна [Бараноўскі и др. 1995: 122, 96, 153].
По имеющимся данным, никто из них не состоял в партии. Все трое погибли
во время войны. В эту группу также входили брат Каплана и человек по
фамилии Прессман, но о них ничего не известно.

Рис. 12. Глафира Васильевна
Суслова. Фото из коллекции
Р. А. Черноглазовой
и Белорусского
государственного архива
кинофотофонодокументов

тоже стал частью их группы. Полонейчик пережил войну и оставил записи о пережитом (см. рис. 11).

Мы увидим происходящее глазами Полонейчика, а также Глафиры Васильевны Сусловой — белоруски, которая жила рядом с типографией, познакомилась с Подопригорой и всячески поддерживала его начинания. Обо всем это она рассказала в своих мемуарах, написанных после войны (см. рис. 12)[5].

До войны Полонейчик был директором типографии в Новогрудке — к западу от Минска. Когда Германия напала на СССР, он вступил в ряды Красной армии. Его отряд попал в окружение, а сам он оказался в плену и был отправлен в лагерь для военнопленных. Когда немцы спросили, есть ли в лагере люди, знакомые

---

[5] Воспоминания М. С. Полонейчика // НАРБ. Ф. 4683. Оп. 3. Д. 1196; Воспоминания Г. В. Сусловой // Yad Vashem Archives. M41/25. В воспоминаниях Н. Л. Фельдмана (НАРБ. Ф. 750. Оп. 1. Д. 307) и А. А. Мелентович (НАРБ. Ф. 4683. Оп. 3. Д. 1196) также упоминается подпольная типография, созданная двумя группами рабочих «Прорыва».

с печатным делом, Полонейчик, Подопригора, Трошин и Удод подняли руки. Всех военнопленных, назвавшихся печатниками, отвезли в Минск, в типографию «Прорыв», и Полонейчику было поручено заняться подготовкой печатных валов. Он сказал, что ему потребуются еще три сотрудника, назвав это число в надежде, что Подопригору и двух его друзей, с которыми он хотел познакомиться, назначат на ту же работу. Это сработало, и Полонейчик сблизился с Подопригорой и его товарищами. Как он и надеялся, они оказались надежными людьми, сторонниками советской власти, стремившимися выйти на подполье. Кроме того, он узнал, что Подопригора — это псевдоним капитана Н. И. Иванова, начальника штаба артиллерийского полка Красной армии, скрывавшего свою личность, чтобы его не казнили немцы. Его друзья были из того же подразделения. Вся четверка была уверена в существовании в Минске подпольного движения, к которому они твердо решили присоединиться. Завоевав доверие коллег и узнав об их намерениях, Полонейчик вскоре заметил, что Подопригора особенно настойчиво пытается подружиться с еврейским печатником из гетто по имени Иосиф Каплан. Подопригора, понял Полонейчик, каким-то образом догадался, что Каплан является членом подполья.

Каплан предложил представить Подопригору Казинцу. Вероятно, их знакомство состоялось в сентябре 1941 года: судя по воспоминаниям Фельдмана, именно тогда Каплан привел Подопригору в гетто на встречу с ним и другими членами подпольной ячейки. На тот момент еще не существовало ни единого подполья гетто, ни общегородской организации, хотя Казинец и находился в контакте со Смоляром. Но члены группы Фельдмана к тому времени, похоже, уже обзавелись связями среди городских подпольщиков. Через Каплана Подопригора познакомился с Казинцом, который поручил ему вынести из «Прорыва» шрифты, типографскую краску и другие материалы и доставить их в гетто, где Каплан и его товарищи должны были создать подпольную типографию[6]. Примерно в то же время, если верить Фельдману,

---

[6] Воспоминания М. С. Полонейчика // НАРБ. Ф. 4683. Оп. 3. Д. 1196. С. 4.

двое печатников из его окружения: Чипчин и Опенгейм — встретились с белорусским подпольщиком Михаилом Вороновым, который, как и они, работал до войны в типографии им. Сталина. Воронов призвал их не ограничиваться созданием печатного станка только для своей группы, а продолжить собирать материалы (видимо, для организации типографии, которая бы обслуживала интересы всего минского подполья, когда оно будет сформировано)[7].

Таким образом, Казинец и Воронов не только дали благословение городскому подполью, но и частично задали направление этой деятельности, инициатором которой изначально выступила группа Фельдмана. К тому времени Подопригора и его друзья уже, вероятно, обсуждали с еврейскими печатниками свою роль в создании типографии[8].

Из «Прорыва» можно было незаметно от немцев вынести значительное количество шрифтов: теперь там печатались газеты на немецком, а кириллические шрифты, которыми пользовались при советской власти, были отправлены на склад. Именно они и требовались подполью. Для того чтобы вынести их из типографии, нужно было пройти через проходную, где перед этим досматривали всех рабочих, а затем доставить шрифты в гетто. Для Каплана и других еврейских печатников это было слишком опасно, потому что их особенно тщательно обыскивали на выходе, а затем еще раз проверяли при возвращении в гетто, так что Подопригора и его друзья взяли эту задачу на себя. Четверо мужчин получили пропуска, позволявшие им покидать двор, в котором находилась типография, и передвигаться по городу без конвоя. Однако они по-прежнему носили форму военнопленных, а их пропуска имели на себе красные метки, что позволяло в любой момент подвергнуть их обыску как подозрительных.

---

[7] Воспоминания Н. Л. Фельдмана // НАРБ. Ф. 750. Оп. 1. Д. 307. С. 220.

[8] Смоляр ставит себе в заслугу, что именно он отдал приказ о реализации этого плана [Смоляр 1947; Smolar 1989]. Но из воспоминаний Полонейчика, Фельдмана и Сусловой, приведенных выше, явно следует, что создание подпольного печатного станка Подопригоре поручил Казинец, а не Смоляр.

Чтобы заполучить шрифты, нужно было придумать, как пронести их мимо охраны на проходной, и найти место в городе, где их можно было прятать перед отправкой в гетто. Решение первой проблемы подсказал Полонейчик. В типографии он отвечал за уборку и мог несколько раз в день выходить с метлой в подъезд. Полонейчик обнаружил, что в определенное время на проходной дежурит старик, которому интереснее играть на губной гармошке, чем проверять выходящих людей. Вместе с друзьями они решили, что смена старика — это их шанс. Полонейчик и его товарищи становились в конце очереди, чтобы видеть, обыскивают впереди людей или нет. Свертки со шрифтами они привязывали к поясам, а также набивали ими карманы: свободные куртки надежно их скрывали. Выходя из типографии, мужчины направлялись к Свислочи и по пути заворачивали во двор, где стоял сарай, в котором они прятали шрифты, а иногда и другие материалы. Все это оставалось в сарае, пока спрятанное не забирали двое подростков-комсомольцев: Миша Ароцкер и Марик Бразер. Затем они переходили через Татарский мост, пересекали Татарские огороды и через дыру в заборе проносили шрифты в гетто. Когда им что-то мешало, подростки прятали свертки в Татарских огородах, а позже их забирал кто-то из гетто[9].

Место для хранения шрифтов, после того как их вынесли из типографии, Подопригора нашел благодаря еврейскому печатнику Иосифу Каплану. До войны он дружил с Абрамом Моисеевичем Кузинцом, еще одним сотрудником типографии им. Сталина. Сын Кузинца, Исаак, был женат на белоруске Г. В. Сусловой. В мирное время вся семья, включая маленькую дочь Исаака, жила на берегу реки Свислочь, недалеко от военного училища, где во время оккупации находился «Прорыв». Каплан был знаком и с Исааком, и с его женой, Глафирой. Когда началась война, Исаак был в Красной армии. Суслова жила в той же квартире со своей дочерью. Кузинец-старший перебрался в гетто, чтобы не подвергать опасности внучку и невестку.

---

9   Фельдман Н. Л. О коммунистическом подполье в Минске во время Великой Отечественной войны // Yad Vashem Archives. М41/18. Р. 6.

Однажды, когда Каплана вывели из гетто вместе с другими рабочими, он снял желтые латы, выскользнул из колонны и отправился к дому Сусловой. Он рассказал ей, что работает в типографии, где познакомился с красноармейцем, которому нужна гражданская одежда, чтобы передвигаться по городу, и, возможно, какая-то другая помощь. Суслова согласилась на встречу и, когда Подопригора пришел к ней домой, отдала ему одежду своего мужа. После этого они подружились, и Подопригора стал часто заходить к ней поговорить. В один из таких визитов она обратила внимание, что Подопригора словно преисполнился новыми силами и помолодел. Оказалось, ему удалось связаться с подпольем. «Наконец-то, Глафира Васильевна, я нашел то, что искал. Теперь я буду жить, работать, бороться с врагом и сделаю так, чтобы им здесь стало очень жарко!» — сказал он возбужденно. Он также рассказал ей о задании вынести из типографии шрифты и другие материалы и признался, что еще не нашел места, где можно было бы их спрятать. Суслова предложила использовать сарай у нее во дворе.

С тех пор там и хранилось украденное из типографии, пока за ним не приходили связные из гетто. Иногда случалось, что подпольщикам срочно требовались материалы, а подростки не могли их забрать, и тогда Суслова относила их сама — туда, где в гетто собирался печатный пресс. Даже после того, как подпольная типография заработала в конце декабря 1941 года, Суслова и Подопригора продолжали время от времени приходить в гетто, чтобы доставить дополнительные материалы или передать услышанные по радио сводки Совинформбюро, которые затем печатались на листовках.

Однажды Подопригора попросил Суслову доставить в гетто послание. Она отнесла его в дом Каплана и уже собиралась уходить, когда туда пришел Подопригора с новой, только что полученной сводкой. Пара ушла вместе, но, стоило им пролезть через забор за еврейским кладбищем, из засады к ним вышел полицейский. Он спросил, что они делали в гетто, и Подопригора показал ему свой пропуск, который позволял ему сопровождать еврейских рабочих. Суслова смогла лишь выдавить, что была там с Подопригорой. Очевидно, полицейский ей не поверил. Он избил Суслову, выбив ей зуб и сломав нос, пока девушка знаками показывала Подопригоре не вмешиваться, потому что боялась, что в таком случае их убьют. Полицай сказал Сусловой, что застрелит ее, если еще раз увидит рядом с забором. «Но я все равно приходила в гетто, когда того требовали обстоятельства, — писала она. — Я выбирала другой маршрут, но все равно приходила»[10].

В декабре 1941 года подпольный печатный станок наконец-то заработал. По городу стали распространяться листовки с новостями об отпоре, который Красная армия оказывала наступающим немцам. Их содержание очень сильно отличалось от того, о чем рассказывали немцы, утверждавшие, что их войска захватили Москву и готовятся провести в ней победный парад. По требованию горкома ближе к концу декабря типографию перенесли в дом на улице Островского, прямо за границей гетто, в котором проживали члены подполья. Управление ею комитет попросил взять на себя Михаила Чипчина, бывшего технического директора типографии им. Сталина и самого опытного печатника в группе Фельдмана. Чипчин покинул гетто и укрылся в доме на улице Островского, где проводил почти все время за станком, печатая листовки и четырехстраничные выпуски газеты, больше похожей на развернутую листовку, под названием «Вестник Родины».

Подпольный пресс был примитивным: он состоял из блоков наборного шрифта, типографской краски и валика. Отпечатанные страницы скатывались с пресса вручную, а затем развешивались на бельевых веревках для просушки. Экземпляры листовок распространялись в гетто и городе членами обеих подпольных организаций.

Типография на улице Островского работала до конца марта 1942 года, когда Чипчин попал под волну арестов, обрушившуюся на подпольщиков вслед за тем, как немцы схватили членов Военного совета. Когда начались аресты, подпольщицы Леля Ревинская и Антонина Мелентович по просьбе Казинца прошли по

---

[10] Воспоминания Г. В. Сусловой // Yad Vashem Archives. M 41/25. P. 7.

городу, предупреждая других членов о необходимости залечь на дно. В своих мемуарах Мелентович писала:

> Леля и я отправились в подпольную типографию... Мы свернули во двор и подошли к дому. Конечно, мы нервничали. На мгновение Леля даже замедлила шаг, а потом взяла меня за руку, и мы влетели в дом. Мы оказались в просторной комнате... открылась дверь, и к нам вышел мужчина. Леля позже сказала мне, что это был Михаил Чипчин, печатник. Леля сообщила ему о провале подполья и предателях. Она посоветовала ему спрятаться и не отвечать ни на чьи звонки[11].

Однако Чипчин не успел этого сделать: его арестовали и повесили вместе с другими подпольщиками 9 мая на одной из площадей Минска. Типография на улице Островского была уничтожена.

После ареста членов Военного совета Подопригора предупредил Суслову, что ей нужно уехать из города. Он дал ей фальшивые документы, по которым они с дочерью могли отправиться пожить к родственникам в соседнюю деревню. Суслова уехала из Минска с подругой, которая ненадолго приехала в город на подводе и возвращалась в сельскую местность. В то время Суслова прятала у себя молодую еврейку, но перед отъездом договорилась, что ее переведут на другую конспиративную квартиру[12]. Подопригора сказал ей, что пока не может уехать, потому что ему нужно продолжать делать фальшивые документы для отправки людей к партизанам. После отъезда Сусловой его арестовали. Он умер в тюрьме.

Мартовский провал 1942 года привел к разгрому городского комитета, а сформировать новый подполью удалось только в мае. Но некоторые его члены взялись за организацию новой типографии, не дожидаясь создания нового центра. Ключевую роль в этом деле сыграла семья Вороновых. Михаил Петрович Воро-

---

[11] Воспоминания А. А. Мелентович // НАРБ. Ф. 4683. Оп. 3. Д. 1196. С. 17.

[12] Девушка, которую Суслова у себя прятала, была дочерью профессора и хирурга Ю. М. Иргера. Она представлялась всем Ритой Ивановой — это имя значилось в фальшивых документах, которыми снабдил ее Подопригора, см.: Воспоминания Г. В. Сусловой // Yad Vashem Archives. M 41/25. P. 11.

нов, которому было 56 лет, до войны был директором сталинской типографии, а его 24-летний сын Михаил трудился там же электриком. Во время войны они оба продолжили в ней работать. И отец, и сын, и его жена Елена были также членами городского подполья. Их квартира на улице Немига, в доме прямо напротив гетто, была центром подпольной активности: помимо прочего, Вороновы печатали продуктовые карточки. Факсимиле этих карточек немцы давали тем, кто на них работал. Сделанные Вороновыми карточки распространялись среди членов подполья, что позволяло им не работать на немцев и сосредоточиться на подпольной деятельности.

Как-то в начале весны 1942 года младший Воронов встретил во дворе сталинской типографии, где он работал по ночам, молодую еврейку Броню Гофман. Он узнал девушку: до войны ее тетя жила в соседней квартире, а их родители приятельствовали. Воронов остановился поболтать с ней, и Гофман рассказала, что устроилась уборщицей к жене немецкого офицера, жившего в этом же дворе. Кроме того, Броня упомянула, что у нее есть «муж», который работает в типографии, и Воронов понял, что благодаря этому, а также тому, что квартира, в которой она убирает, примыкает к типографии, у нее есть возможность бывать внутри. После этого Воронов всегда ходил через этот двор и при встрече не упускал возможности пообщаться с Броней. В одном из таких разговоров он спросил, верит ли она, что Советский Союз выиграет войну. «Конечно, — ответила девушка. — Иначе во что мне верить?» Воронов, очевидно, счел это достаточным доказательством преданности и спросил у Брони, готова ли она помочь подполью. Девушка согласилась[13].

Броне было 23 года, когда она оказалась в гетто со своим маленьким сыном. Ее муж был в рядах Красной армии на востоке. В гетто она жила с его родителями и своей невесткой Соней, у которой тоже был ребенок. Как и другие узники, они знали

---

[13] Рассказ о подпольной работе Брони Гофман основан на двух интервью с ней (Минск, 30 сентября 1999 года, 18 июля 2000 года), а также на ее воспоминаниях, написанных после войны, см.: НАРБ. Ф. 4. Оп. 33а. Коробка 87. Д. 667; Ф. 750. Оп. 1. Д. 307.

о планах немцев устроить погром 20 ноября 1941 года. В их семье только у свекра Брони был пропуск, удостоверявший, что он работает на немцев. Предположив, что немцы не станут убивать человека с таким пропуском и детей, которые будут с ним, свекор отдал документ жене. Дети остались с ней, а остальные пошли искать укрытие во дворе. Свекор спрятался за поленницей, а Соня и Броня в последний момент увидели соседей, которые жестами звали их в свою малину. Соня, Броня и ее свекор пережили погром. Но когда они вернулись в квартиру, то обнаружили, что свекровь и дети исчезли.

Опустошенные, Броня и Соня вышли из гетто: в царившем вокруг хаосе их никто не останавливал. Они перешли через мост и пересекли город, добравшись до его восточной окраины. Здесь находилась типография им. Сталина, где работал дядя Сони, ночевавший вместе с другими еврейскими сотрудниками в подвале того же здания. Дядя Сони приютил молодых женщин, и они провели в подвале несколько ночей. Но затем он решил, что оставлять двух бежавших из гетто евреек без разрешений слишком опасно. Он сказал, что Соня, его племянница, может остаться, но Броня должна уйти. Броня знала, что вряд ли спасется от нового погрома, если вернется в гетто, так как у нее не было дневной работы, которая могла ее защитить. Когда она уходила, размышляя, куда ей податься, за ней бросился молодой наборщик Борис Пупко, который тоже жил в этом подвале. Он сказал, что если Броня притворится его женой, то ему, скорее всего, удастся найти для нее работу. Жившая в том же дворе супруга немецкого офицера упомянула в разговоре с ним, что ищет прислугу. Пупко думал, что она возьмет к себе Броню, если он выдаст ее за свою жену. Броня согласилась и действительно получила работу. После этого она иногда возвращалась ночевать в гетто, а иной раз оставалась в подвале, но по крайней мере у нее появилась защита в виде работы за пределами гетто. Жена офицера стала доверять Броне и часто посылала ее с поручениями, за молоком или нужными вещами, на соседние улицы.

Воронов попросил Броню о сотрудничестве, потому что подполью требовался человек, чтобы выносить шрифты из типографии, и он понимал, что Броня может помочь. Десятилетия спустя Гофман предположила в интервью, что Воронов доверился ей, раскрыв свою принадлежность к подполью, потому что немного знал ее до войны, а также из-за ее слов о победе СССР. Возможно, потому, что она была еврейкой[14]. Ее подпольная работа заключалась в том, что она забирала шрифты из типографии, складывала их в бидон для молока, который давал ей Воронов, и в строго определенное время выходила из двора на перекресток, где должна была встретиться с молодым человеком. Броне нужно было спросить у него: «Где находится Зеленая улица?» Если юноша отвечал: «Здесь, поверните налево», — Броня отдавала ему бидон со шрифтами. С согласия Воронова Гофман завербовала своего «мужа» Пупко, и тот помогал ей собирать шрифты и другие материалы, которые она затем выносила из двора на эти встречи.

В мае 1942 года Воронов сказал Броне, что у него есть новое, более сложное задание. К тому времени многие подпольщики были арестованы и повешены на площадях Минска. Подполью нужно было выпустить листовку с заявлением и распространить ее по городу. Броня и Пупко должны были набрать текст, который затем напечатали бы в другом месте. Воронов принес девушке текст, а остальное они с Пупко сделали вместе: Броня приходила в типографию и шептала ему на ухо слова, пока Пупко работал. Со стороны казалось, что жена о чем-то воркует с мужем, а на самом деле Броня зачитывала ему текст, который Пупко набирал. После двух дней работы набор был готов. Броня отнесла его жившему неподалеку подпольщику Василию Сайчику (по прозвищу «Дед»)[15].

Вскоре после этого Воронов сказал, что у него для них есть еще более сложное задание — набрать первый номер газеты «Звязда», которую собиралось выпускать подполье. В конце мая Воронов принес Броне и Пупко текст. В типографии была кладовая, где

---

[14] Интервью с Броней Гофман. Минск, 18 июля 2000 года.

[15] Подробнее о биографии Гофман см. [Бараноўскі и др. 1995: 46]. О Вороновых см. [Бараноўскі и др. 1995: 44]; о Сайчике см. [Бараноўскі и др. 1995: 104].

хранились старые шрифты; отец Воронова, который и после оккупации оставался заведующим типографией, раздобыл от нее ключ и передал копию Пупко и Гофман. В кладовке не было света, так что старший Воронов принес туда лампу. Несколько ночей подряд, когда все в подвале уже спали, Пупко и Броня на цыпочках пробирались в кладовую, не надевая обуви, чтобы не шуметь, и принимались за работу. Броня держала лампу, пока Пупко набирал текст. После трех ночей первый выпуск «Звязды» был готов, и младший Волков унес его в подпольную типографию. Через несколько дней Броня и Пупко узнали от связанных с подпольем железнодорожных рабочих, что на вокзал привезли первый номер «Звязды», и поняли, что их работа не прошла даром. Но через некоторое время пришли гестаповцы и забрали Пупко на допрос. Сначала немцы думали, что «Звязду» тайно доставили в город из Москвы, но, тщательно изучив выпуск, они поняли, что такими шрифтами пользовались только в Минске, и начали обыски в минских типографиях. Однако Пупко сказал в гестапо, что не имеет к этому никакого отношения и вообще благодарен немцам за то, что у него есть работа, поэтому никогда не стал бы участвовать в подобном. Его отпустили.

Текст второго номера «Звязды» был готов к концу июля 1942 года. Воронов-младший принес его Броне и Пупко, и они приступили к набору. Однако 5 августа их работа была прервана. Тем утром в типографию пришел человек по фамилии Сверидов, который был членом той же подпольной группы, что и Броня с Пупко. Он сказал Гофман, что в здание проникли гестаповцы, которые ищут Пупко. Броня обнаружила «мужа» спящим в подвале, разбудила его, и они вдвоем быстро покинули типографию. Пупко, на котором не было ничего, кроме рубашки, решил вернуться за пиджаком. Броня же пошла дальше, к квартире «Деда», Сайчика, который сказал ей, что (в случае чего) они с Пупко могут у него спрятаться. Сайчика не было дома, но Броня залезла в квартиру через окно. Она легла на диван так, чтобы ее не было видно с улицы, и начала ждать, но Пупко так и не появился. Ночью пришел Сайчик и сказал Броне, что ее «мужа» арестовали. Девушку пришлось переселить — из опасений, что Пупко может

Рис. 13. Броня Гофман (в центре) с другими партизанками. Фото из личного архива Б. Гофман

рассказать немцам, где живет «Дед». За короткое время она сменила три квартиры. Двенадцать дней девушка пряталась у подпольщика, жившего в одном доме с Вороновыми. Пока Броня скрывалась, к ней приходили другие члены подполья и приносили еду, лекарства и другие вещи, которые она должна была забрать с собой в лес. За это время была достигнута договоренность о ее отправке к партизанам. Двадцатого августа в Минск прибыл связной из бригады им. Сталина и забрал Броню с собой (см. рис. 13)[16].

Накануне прибытия связного Воронов-старший устроил для девушки прощальный ужин. На нем присутствовали трое членов

---

[16] Одной из тех, кто навещал Броню, пока она пряталась, была Шура Янулис. Обе девушки пережили войну и остались подругами на всю жизнь.

семьи Вороновых, Сайчик и Сверидов, предупредивший Броню об опасности. Звучали тосты, и Воронов-старший пожелал Гофман успехов на партизанском поприще. Они пообещали друг другу, что обязательно встретятся снова после войны и устроят такой же ужин. Но из шести присутствовавших за столом людей пережить войну удалось лишь Броне и Сайчику. Вороновых арестовали в конце сентября 1942 года, после второго провала подполья; все они погибли в тюрьме. Сверидова застрелили в 1943 году[17].

Работая на подполье, Броня не знала ни того, что было дальше со шрифтами и с материалами, которые она выносила со сталинской типографии, ни того, где печатались листовка и первый номер «Звязды», текст которых она помогала набирать Пупко. Первый тираж газеты был напечатан в квартире Вороновых. После этого подпольную типографию перенесли на другую конспиративную квартиру, где были напечатаны еще два выпуска. Работавший в типографии подпольщик Владимир Казаченок писал после войны, что ее деятельность была весьма успешна, а местонахождение станка держалось в тайне даже от других членов подполья. «Наша пропаганда работала очень хорошо, — отмечал он. — Все больше людей хотели идти в партизаны, даже те, кто изначально сомневался. Люди спорили, где печатается газета. Большинство считало, что ее делают в партизанских отрядах, а затем доставляют в Минск». В своих мемуарах Казаченок писал, что после арестов в сентябре 1942 года он и двое его коллег отпечатали последнюю листовку, распространили ее по городу, спрятали шрифты, которыми пользовались на второй конспиративной квартире, и бежали в лес[18]. Согласно официальной истории минского подполья, составленной по заказу ЦК КПСС

---

[17] Интервью с Броней Гофман. Минск, 18 июля 2000 года.

[18] Воспоминания В. С. Казаченка // НАРБ. Ф. 4. Оп. 33а. Д. 661. Вторым работником типографии был Сайчик; третьим подпольщиком, участвовавшим в создании последней листовки, Казаченок называет Жана — таким псевдонимом пользовался И. К. Кабушкин, член горкома, которому удалось избежать ареста в сентябре, но который был схвачен в феврале и казнен в тюрьме 4 июля 1943 года.

в 1959 году, четвертый выпуск на самом деле был напечатан на третьей квартире, так как возникла угроза разоблачения предыдущей[19].

Как бы то ни было, на этом минская подпольная типография прекратила свое существование. В дальнейшем все подпольные материалы печатались в лесу партизанами и привозились в Минск.

ДИВЕРСИИ И СНАБЖЕНИЕ ЛЕСА

Многие евреи работали за пределами гетто на предприятиях, где производились товары для немецкой армии. Подпольщикам удалось внедриться на фабрику «Октябрь» (конечно, немцы давали предприятиям, как и улицам, новые названия, если им не нравились старые, но местные жители продолжали именовать их по старинке), где шили военную форму, на завод «Большевик», откуда на фронт отправлялись кожевенные изделия и обувь, в оружейные мастерские. Подпольная группа, в которую входили как евреи, так и белорусы, выносила ящики с патронами, обнаруженные в полузаброшенном подвале фабрики «Октябрь», которые затем доставляли в гетто для последующей отправки партизанам[20]. Параллельно группа еврейских подпольщиков, ответственных за заводскую систему отопления, собирала торф и взрывчатку, которую приносили им члены городского подполья. Взрывчатку передавали через ворота в подвал, которым почти никто не пользовался, и закладывали в фабричные трубы, чтобы потом их взорвать. Но немцы каким-то образом узнали об этом плане и 1 июня 1942 года арестовали всех членов отопительной бригады, кроме одного, который заметил их приближение и сбе-

---

[19] Т. Горбунов и др. К вопросу о партийном подполье в городе Минске в годы Великой Отечественной войны, июнь 1941 — июль 1942 года. С. 39 // НАРБ. Личный фонд Е. И. Барановского.

[20] Эта история взята из датированных 2 апреля 1980 года воспоминаний М. М. Гречаника // Yad Vashem Archives. M 41/8. P. 8–9. См. также воспоминания М. Л. Плакс // НАРБ. Ф. 4683. Оп. 3. Д. 1196.

жал, а затем несколько дней прятался в гетто[21]. После этого прекратилась и контрабанда ящиков с патронами, а 18 декабря 1942 года подпольщиков, которые этим занимались, включили в состав группы, которая отправлялась в лес[22].

Но диверсионные акты на фабрике «Октябрь» продолжились. Группа сапожников из гетто набивала гвозди в подошвы так, чтобы сапоги было невозможно долго носить. Портные пришивали левые рукава шинелей на правую сторону, и наоборот. Подпольщики выносили из разных цехов фабрики сапоги, перчатки и верхнюю одежду, в которых нуждались партизаны [Смоляр 1947: 73–74; Smolar 1989: 79]. Работавшие на складе члены подполья гетто, упаковывая товары для отправки на фронт, разрезали полушубки и вставляли иглы в рукавицы. Они также тайно выносили с фабрики лекала, по которым в гетто шили телогрейки, шапки-ушанки и варежки, чтобы снабжать ими тех, кто уходил в лес[23].

В декабре 1941 года члены подпольной группы из гетто во главе с Леной Майзлес устроились на кожевенный завод «Большевик», где они должны были заниматься упаковкой товаров и их погрузкой на машины. Работавшие на том же заводе белорусские подпольщики принесли им химикаты, которыми нужно было поливать изделия, чтобы кожа приходила в негодность, пока их везли на фронт. Эта группа продолжала свою деятельность вплоть до погрома 2 марта 1942 года, в котором погибло большинство ее членов. Через неделю Майзлес и ее единственный оставшийся в живых подчиненный ушли в лес[24].

---

[21] Интервью с В. С. Долгиным. Минск, 17 июля 2000 года. Долгин утверждает, что немецкий начальник отопительной бригады по фамилии Шульц тоже участвовал в заговоре. Привлечь его решил начальник подпольной группы Хаим Гравец, он же убедил остальных. В этом плане история Долгина противоречит тому, что рассказывает Гречаник, который писал, что все участвовавшие в заговоре рабочие не были евреями. Но, поскольку Долгин был ближе к описываемым событиям, я доверяю его словам больше, чем версии Гречаника.

[22] Воспоминания М. М. Гречаника // Yad Vashem Archives. M 41/8. P. 11–12.

[23] Воспоминания С. С. Гебелевой-Асташинской // НАРБ. Ф. 4683. Оп. 3. Д. 837. С. 7.

[24] НАРБ. Ф. 750. Оп. 1. Д. 307. С. 169.

Зимой 1942 года глава другой подпольной группы гетто, Роза Липская, узнала от работавшей на бирже труда подпольщицы Розы Альтман, что немцам требуются рабочие в оружейные мастерские для сборки и складирования оружия. Альтман удалось устроить туда двух женщин из группы Липской: Цилю Ботвинник-Лупьян и Катю Цирлину[25]. Они тайно выносили из мастерских оружейные запчасти, засовывая мелкие детали в сапоги, а пулеметные ленты — себе за пояс. Кроме того, они пользовались банками из-под супа с двойным дном, которые брали с собой на работу, а затем наполняли запчастями. Зимой девушки складывали ружейные стволы в вязанки дров, которые собирали у оружейных мастерских, связывали проволокой и несли в гетто[26]. У ворот их всегда ждали местный полицейский и член подполья Арон Фитерсон и подпольщица Слава Гебелева-Асташинская. Они встречали колонну рабочих, забирали у девушек их поклажу и проносили ее в гетто, а затем прятали в квартире у Фитерсона. Позже из этих деталей собирали оружие и отдавали тем, кто уходил из гетто в лес.

Двенадцатилетний племянник еще одного подпольщика Гриша Каплан часто сбегал из гетто, пробирался в оружейные мастерские и помогал женщинам, незаметно забирая банки из-под супа, которые они наполняли запчастями. Он также предупреждал подпольщиц, когда у ворот появлялись немецкие охранники, чтобы они не пытались ничего пронести в гетто. В мае 1943 года Гришу поймали при попытке пролезть через забор гетто. Мальчика пытали и расстреляли, но больше никого из его знакомых не арестовали. Очевидно, он так ничего и не рассказал немцам[27].

---

[25] Липская Р. А. Отчет секретаря подпольной десятки в Минском гетто // НАРБ. Ф. 4386. Оп. 2. Д. 77. С. 5. Ц. Я. Ботвинник-Лупьян была членом компартии и пережила войну, см.: НАРБ. Ф. 4386. Оп. 2. Д. 59. Е. И. Цирлиной на момент начала войны было 19 лет, и она состояла в комсомоле, см.: Yad Vashem Archives. M 41/21.

[26] НАРБ. Ф. 4386. Оп. 2. Д. 80. С. 8–9; Ф. 750. Оп. 1. Д. 307. С. 168.

[27] Воспоминания Е. И. Цирлиной // Yad Vashem Archives. M 41/21. P. 3.

В начале лета 1943 года оккупанты обнаружили, что группа рабочих ворует с завода оружие. Тогда всех, кто работал в оружейной, собрали во дворе и заставили смотреть, как вешают двух военнопленных и двух евреев. Но Ботвинник-Лупьян и Цирлина продолжили выносить из оружейных мастерских детали, однако делать это становилось все труднее[28].

Примерно в то же время Роза Липская обнаружила за собой слежку, что сделало ее почти бесполезной для подполья. Она получила от находившегося в Старосельском лесу Смоляра разрешение уйти из гетто и вместе с подчиненными присоединиться к партизанскому отряду Шолома Зорина. В июле Липская и члены ее группы покинули гетто, воспользовавшись тем, что у ворот дежурил Арон Фитерсон. Прибыв в Старосельский лес, они обнаружили, что район все еще находится под немецкой блокадой, а отряд Зорина ушел дальше на запад, в Налибокскую пущу, которая давала больше защиты. После месяца блужданий по лесу члены группы Липской все-таки нашли партизан и были приняты в отряд[29].

САРА ГОЛАНД

У 28-летней Сары Голанд (см. рис. 14) было трое детей, когда она, находясь в гетто, организовала освобождение своего мужа из минской тюрьмы. Сара прятала его в их квартире, пока он не ушел в лес, после чего вступила в подполье, стала одним из ключевых лиц в деле отправки евреев к партизанам и в конце концов сама ушла в лес с двумя маленькими дочерями. Все это удалось Голанд благодаря необычайному мужеству, а также помощи многих людей, в том числе не имевших отношения к гетто и подпольной организации.

Муж Сары, Израиль, был одним из многих мужчин, которых немцы увели из Минска в Дрозды, а оттуда отправили в минскую

---

[28] Воспоминания Ц. Я. Ботвинник-Лупьян // НАРБ. Ф. 4386. Оп. 2. Д. 59. С. 9–11.

[29] Липская Р. А. Отчет секретаря подпольной десятки в Минском гетто // НАРБ. Ф. 4386. Оп. 2. Д. 77. С. 10.

Рис. 14. Сара Голанд в 1929 году. Фото из личного архива Е. Иоффе

тюрьму. В тюрьме им зачитывали имена из списка евреев-коммунистов, который где-то раздобыли немцы, но Голанд не выдал себя, когда прозвучало его имя, поэтому выжил и был отпущен в гетто.

Между тем Сара и сама смогла убедиться в том, что их ждет. До создания гетто было еще несколько недель, Сара с детьми ждала возвращения мужа из тюрьмы. Квартиру на нижнем этаже дома, в котором она жила, заняли немецкие солдаты, и один из них однажды пришел к ней, захватив немного супа и хлеба. В то время в гостях у Сары была сестра, которая говорила по-немецки. Солдат сказал ей, что скоро в город прибудут эсэсовцы, которым Гитлер приказал убивать евреев. Он призвал семью спасаться и не делать ничего, что могло бы привлечь к ним внимание. Не все немцы похожи на него, добавил солдат. Он сказал, что слышал, якобы сын Сары делится хлебом с военнопленными, и призвал его остановиться, потому что такое поведение может привести к тому, что немцы заподозрят в нем ребенка коммуниста.

Сара потеряла своего сына, который был старшим из ее детей, во время погрома 20 ноября. Вернувшийся из тюрьмы Израиль прятался в квартире, в которой они жили в гетто. После переезда они обнаружили землянку под русской печью, которой, видимо, пользовались жившие здесь раньше евреи, чтобы избежать призыва в царскую армию. Когда начался погром, Израиль уже был в малине, а Сару с детьми выволокли из дома и затолкали в колонну евреев, которых вели за пределы гетто. Сара сказала детям, что, по ее мнению, им надо бежать. Услышав выстрелы, она взяла за руки дочерей и устремилась прочь, но сын за ними не последовал. Сара забежала с девочками в ближайший сарай, где они прятались до утра, прежде чем вернуться в квартиру.

После погрома Сара и Израиль ушли из гетто с дочками и отправились на завод, где Израиль работал до войны. Директором фабрики немцы назначили другого бывшего рабочего по фамилии Геленский — белоруса с немецкими корнями[30]. Геленский пытался защитить евреев, которые работали на фабрике, и убедил Голандов остаться. Израиль получил работу в обувном цехе, а его семья поселилась вместе с другими евреями на территории бывшей пожарной части. Однажды, когда Геленского не было на фабрике, к Саре пришел охранник и сказал, что на завод приехали немцы и забрали Израиля. Когда Геленский вернулся, он предположил, что кто-то предал Голанда и рассказал немцам, что он коммунист. Ради их безопасности, сказал Геленский, Саре с девочками нужно было вернуться в гетто. Он пообещал, что попытается узнать, куда забрали Израиля, и помочь ему.

У Сары была подруга — Маня Ясинская, белоруска, с которой до войны они жили по соседству и вместе работали. Когда Голанды оказались в гетто, Ясинская приносила им к забору еду. Она рассказала Саре, что получила сообщение от комсомольца Вани Корзона, которого они обе знали до войны, что Израиля держат в лагере на Широкой улице. Сара узнала, что Корзон работает на кирпичном заводе на окраине Минска, и отправилась к нему. Ваня, который и сам, по всей видимости, был членом

---

[30] Интервью с Сарой Голанд. Ноф-ха-Галиль, Израиль, 14 ноября 2000 года.

подполья, рассказал ей, что в лагере действует подпольная организация, в которую входил живший в гетто польский еврей по фамилии Блатман. Сара нашла его жену и через нее вышла на Блатмана. Между тем Корзон и Геленский собрали ценные кожаные изделия: кошельки, портфели и бумажники — и через Сару передали их Блатману, чтобы тот подкупил немцев. С помощью этих взяток Блатман устроил так, чтобы Израиля вывезли из лагеря на кладбище в русском районе вместе с телами умерших от тифа. К тому времени Голанд, по словам Сары, и сам был в таком состоянии, что его было легко принять за мертвеца. Маня Ясинская отправила своих детей встретить грузовик на кладбище, и они забрали Израиля к себе домой.

Выздоровев, он вернулся в гетто с рабочей колонной и снова спрятался в землянке под печкой. Это произошло в начале весны 1942 года. Ясинская оставалась на связи с Сарой и укрывала ее с дочерьми во время Пуримского погрома и большого погрома 28–31 июля. Его Израиль пережил, спрятавшись под печкой в своей квартире[31].

Яков Гринштейн, его жена Белла и их новорожденная дочь попали в Минское гетто в марте 1942 года после уничтожения почти всех евреев в городе на западе Белоруссии, где они до этого жили. В гетто их считали польскими евреями, да и они сами воспринимали себя так, но на идише и русском Гринштейны говорили не хуже, чем на польском. Они пережили погром 28–31 июля, но их дочь погибла. Белла с малышкой и жившая с Гринштейнами молодая женщина были на Юбилейной площади, когда немцы и их пособники открыли по людям огонь. Девушка, на руках которой находился ребенок, отстала от Беллы, и их обеих застрелили. Потеряв дочь, Гринштейны (см. рис. 15) решили, что у них нет более причин оставаться в гетто, и твердо вознамерились найти подполье, чтобы уйти к партизанам и сражаться с немцами.

После погрома Яков и Белла переехали в другой дом в гетто, поселившись напротив комнаты Голандов. Они узнали, что Сара прячет в ней своего мужа, и заметили, что люди часто приходят

---

[31] Воспоминания Сары Голанд // Yad Vashem Archives. 03/5215. P. 12.

Рис. 15. Белла и Яков Гринштейны.
Репродукция из [Slukhovsky 1975: 87]

к Голандам по вечерам, после начала комендантского часа, тайком. Однажды другой сосед сказал Гринштейнам, что Израиля арестовали и застрелили. Они зашли к Голандам выразить соболезнования и обнаружили, что Сара весело ужинает с девочками. Никто, казалось, не грустил. Тем же вечером они снова услышали, что кто-то тихонько постучался к Саре в дверь и вошел внутрь. Гринштейны поняли, что Израиль был жив и ушел в лес, а его жена является членом подполья. Они решили, что Яков должен прямо сказать об этом Саре и попытаться убедить ее позволить им присоединиться.

На следующий день Яков не пошел на работу. Белла зашла к Саре, сказала, что ее муж заболел, и попросила принести ему чашку чая. В 10 часов утра Голанд постучалась к Гринштейнам и с удивлением обнаружила Якова не в постели. Она спросила, нет ли у него жара, на что Гринштейн ответил, что не болен и остался дома специально, чтобы поговорить с ней. Он сказал, что считает Сару членом подполья, в которое они с Беллой отчаянно желают вступить, чтобы уйти в лес и сражаться с оккупантами. Он понимает, продолжил Яков, что к польским евреям относятся с подозрением из-за коллаборантов в юденрате. Но они с Беллой не такие, подытожил он. Побледневшая Сара стала всячески отрицать свою причастность к подполью, но Яков стоял на своем, и его искренность произвела на нее впечатление. Сара начала говорить о необходимости наладить Сопротивление в гетто и подчеркнула, что подпольная работа не сводится к бегству к партизанам. «Мы должны спасти как можно больше евреев, и для этого кто-то должен заниматься организацией групп для отправки в лес», — сказала она. Голанд пообещала связать Гринштейна с подпольем. Яков ликовал: он добился своей цели. «Мы обязательно отомстим, — сказал он Белле, когда она вернулась с работы, — и даже, возможно, выживем».

Гринштейны с нетерпением ждали сигнала от Голанд. Однажды Яков вернулся с работы и увидел ожидающую его соседку. Она сказала, чтобы он зашел к ней в 9 часов вечера. Яков явился вовремя и увидел молодую женщину и собравшихся вокруг нее людей, преимущественно мужчин, которые внимательно ее слушали. Девушка была одета по-крестьянски, с платком на голове, и рассказывала о положении партизанских отрядов в Койдановском районе к западу от Минска. Закончив говорить, она посмотрела прямо на Якова. «Где-то я вас уже видел», — сказал он по-польски, а потом, опомнившись, повторил ту же фразу на русском. «Я тоже тебя видела, — ответила она по-польски. — Ты меня не помнишь? Я Броня». Девушка сняла платок, и Яков узнал свою старую подругу и товарища по сионистскому движению в родной для него Узде. Броня взяла его за руку и рассказала, что ушла к партизанам и стала связной базировавшейся к западу от Минска бригады им. Кутузова. Ее отправили обратно в гетто, чтобы связаться с подпольщиками и организовать отправку добровольцев. Она слышала, что Яков в Минске, но не представляла, где его искать. «Если бы ты только знала, через что я прошел, как трудно было тебя найти», — дрожащим голосом ответил ей Гринштейн[32].

---

[32] Эта встреча состоялась в октябре 1942 года. Второй горком был уничтожен, вместе с этим подполье гетто лишилось и контактов с партизанами. Присутствовавшая на описанной Гринштейном встрече с Броней Сара Левина пи-

Сара не скрывала своей улыбки. Такая демонстрация дружбы между Яковом и партизанской связной на глазах, как потом выяснится, главных активистов подполья полностью оправдывала ее решение довериться Гринштейну. В комнату позвали Беллу, и они с Броней тепло поприветствовали друг друга. Так Гринштейны начали работать с подпольем. Белла устроилась в немецкую оружейную мастерскую и вместе с другими женщинами проносила в гетто запчасти в сапогах и за поясом. Яков вырыл тайник под полом их с Беллой комнаты, где оружие хранилось до тех пор, пока не появлялась возможность отправить его в лес[33].

Однажды Броня, которая регулярно наведывалась в гетто после встречи в комнате Сары, внезапно и без предупреждения пропала. Через несколько недель подпольщики послали своего связного в Койдановский район и узнали, что немцы напали на отряд им. Кутузова, вынудив его отступить дальше на восток. Так оборвалась единственная ниточка, связывавшая подполье гетто с партизанами после недавнего уничтожения Второго горкома. Но подполье послало новых связных и установило контакты с другими партизанскими отрядами в этом районе, в том числе с теми, в составе которых были выходцы из Минского гетто или люди, связанные с ним. Один из этих отрядов, им. Буденного, возглавлял Семен Ганзенко — попавший в плен лейтенант Красной армии, которому члены подпольной организации гетто помогли бежать из лагеря на Широкой улице. Много евреев из Минска и других мест было и в отряде им. Пархоменко.

Голанд и другие снова начали готовить группы для отправки в лес. Сара не могла работать за пределами гетто, потому что ей нужно было заботиться о двух маленьких дочерях, и жила тем, что пекла для других хлеб из муки, которую ей приносили, и пе-

---

сала: «В октябре в гетто пришла связная из партизанского отряда им. Фрунзе, учительница Броня Завала. Ее появление было для нас сродни чуду. Только-только, в конце сентября и октябре, по Минску прокатились аресты подпольщиков — и вдруг объявляется она», см.: Воспоминания Сары Левиной // БГАМЛИ. Архив В. Б. Карпова. Ф. 305. Оп. 1. Д. 311. С. 12/97.

[33] Grinstein Y. Umkum un Vidershtand. P. 57–65 // Yad Vashem Archives. 033/465.

репродавала пайки с черного рынка. Это также служило неплохим прикрытием для подпольной деятельности: если бы ее спросили, почему столько людей приходит к ней в комнату, женщина всегда могла сказать, что это покупатели. К Голанд регулярно наведывались партизанские связные, которые говорили ей, когда можно отправлять группы и сколько в них может быть человек.

В июне 1943 года Сара получила сообщение из отряда им. Пархоменко, что ей пора уходить из гетто вместе с последним отрядом. За несколько дней до отправления к Саре пришел сотрудник еврейской полиции и сказал, что, по слухам, она готовит группу для бегства из гетто. Он арестовал Голанд и отвел в местную тюрьму. Однако за нее заступилась подпольщица Сара Левина, работавшая секретаршей у Эпштейна. Она заявила, что Голанд не может быть подпольщицей, потому что у нее двое маленьких дочерей. Левина подчеркнула, что ни одна мать не стала бы так рисковать своими детьми, и Сару отпустили. Двадцать второго июня Голанд, две ее дочери, Яков и Белла ушли из гетто вместе с последней организованной ею группой. Все они пережили войну[34].

СПАСЕНИЕ ДЕТЕЙ ИЗ ГЕТТО

Зимой 1941–1942 годов Хася Пруслина, одна из двух главных подпольных связных между гетто и городом, объединилась с Еленой Ревинской (подругой Казинца, которую обычно называли Лелей) и другими женщинами городской подпольной организации, чтобы вывести из гетто как можно больше детей и разместить их либо в минских приютах, либо в семьях городских подпольщиков и их друзей.

К началу боевых действий в Минске действовало 17 детских домов и садов (в которых дети оставались на ночь)[35]. Почти все

---

[34] Воспоминания Сары Голанд // Yad Vashem Archives. 033C/953; интервью с Сарой Голанд. Ноф-ха-Галиль, Израиль, 14 ноября 2000 года.

[35] Список детских домов и садов в Минске по состоянию на 29 сентября 1941 года // НАРБ. Ф. 370. Оп. 1. Д. 141а. С. 133.

они продолжали работать во время войны[36]. Проще всего было с детьми, чья внешность не выдавала их еврейского происхождения, особенно если они говорили на русском без явного еврейского акцента. Некоторые подпольщики охотно брали их к себе, несмотря на любопытных соседей, которым иногда было сложно объяснить появление в доме нового ребенка, и большое количество немцев в городе. Кроме того, всегда существовал риск, что подпольщика арестуют, а среди детей у него дома узнают евреев (и в лучшем случае бросят их одних), поэтому некоторые члены подполья принимали у себя еврейских детей, а затем отправляли их в деревни на партизанских территориях, где их могли приютить крестьяне и где вероятность попасться немцам была куда меньше.

После того как Пруслина, Ревинская и другие занялись этой деятельностью, их усилия получили одобрение городского комитета. По его инициативе были созданы две группы женщин (одна — в гетто, другая — в городе), которым было поручено работать вместе, чтобы вывести из гетто как можно больше детей.

Напротив гетто на Шорной улице жила Елена Воронова, которая приходилась женой/невесткой младшему/старшему Вороновым, что работали в сталинской типографии. Их квартира была важным центром подпольной деятельности. Из своего окна Воронова видела, что происходит за забором гетто. В назначенный час к нему подходила женщина с одним или двумя детьми. Когда в поле зрения не было полиции и немецких солдат, Воронова давала сигнал, а еврейка говорила детям лезть под проволокой и бежать к ждавшей их на другой стороне белоруске. Иногда женщина и сама пролезала с детьми под забором, чтобы передать их из рук в руки. Дежурившая по эту сторону белоруска забирала ребенка или детей в безопасное место. Нередко их вели прямо к Вороновой, где им давали еду и одежду, где они ждали наступления ночи, чтобы их могли отвести в детский дом или к другому

---

[36] В книге Г. Розинского приводится интервью с Галиной Орловой, женой В. С. Орлова, заведовавшего всеми детскими домами в Минске во время войны. Орлова перечисляет 16 детдомов, см. [Розинский 2004: 50].

подпольщику. Воронова хранила в своей квартире запас детской одежды, которую пожертвовали члены подполья, для того чтобы беглецы могли сменить свои лохмотья (чтобы по ним было сложнее понять, что они из гетто). Многие дети впоследствии оказывались в приюте по соседству с домом Вороновой.

На улице Немига жила Татьяна Герасименко, еще одна подпольщица из городской организации и активная участница этой кампании. Окна ее квартиры, как и у Вороновой, выходили прямо на гетто. По договоренности с Герасименко женщины из гетто приводили своих детей к ней домой[37]. Среди других мест, куда чаще всего забирали детей, были дом для подкидышей на улице Мясницкой (неподалеку от гетто) и здание городской администрации. Оттуда их рассылали по детским домам[38].

Смоляр писал, что уже в первые недели кампании совместными усилиями еврейской и белорусской команд были спасены 70 детей [Смоляр 1947: 60]. После войны Пруслина рассказывала:

> Я переводила детей через границу и передавала их Анне [подруге Пруслиной, городской подпольщице А. А. Езубчик] или другим женщинам в условленном месте в условленное время. Они забирали детей в городскую управу [администрацию] и получали направления, по которым их определяли в детские дома... У знакомых нам русских женщин проживало много еврейских детей. Директор одного из детдомов, Трубенок, как-то сказала мне, что ее приют принял больше 300 евреев. Тем из них, кого оставляли у нее на пороге, она давала русские имена[39].

---

[37] Здесь за основу мной взят рассказ Смоляра о том, как детей вывозили из гетто, источником которого является работа «Население Минского гетто и борьба против немецких захватчиков», найденная мной в бумагах Хаси Пруслиной у ее дочери — З. А. Никодимовой, а также [Смоляр 1947: 59–60; Smolar 1989: 69–70] и интервью с Р. А. Черноглазовой в Минске 15 сентября 2003 года, в котором та вспоминает рассказы Сары Левиной и других выживших, которые участвовали в той кампании.

[38] Интервью с Р. А. Черноглазовой. Минск, ноябрь 2004 года.

[39] Пруслина Х. М. Отчет ЦК КПБ о подпольной деятельности в годы Великой Отечественной войны (1941–1944) (рукопись в распоряжении автора). С. 10, а также [Smolar 1989: 70].

Чтобы помочь с эвакуацией детей и поиском безопасных мест в городе, представлявший гетто в горкоме Миша Гебелев связался с чиновником минской управы Василием Семеновичем Орловым, который отвечал за распределение беспризорных детей по городским детдомам. Они договорились, что к каждому ребенку, которого доставят на второй этаж в кабинет Орлова № 20 с 9:00 до 11:00, нужно относиться как к вероятному еврею, которого требуется срочно где-то разместить [Smolar 1989: 46]. Орлов давал детям русские имена и отправлял их в детдома, чьи руководители были готовы защищать еврейских детей. Когда ему становилось известно о немецких проверках, он предупреждал заведующих детдомами, чтобы они прятали детей, чье происхождение можно было распознать. Орлов и руководители приютов не вели записей о настоящих именах детей. Некоторые из них были настолько малы, когда получали русские имена в детдомах, что ничего не помнили ни о своих родителях, ни о том, как их назвали. Позднее они могли только догадываться, что, вероятно, являются евреями[40].

Впрочем, некоторым детям было достаточно лет, чтобы они помнили свои имена. Эмилия Лифшиц и ее брат Володя бежали из Минского гетто в феврале 1943 года. Так как они были евреями, люди в русском районе боялись брать их к себе. Тогда они отправились в городскую управу, потому что помнили историю о другом ребенке из гетто, которому помог попасть в белорусский детдом кто-то из горсовета. Орлов, заведовавший отделом по работе с беспризорными детьми и сиротами, спросил у Лифшицев об именах их родителей и о том, где они работали. Эмилия ответила, что их родители погибли во время бомбардировки в начале войны, и дала ложные белорусские имена. Она также сказала, что их отец работал в Минском педагогическом институте. Орлов ответил, что тоже там работал, внимательно посмотрел на детей и заметил, что не помнит человека с таким именем, которое назвала Эмилия. После войны она скажет, что Орлов, видимо, знал, кто они такие, потому что Эмилия была очень

---

[40] Интервью с Галиной, женой В. С. Орлова. Цит. по: [Розинский 2004: 50–51].

похожа на своего отца, с которым он был знаком. Орлов отправил детей в приют. После освобождения Минска он советовал еврейским детям вернуть свои настоящие имена. Эмилия и Володя были среди тех, кто последовал его совету [Розинский 2004: 15].

Орлов, судя по всему, не был членом подполья, но встречался с Хасей Пруслиной и Мишей Гебелевым, главными связными между городским подпольем и организацией гетто, чтобы обсудить варианты защиты еврейских детей в белорусских детских домах. Пруслина была выпускницей исторического факультета педагогического института, сотрудником которого был Орлов, что могло способствовать их знакомству [Розинский 2004: 52]. По словам жены Орлова, Галины, рассказавшей об этом уже после смерти мужа, директор только одного минского детдома сообщал немцам о еврейских детях. Узнав об этом, Орлов перестал отправлять детей в этот приют [Розинский 2004: 49].

Некоторые дети попадали в детдома из белорусских семей, которые больше не могли о них заботиться. Фриде Кисель было пять лет, когда она оказалась в гетто со своими родителями, Эсфирью и Давидом. Фриде, с ее светлыми волосами и серыми глазами, было проще сойти за белоруску, чем большинству здешних детей. Так как дома у Киселей говорили на русском, у нее не было выдававшего других еврейского акцента. Отец Фриды, Давид, был коммунистом и членом подполья. После ухода Смоляра в августе 1942 года он возглавил руководящую тройку организации гетто. Эсфирь, говорившая на немецком и русском, получила работу в городе, где ухаживала за собакой немецкого офицера[41]. Этот офицер жил в том же дворе, что и Мария Горохова — подпольщица, которая вывела Смоляра из гетто и укрыла его у себя в квартире. Эсфирь стала посредником между подпольными организациями города и гетто: Горохова, поговорив

---

[41] Смоляр не упоминает о том, что Давид Кисель возглавил подполье гетто осенью 1942 года, ни в одной из своих книг. Эсфирь Кисель считает, что тот специально опустил этот факт, так как вскоре после войны ее муж был арестован по обвинению в троцкизме. Он провел 15 лет в лагерях, прежде чем был реабилитирован. Интервью с Эсфирью Кисель и Фридой Аслезовой. Минск, 5 октября 1999 года и 11 сентября 2003 года.

со Смоляром, под каким-нибудь предлогом встречалась с Эсфирью во дворе и, перебросившись парой слов, передавала сообщение от Смоляра. Вернувшись в гетто, Эсфирь пересказывала все своему мужу. Аналогичным образом — через Эсфирь и Горохову — передавали сообщения от Давида Киселя Смоляру.

Эсфирь и Давид ушли из гетто в лес в ноябре 1942 года, но перед этим Эсфирь смогла договориться, чтобы Фриду взяли на попечение в городе. Ее согласилась принять знакомая Эсфири — подпольщица О. Н. Георге, работавшая врачом в минской больнице. В условленный день Эсфирь взяла Фриду с собой на работу, встретилась с Ольгой Николаевной, и та забрала девочку к себе домой. Какое-то время Фрида жила с ней и иногда даже ходила с Ольгой Николаевной на работу, помогая выносить из больницы медикаменты, которые затем отсылали к партизанам. Но в марте 1943 года Георге арестовали вместе с другими членами ее подпольной группы: во время собрания в ее квартиру ворвался немецкий офицер. Перед тем как отправиться в тюрьму, Ольга Николаевна попросила разрешения отвести Фриду к соседке. Офицер позволил ей сделать это.

Соседка отдала Фриду в детдом, где ее крестили и назвали Еленой. Бывшая соседка Киселей, знакомая с директором, сказала ему, что Фрида была еврейкой. Скорее всего, тот и так бы догадался, потому что девочка носила фамилию Ольги Николаевны, Георге, что в сочетании с ее именем наводило на определенные мысли. Заведующий заверил Фриду и других детей, которые прибыли в детдом примерно в то же время, что их скоро крестят, после чего они станут белорусами. Крещение прошло в минской церкви, где детям повесили на шеи крестики. В детдоме Фрида провела полгода. Пока она была там, в приют пришла женщина, которая до войны жила рядом с Киселями. Она узнала Фриду, после чего девочку вызвали в кабинет руководителя приюта. Там эта женщина сказала ей: «Не бойся: я не собираюсь на тебя доносить. Я буду твоей крестной». Она действительно стала крестной матерью — не только Фриды, но и всех еврейских детей, которых крестили с ней в один день. Эта женщина регулярно приносила им муку, которую добавляли в кипящую воду, чтобы приготовить жидкий мучной суп. Многие пережившие войну в Минске вспоминают, что мучной суп был основой их рациона. В военные годы в городе было так мало еды, что весной и осенью воспитанников детского дома выводили в поля, чтобы они собирали сорняки.

Через полгода после того, как Фрида попала в приют, туда пришла еще одна бывшая соседка Ольги Николаевны и попросила разрешения забрать Фриду к себе. Несмотря на то что девочке эта женщина не нравилась (как выяснится позже, она просто хотела прибрать к рукам квартиру и имущество Георге), заведующий настоял на том, чтобы она пошла с ней, потому что к тому времени сирот все чаще отправляли в Германию, что было особенно опасно для еврейских детей. Когда Эсфирь и Давид вернулись в Минск после освобождения, они нашли Фриду в квартире Ольги Николаевны — неухоженную и очень худую, но, главное, живую[42].

Из гетто в белорусский детдом попал ребенком и Давид Таубкин. Через какое-то время его перевели в другой приют, откуда он ушел за неделю до освобождения Минска. Родители Давида были высокообразованными специалистами: до вступления в Красную армию его отец работал врачом, а мать преподавала в университете сначала историю, а затем литературу. Давид рос в доме, где чаще звучал русский, чем идиш, поэтому говорил на нем свободно и без акцента. Седьмого ноября 1941 года, прямо перед первым погромом, мать отослала из дома Давида и жившего с ними Вову Гольдберга, который был старше Давида на три года, отправив их из гетто в дом, где Таубкины жили до войны. За ним по-прежнему приглядывала няня Давида, Леонарда Фердинандовна Дивалтовская. Та испугалась, что соседи могут увидеть детей и доложить немцам, и отвела их в оранжерею, в которой работала. Ночью к ним нагрянули полицейские. Дивалтовская объяснила, что работает в оранжерее, и сказала, что Давид — ее сын, а Вова — племянник. Полицейских такой ответ удовлетворил, и они ушли.

---

[42] Интервью с Эсфирью Кисель и Фридой Аслезовой. Минск, 5 октября 1999 года и 11 сентября 2003 года; интервью с Фридой Аслезовой, взятое Аникой Вальке. Минск, 9 октября 2002 года.

Рис. 16. Вера Леонардовна Спарнинг. Фото из личного архива Д. Таубкина

Когда погром закончился, мальчики вернулись в гетто. В мае или июне 1942 года 18-летняя сестра Давида, Лида, решила бежать[43]. Давида она оставила в городе с его няней, а сама ушла в лес. Дивалтовская отвела мальчика к врачу Г. Н. Лемец, которая дружила с его семьей. Дочь Лемец училась с Лидой, и до войны они часто бывали у Таубкиных дома. Лемец положила Давида в детскую больницу Минска. Через месяц она отвела его в детдом, где, по ее совету, Давиду дали русское имя Виктор Савицкий, которым он пользовался до конца войны. Когда мальчик заболел, его перевели в другой детдом, которым заведовала немка Вера Леонардовна Спарнинг. В официальных документах она пользовалась русифицированной версией своей фамилии — Спарнина (см. рис. 16).

---

[43] Мать Давида, Розалия Таубкина, была схвачена после того, как перешла за проволоку для встречи со своими русскими родственниками [Гроссман, Эренбург 2015: 163].

За неделю до прихода Красной армии Спарнинг предупредила Давида, что детей могут отправить в Германию, и он ушел из приюта, отправившись в свой старый дом, где стал жить с няней. Там его вскоре после освобождения Минска и нашел вернувшийся в город отец. По оценкам Давида, на момент окончания оккупации в детдоме, которым заведовала Спарнинг, было около 100 детей, из которых, как он вспоминал после войны, примерно 22 считали себя евреями. Сама Спарнинг всегда говорила немцам, что в ее учреждении нет евреев. Но в послевоенной переписке с Таубкиным она недвусмысленно дала понять, что знала о еврейском происхождении своих подопечных[44].

Детдом № 7, которым заведовала Спарнинг, был одним из двух подобных учреждений, переданных немцами под попечительство А. М. Кецко, пресвитера, то есть священника Минской церкви евангельских христиан-баптистов. С прибытием немцев многие религиозные лидеры стали возрождать общины, запрещенные при советской власти. Кецко связался примерно с 20 семьями евангельских христиан-баптистов и подал прошение о создании церкви в Минске. Его общине выделили здание прямо напротив гетто, на пересечении улиц Островского и Немига. Позже Кецко вызвали на совещание с Вацлавом Ивановским, старостой городской управы. Как и многие другие чиновники, Ивановский служил еще при советской власти и продолжил службу при немцах. Он сказал Кецко: «В Минске насчитывается более 600 детей, оставшихся без родителей. Среди них много еврейских детей... Нам нужно спасти их жизнь». Этот разговор состоялся в начале войны, со временем сирот становилось только больше.

Ивановский сказал Кецко, что религиозным общинам в Минске поручено взять на себя заботу о детских домах, включая обеспечение провизией. Католическая и Русская православная церкви, по его словам, взяли под свое крыло по два приюта, так же следовало поступить и церкви евангельских христиан-бапти-

---

[44] Интервью с Давидом Таубкиным. Петах-Тиква, Израиль, 6 ноября 2000 года. См. также [Таубкин 2005].

стов. Кецко был назначен ответственным за детдом № 7, которым заведовала В. Л. Спарнинг, и детдом № 2, заведующим которого была М. И. Воронич[45]. Как пресвитер, Кецко часто путешествовал по Белоруссии для проведения богослужений. По окончании службы он просил прихожан жертвовать еду и одежду для сирот в детских домах и обнаруживал, что многие откликаются на его мольбы. В деревнях, где люди сами выращивали урожай, еды было больше, чем в городе, и многие крестьяне были готовы помочь минским сиротам[46]. Жители Минска тоже знали о голодавших сиротах и приходили в детские дома, беря на себя покровительство над отдельными детьми, как правило, теми, кого они уже знали. В своих мемуарах Кецко писал, что многие минчане узнавали детей из еврейских семей, с которыми были соседями до войны, и заботились о них, принося им еду. Но у такой щедрости, к сожалению, были пределы, вызванные, вероятно, страхом. В одном из детских домов было пять девочек, по лицам которых было сразу понятно, что они еврейки. По словам Кецко, никто так и не вызвался быть их покровителем[47].

Немцы иногда устраивали внезапные проверки детдомов, пытаясь найти в них еврейских детей. Кецко, Спарнинг, Воронич и Яков Рапецкий, еще один евангелистский священник, работали вместе, чтобы защитить в своих приютах таких детей[48]. В этом им помогал работавший в комендатуре немецкий офицер Герхард Крюгер, который тоже был священником из евангельских христиан-баптистов и регулярно посещал службы Кецко, где они и познакомились. Кецко свел их с Рапецким, с которым Крюгер

---

[45] «Из жизни и деятельности Антона Митрофановича Кецко», рукопись воспоминаний Кецко. С. 37 // Архив Белорусского государственного музея истории Великой Отечественной войны. N/V 24487.

[46] Интервью с Г. А. Казак и Л. А. Вашкевич (дочерями А. М. Кецко). Минск, 19 сентября 2003 года.

[47] «Из жизни и деятельности Антона Митрофановича Кецко». С. 37 [лицевая сторона].

[48] Звание Праведника народов мира присвоено Спарнинг по инициативе Давида Таубкина, воспитанника ее детдома, в 2001 году, Воронич — в 2005 году. — *Примеч. ред.*

поддерживал контакт, когда Кецко уезжал из Минска. Спарнинг сделала связной Веру Иванову — одну из своих подопечных, белорусскую девочку, которой было около 10 лет. Два-три раза в неделю она посылала Веру в церковь Кецко или домой к Рапецкому, а девочка возвращалась с запиской, в которой была последняя информация от Крюгера[49].

Для защиты детей Кецко, Рапецкий и заведующие детдомами использовали самые разные способы: им выдавали свидетельства о рождении с русскими именами, крестили, вешали на шеи крестики, учили молиться. Одним из главных признаков, на который обращали внимание немецкие инспекторы, были темные волосы: у белорусских детей они были светлыми или темно-русыми. Решение нашлось ввиду повсеместной проблемы вшей: темноволосым еврейским детям брили головы, как и тем, у кого они действительно были.

Детей обычно досматривали на улице, возможно из-за боязни немцев подхватить тиф или другую болезнь. Всех подопечных, за исключением тех, кого приходилось прятать, выводили из здания и ставили в ряд, а стоявшие в отдалении немцы их пересчитывали. Перед проверками тех пятерых девочек, в которых, несмотря на обритые головы и крестики, все равно могли признать евреек, выводили из детдома и прятали в другом месте. Но немцы знали, сколько детей должно быть в приюте, и непременно заметили бы их отсутствие, поэтому Кецко приводил на проверки двух своих дочерей, а также трех дочерей своего соседа. Их переодевали в лохмотья, которые носили сироты, и ставили в общий ряд. Для девочек, которыми подменяли евреек, это была игра. Старшая дочь Кецко, Лида, которой было семь лет, когда пришли немцы, позднее вспоминала, что только после войны поняла всю опасность, потому что отец никогда не преподносил это таким образом, хотя и говорил, что́ отвечать на вопросы немцев. На самом деле, если бы немцы поняли, что их пытаются провести, арестовали бы и девочек, и их родителей, и заведующую детдомом

---

49 Интервью с В. С. Барановым. Минск, 9 декабря 2006 года. Баранов был воспитанником детдома Спарнинг.

Воронич, а потом, несомненно, всех бы казнили[50]. Согласно мемуарам Кецко, написанным после войны, в обоих приютах в общей сложности содержалось 126 детей, 72 из них были евреями. Все они пережили войну[51].

После распада СССР дочери Кецко подали прошение о посмертном признании их отца Праведником народов мира[52]. Ходатайство было поддержано многими евреями, пережившими войну в детских домах, которые он курировал. В некоторых из этих свидетельств упоминается и о вкладе в их спасение других людей[53]. Так, Идиана Липович писала:

---

[50] Интервью с Г. А. Казак и Л. А. Вашкевич (дочерями А. М. Кецко). Минск, 19 сентября 2003 года. Галина родилась уже после войны. Третья из сестер Кецко, Валентина, стояла в том ряду вместе с Лидией. Теперь живет в Вильнюсе. В интервью не участвовала.

[51] Цифры взяты из воспоминаний Кецко, см.: «Из жизни и деятельности Антона Митрофановича Кецко». С. 37 [лицевая сторона]. В справке за подписью Спарнинг, сохранившейся у Л. А. Вашкевич, говорится, что в детдоме было 70 воспитанников, 35 из которых были евреями. Цитируется письмо от Крюгера одному из выживших воспитанников, в котором тот пишет, что ему была поручена проверка деятельности евангельских общин. В двух детдомах под шефством Кецко и Рапецкого он обнаружил 126 детей, 73 из которых были евреями. По словам Крюгера, он не стал сообщать об этом немецким властям, см. [Розинский 2004: 12]. Кецко также очень кратко описывает, как он и заведующие детдомами защищали еврейских детей, что совпадает с более подробным рассказом его дочерей.

[52] Звание Праведника народов мира присвоено А. М. Кецко в 2005 году. — *Примеч. ред.*

[53] После войны Кецко был арестован и провел в заключении семь лет. Р. А. Черноглазова сказала мне, что причиной ареста стала статья, в которой Кецко написал, что при нацистах было больше религиозной свободы, чем при советской власти (Интервью. Минск, 23 августа 2002 года). В. С. Баранов рассказал, что Спарнинг тоже была арестована по обвинению в евангелизации детей в годы войны (Интервью. Минск, 9 декабря 2006 года). Но воспитанники ее детдома написали коллективное письмо в ее защиту, и обвинения были сняты. Уже после распада Советского Союза Спарнинг, которая на тот момент была в преклонном возрасте, сказала Баранову, что спасать еврейских детей им помогал один немец. Баранов объяснил, что, если бы об этом стало известно раньше, Спарнинг непременно угодила бы в тюрьму, поэтому она хранила этот секрет почти до самой смерти.

> В сентябре 1943 года родители моей довоенной однокласс-
> ницы, Раисы Кирилловны Семашко, у которых я пряталась
> в подвале во время погромов в Минском гетто, через го-
> родскую администрацию отправили меня в детский дом
> № 2... Помимо меня, там было 45 еврейских детей... Свя-
> щенник евангельской церкви А. М. Кецко приходил с едой,
> чтобы накормить нас, голодающих детей. Он знал, что
> в этом детдоме есть евреи, и делал все возможное, чтобы
> нас спасти[54].

Лидию Александровну Компанец-Петрову вывела в город
женщина, которую она увидела, когда та покидала гетто с тремя
другими детьми. Лидия, которой было три года на начало войны,
а тогда, наверное, уже исполнилось четыре или пять, просто
ухватилась за подол ее юбки, вцепившись в него с такой силой,
что женщина забрала ее с остальными. Сначала девочку разместили в детдоме № 2, а затем перевели в детдом № 7. «Воспитате-
ли подписывали свидетельства, скрывавшие нашу национальность», — вспоминала она[55].

Мы никогда не узнаем, сколько именно еврейских детей вы-
жило в детдомах Минска: вернувшиеся в город советские чиновники не собирали такой информации. Даже если бы они попытались, результаты все равно были бы лишь приблизительными:
многие дети не помнили, откуда они и кем были их родители.
Но даже имеющихся у нас обрывков информации о подпольной
кампании по спасению из гетто детей и роли в ней детских домов
достаточно, чтобы сказать, что таким образом были спасены
сотни жизней. Без совместной работы еврейской и белорусской
подпольных организаций, а также помощи белорусов, не состоявших в подполье, это вряд ли стало бы возможным.

---

[54] Заявление Идианы Липович, урожденной Борщовой, от 18 сентября 1997 года. Имеется в распоряжении Г. А. Казак.

[55] Заявление Л. А. Компанец-Петровой, имеется в распоряжении Г. А. Казак.

СОПРОТИВЛЕНИЕ И ПОДДЕРЖКА
В ДРУЖЕСКОМ КОЛЛЕКТИВЕ

Когда началась война, трое из пяти членов семьи Цукерман: 18-летняя Люся (Любовь), ее 14-летняя сестра Роза и их отец — находились в Минске. Леня, брат-близнец Люси, служил в Красной армии на востоке, а мать девочек отправилась проведать брата и его семью в соседний Новогрудок. Она позвонила и сказала, что садится на поезд, чтобы вернуться домой; муж и дочери решили ее дождаться вместо того, чтобы бежать на восток, как многие другие. Но ожидание оказалось напрасным. Поезд повернул на восток и не стал останавливаться в Минске. Так их мать оказалась в России, где и провела всю войну. Вскоре сестры Цукерман были вынуждены переселиться в гетто вместе с отцом. Там к ним присоединились их дядя Борис и его сын Леня, бежавшие из Новогрудка, где все знали, что Борис — коммунист. Они не только поселились в гетто с родственниками, но и взяли себе фамилию Цукерман, чтобы их не раскрыли.

До войны Люся и Роза были частью сплоченного коллектива друзей, в основном состоявшего из одноклассников Люси. В эту группу, помимо них, входили Лиля Файн, Лиля Глейзер и Ольга Симон. Лиля Файн и Лиля Глейзер были еврейками, Ольга Симон — украинкой. Она приехала в Минск со старшей сестрой Варварой, чтобы помочь ей с двумя маленькими детьми. Когда началась война, мужа Варвары мобилизовали, он ушел с Красной армией на восток[56].

Много лет спустя Ольга, учившаяся в одном классе с Люсей, писала об этой компании:

> Мы были очень дружны, хотя Роза и была младше. У Люси
> с Розой был брат, близнец Люси, к нему часто мальчики
> приходили, и нам тоже очень нравилось у них бывать. Был

---

[56] Следующий рассказ основан на интервью с Р. Е. Зеленко (Минск, 10 июля 2000 года) и Л. Е. Цукерман (7 июля 2000 года), а также их совместном интервью (Минск, 14 сентября 2003 года). См. также воспоминания О. Д. Глазебной (Симон) в [Аркадьева и др. 2001: 26–31].

у Цукерманов и патефон какой-то, мы танцевали. Жили они
на площади Свободы, от нас недалеко, транспорта тогда
никакого не было, и мы бегали друг к другу. Так мы весело
и дружно все жили. Никто и не задумывался, что тот украинец, а тот еврей. Даже не имели понятия никакого об этом
[Аркадьева и др. 2001: 26–27].

Сестры Цукерман, с которыми мы общались спустя десятилетия после войны, были с ней согласны. «Мы даже не замечали,
кто был евреем, а кто нет, — говорила Люся. — Ольга приходила
к нам как к себе домой, мы учились вместе в школе, никакой
разницы не было». Роза добавляла:

Может, у правительства и было какое-то особенное отношение к евреям, но для нас, детей, не было никакой разницы,
наши родители без вопросов принимали всех наших друзей,
и их родители делали так же. [Это потом] Сталин подхватил
идею Гитлера и стал отправлять людей в лагеря, но мы ничего об этом не знали. Жизнь была прекрасна[57].

Когда началась война, Ольга Симон ушла с Варварой и ее
детьми из Минска, около месяца они жили в деревне. По возвращении Ольга не могла найти своих друзей и спросила у одноклассника, с которым случайно встретилась на улице, где они.
Он назвал улицы внутри гетто. Ольга спросила, почему они
переехали. «В смысле — почему? Они же евреи», — ответил тот
и объяснил, что немцы создали гетто и приказали всем евреям
туда переселиться. Ольга впервые осознала, что большинство ее
одноклассников и друзей были евреями. Она стала навещать их
в гетто, раздвигая руками проволоку, чтобы пролезть. Как она
писала, поначалу необходимость пробираться через колючую
проволоку, чтобы увидеться с друзьями, казалась ей скорее
странной, чем страшной. Погромы в гетто еще не начались, и, как
и многие минчане, Ольга думала, что немцы скоро уйдут, жизнь
вернется в нормальное русло. Роза и Люся тоже стали выбирать-

---

[57] Интервью с Р. Е. Зеленко и Л. Е. Цукерман. Минск, 14 сентября 2003 года.

ся из гетто, чтобы увидеться с Ольгой. Они выходили с рабочей колонной, срывали с одежды желтые латы, выскальзывали из строя и шли к дому Симон, а потом таким же образом возвращались в гетто.

Ольга и сестры Цукерман поддерживали связь и с другими своими подругами, Лилей Файн и Лилей Глейзер, которые тоже оказались в гетто. Файн была блондинкой, волосы Люси были светло-русыми, и ни одна из них не была похожа на типичную еврейку, поэтому они выходили из гетто чаще остальных. По той же самой причине мама Лили Глейзер, Даша, осталась жить в городе: по ней нельзя было сказать, что она еврейка. Она тоже продолжала общаться с девочками, включая Ольгу, единственную из подруг, которая жила за пределами гетто. Ольга познакомила Дашу с Варварой, своей сестрой, и женщины стали ходить по деревням в окрестностях Минска, обменивая вещи на еду. Часть еды Ольга относила своим подругам в гетто. Пока Варвара и Даша ходили по деревням, они также пытались связаться с партизанами.

До войны семья Лили Файн жила по соседству с медсестрой Ольгой Щербацевич, работавшей в одной из минских больниц. Лиля была близка и с ней, и с ее семьей, сестры Цукерман тоже знали Щербацевичей, и не только через Лилю, но и потому, что сын Ольги, Володя, был Люсиным одноклассником. Как-то раз, уже после создания гетто, Ольга Симон и Лиля Файн пришли повидаться с Ольгой Щербацевич. Та рассказала им, что в больнице, где она работала, содержатся военнопленные, а она помогает им бежать к партизанам. Щербацевич попросила девушек принести ей гражданскую одежду, если такая найдется в гетто. Симон и Файн рассказали об этом сестрам Цукерман и Лиле Глейзер, и сестры вместе с двумя Лилями стали собирать в гетто одежду. Они забирали вещи из пустых домов, жители которых были убиты. Тем, кому можно было доверять, девушки прямо говорили, что ищут одежду для военнопленных, чтобы те могли уйти к партизанам, и люди отдавали свои старые вещи, которыми могли пожертвовать. Затем в гетто пришла Ольга Симон с мешками из-под муки и других продуктов и отнесла собранную одежду Щербацевич, которая, как надеялись девушки, однажды сможет вывести военнопленных из гетто. Щербацевич действительно успешно переправила одну группу военнопленных к партизанам, но затем стала жертвой предательства; 26 октября 1941 года вся семья Щербацевичей, включая Ольгу и ее сына Володю, была публично повешена в Минске.

Ольга Симон продолжала приходить в гетто, а сестры Цукерман и обе Лили — навещать ее. Они приходили к Ольге, когда хотели помыться, и могли оставаться у нее по несколько дней, когда в гетто поступали предупреждения о предстоящих погромах. Хотя соседи Ольги видели, что к ней часто приходили гости, которых становилось больше, когда в гетто было неспокойно, и они не торопились возвращаться, никто не донес на нее оккупационным властям, даже полицейский, который жил в том же доме. Иногда Люся и Роза приносили с собой одежду и другие вещи и обменивали их у Варвары на еду, которую затем относили обратно в гетто.

Однажды младшая дочь Варвары и племянница Ольги заболела бронхитом, Варвара в поисках лекарства отправилась в гетто. Там она встретилась с бывшей соседкой, Ривой Вишневецкой, которая пообещала ей достать нужные препараты. Пока она передавала их Варваре, в гетто произошел погром. Вернувшись на следующий день, Вишневецкая обнаружила, что вся ее семья была убита. Она отправилась обратно на квартиру к Ольге и Варваре и прожила там два следующих года. Ольга и Варвара представляли ее своей двоюродной сестрой. В конце концов Риву узнал человек, служивший у немцев, с которым она столкнулась на улице. У сестер Симон был друг в Вильнюсе, холостяк, которому они предложили взять Риву в жены, чтобы вывезти ее из Минска. Туда ее отправили с другим знакомым, который как раз ехал в Вильнюс на телеге. Вскоре после этого Вишневецкая вышла замуж. Мать Лили Глейзер, Даша, тоже иногда оставалась у сестер Симон. Но у нее было много друзей и знакомых в городе, так что она ночевала и у других.

В своих воспоминаниях Ольга Симон писала:

> В апреле 1997 года мне было присвоено звание Праведника народов мира. Я горжусь этим, но не считаю то, что мы делали с сестрой, героизмом. Мы просто помогали людям вне зависимости от их национальности. Если бы до войны у меня не было еврейских друзей, если бы у меня не было знакомых евреев, возможно, мы бы никого не спасли. Мы помогали только своим друзьям и знакомым [Аркадьева и др. 2001: 31].

Из этой компании первыми покинули гетто Люся Цукерман и Лиля Глейзер. Варваре Симон, пока она ходила по деревням под Минском, удалось вступить в контакт с партизанами. Вместе с Дашей Глейзер они решили отправить к ним ее дочь, Лилю, и Люсю Цукерман. Выбор пал на Люсю, а не на Розу, потому что из-за более светлых волос и кожи ей было проще выдать себя за нееврейку. Ближе к концу марта 1943 года Люся и Лиля покинули гетто и остались на ночь у Ольги Симон. Варвара сказала, что они смогут найти партизан в районе деревни Заречное, а Даша объяснила, где девушки могут сесть на грузовик, который ехал из Минска в том направлении и вез женщин, чтобы те обменяли в деревне вещи на еду. Люся и Лиля благополучно сели в грузовик, но его остановил немецкий жандарм для проверки документов, которых у девушек не было. К счастью, внезапно началась гроза, жандарм решил проверить только водителя, после чего пропустил машину. Девушки добрались до деревни, нашли партизанский отряд, про который им говорили, и вступили в него. Через некоторое время отряд разделился, и Лиля отправилась с новым подразделением на запад, а Люся осталась на старом месте, где она была поваром и медсестрой. Она была единственной еврейкой в отряде, но, судя по ее послевоенному интервью, у нее никогда не было из-за этого проблем, отношение к ней было таким же, как и к другим.

После освобождения Люся вернулась в Минск. Она пыталась найти Ольгу Симон, но оказалось, что та ушла из города. Однако соседка Симон узнала в ней Ольгину подругу и приютила у себя.

По словам Люси, другие соседи тоже легко ее приняли и хорошо к ней относились[58].

После ухода Люси и Лили к партизанам в гетто еще оставались Роза Цукерман и Лиля Файн. К тому времени семьи Цукерман и Файн уже жили в одной квартире, Лиля с Розой были практически неразлучны. Роза, ее дядя Борис и племянник Леня работали на фабрике «Октябрь», где делали обувь для немецких солдат. Борис и Леня приходили на работу в изношенных ботинках, оставляли их, надевали сделанные на фабрике ботинки и так проносили в гетто новую обувь. Они продали несколько пар, а на вырученные деньги купили пистолеты в надежде уйти с ними к партизанам.

Лиля периодически уходила из гетто в поисках еды, полагаясь на свою способность сойти за неееврейку. Однажды к Розе, которая ждала ее возвращения из города, подошел сосед и сказал: «Вашу Лилю застрелили на еврейском кладбище». Лилю остановили в городе и потребовали документы, которых у нее не было. Она призналась, что была еврейкой, и ее увели в минскую тюрьму, где запихнули в грузовик, на котором пойманных в городе евреев отвозили для расстрела на кладбище на окраине гетто. В открытом кузове этого грузовика ее и увидели люди: она была по-прежнему одета в пальто Розы и от страха била себя по груди. Роза неделю оплакивала свою подругу. Она считала себя виновной в ее смерти, потому что незадолго до этого к Лиле приходила подруга ее старшей сестры (врач, служившая в Красной армии) и предлагала спрятать ее у себя. Лиля сказала, что не уйдет без Розы, но женщина не могла принять их обеих, и Лиля осталась в гетто.

В конце октября 1943 года в гетто пришли немцы, чтобы его уничтожить. Выйдя из туалета во дворе и обнаружив, что все куда-то исчезли, Роза поняла, что сейчас начнется погром, и побежала к дому, в котором, как она знала, ее дядя Борис и Леня помогали копать малину. Девушка лихорадочно стучала в подвальное окно. Никто не ответил. Тогда она закричала, что знает, что кто-то есть внутри, и сдаст всех, если они ее не впустят. От-

---

[58] Интервью с Л. Е. Цукерман. Минск, 7 июля 2000 года.

крылось окно, и мужчина затащил Розу внутрь. В подвале оказался вырыт погреб, вход в который закрывал ящик с песком на колесах, чтобы можно было сдвинуть его в сторону. Спустившись, Роза нашла в погребе Бориса с Леней и еще примерно 30 человек. Когда начался погром, они услышали, как в дом вломились люди, а затем голоса литовских полицейских в подвале у себя над головой. Литовцы обнаружили вход в погреб, но у них не было времени лезть внутрь, так что они просто завалили его сверху и ушли. Когда полицейские были в подвале, в малине начала плакать трехлетняя девочка. Пытаясь унять ребенка, кто-то зажал ей нос, и девочка умерла.

Люди провели в малине несколько дней, а потом мужчины начали рыть тоннель на поверхность. Когда он был готов, Леню отправили к Ольге, чтобы попросить о помощи и сообщить, что Роза тоже была в укрытии. Леня вернулся с едой и молоком и сказал, что Ольга хотела, чтобы Роза перебралась к ней, а за остальными позже придет кто-то другой. Борис помог Розе выбраться из малины, потому что после стольких дней без еды и свежего воздуха она не могла сделать это самостоятельно. Когда Борис, Роза и Леня оказались снаружи, на улице была кромешная тьма. Роза была настолько слаба, что ей приходилось ползти. Они направились к дому в гетто, в котором им было сказано ждать. Когда начало светать, появилась Варвара, они вместе отправились в деревню Старое Село, расположенную на партизанской территории примерно в 20 км от Минска. Варвара, которая к тому времени уже знала, как обходить немецкие блокпосты, захватила с собой соль и самогон. С помощью этих взяток они и добрались до деревни, где встретились с представителями разных партизанских отрядов. Леня и Борис, у которых с собой были пистолеты, стали бойцами.

Роза провела остаток войны, ухаживая за ранеными в партизанском госпитале. Перед самым освобождением Минска Борис был убит в сражении с немцами, Роза и Леня пережили войну. Роза вернулась в освобожденный Минск и нашла свою сестру Люсю сразу после ее возвращения из другого партизанского отряда[59].

---

[59] Интервью с Р. Е. Зеленко. Минск, 10 июля 2000 года.

СПАСЕНИЕ СОВЕТСКИХ ГРАЖДАН

В Минске существовала как минимум одна подпольная ячейка, которая ни разу не вступала в контакт с большим подпольем и действовала самостоятельно, пока ее члены не ушли в лес. Алексей Васильевич Черненко служил в Красной армии, но остался в Белоруссии после вторжения немцев и отступления своего полка. Черненко оказался в деревне, где познакомился с человеком, который сказал ему, что он коммунист. Черненко признался, что тоже является коммунистом, и они решили вместе отправиться в Минск, найти других коммунистов и организовать подпольную группу. Прибыв в столицу, они действительно создали группу, которая, судя по всему, состояла из трех мужчин и двух женщин, и приступили к подпольной работе.

Бо́льшая часть мемуаров, которые Черненко написал сразу после войны, посвящена как раз описанию этой деятельности. В первом разделе рассказывается о пропагандистской работе группы, о том, как ее члены писали и распространяли листовки, рассказывающие об успехах Красной армии, и разговаривали с местными жителями, чтобы убедить их выступить против немцев. Второй раздел с заголовком «Спасение советских граждан» посвящен тому, как они спасали жизни евреев[60].

Черненко пишет, что по прибытии в Минск он встретил еврейку, доктора Ляховскую, которая рассказала ему о создании гетто и об ужасных условиях, в которых жили евреи, а также о погромах, которые периодически устраивали немцы. Черненко и его товарищи решили прятать у себя во время погромов жителей гетто, прежде всего детей, а также заняться изготовлением фальшивых паспортов и передавать их с едой евреям. Черненко приводит имена детей, которых он и члены его группы укрывали в своих домах, и упоминает девочку Еву Кауфман, которая провела в одной из их квартир около года. Изготовлением фальшивых паспортов руководил сам Черненко. Один из них достался Кауф-

---

[60] Воспоминания А. В. Черненко, написанные в январе 1945 года // НАРБ. Ф. 4. Оп. 33а. Д. 659.

ман, еще 10 паспортов переправил в гетто кто-то из его товарищей. Другой пронес примерно столько же, но Черненко не приводит точных цифр. Члены группы помогали с продуктами еврейской женщине-врачу, которая пряталась в городе с детьми, а Черненко носил еду евреям, работавшим в мастерской за пределами гетто. Одна из женщин в группе также подкармливала евреев, которые работали рядом с ее домом. Черненко пишет: «Помогать евреям было очень трудно, потому что немцы убивали тех, кто это делал. Но мы рискнули своими жизнями и спасли [доктора] Ляховскую, [ее сына] Виктора, Нину Умань, Беллу Шилену, Этика Шайкова, Рому Яколича и Арика Шарило».

Зимой 1943 года Черненко ушел к партизанам. Его группа никогда не вступала в контакт с подпольной организацией Минска; с самого начала и до конца она действовала независимо. Никто не отдавал приказов этим молодым людям, и никто им ничего не обещал.

К сожалению, мемуары Черненко скупы на подробности: мы не знаем ни того, как члены группы нашли этих людей, ни того, как их выводили из гетто, ни того, куда они шли после пребывания у подпольщиков. Но одно совершенно ясно: оказавшись на оккупированной немцами территории, Черненко поступал так, как, по его мнению, должен был поступать любой коммунист. В его представлении коммунист, очевидно, был готов рисковать своей жизнью ради спасения евреев — советских граждан.

Глава 6
Уход к партизанам

Главной целью подпольной организации гетто была отправка в лес как можно большего числа евреев. К этому же стремились и многие жители гетто, не связанные с подпольем. Такое совпадение целей обеспечило подпольщикам широкую поддержку внутри гетто. Приоритетом городского подполья была поддержка действовавших в районе Минска партизанских отрядов, а партизаны нуждались в снабжении и добровольцах, способных сражаться. Первому были рады всегда, и городские подпольщики часто помогали перевозить грузы, поступавшие из гетто; второе же требовало переговоров. В первые год-полтора войны партизанам в лесах приходилось думать больше о собственном выживании, чем о столкновениях с немцами. Новые люди значили новые рты, которые нужно кормить, и более высокий спрос на оружие, которого и так не хватало, если только добровольцы не приносили его с собой.

Обращение немцев с военнопленными стало толчком к созданию партизанских отрядов на территории Белоруссии. Когда Германия вторглась в Советский Союз, сотни тысяч солдат оказались отрезанными от отступающей Красной армии, угодив в ловушку на оккупированной территории. Особенно много солдат попало в окружение в окрестностях нескольких городов, включая Минск. Среди тех, кому не удалось отступить со своими частями, распространились слухи, что их могут казнить, если поймают; если нет, точно отправят в лагеря для военнопленных, условия в которых были настолько плохими, что многие заключенные умирали. Тысячи солдат спрятались в деревнях, делая все возможное, чтобы смешаться с местным населением; некоторые решили укрыться в Минске. Для этого требовалось найти гражданскую одежду, работу и надеяться, что никто из местных не упомянет о чужаках в разговоре с немецкими солдатами или полицейскими, поэтому большинство красноармейцев предпочли уйти группами в леса, чтобы выжить и по возможности пробиться к линии фронта; если не выйдет, продолжить борьбу на оккупированных территориях.

Весной и летом 1942 года прежде практически автономные партизанские отряды стали объединяться в единое движение под руководством советской власти. Многие из них перешли от того, что поначалу было скорее пассивным существованием, к вооруженным столкновениям с немецкой армией. К тому времени значительные территории в белорусских лесах перешли под партизанский контроль; некоторые районы ночью были под контролем партизан, а днем — немцев. Немецкие солдаты обычно избегали областей, подконтрольных партизанам, и не бросали вызова их ночной власти из страха за свои жизни. Но во второй половине 1942 года они стали пытаться вернуть эти территории под свой контроль, устраивая блокады, в ходе которых большое число солдат окружали партизанский район и продвигались к центру, убивая всех партизан на своем пути. Тем приходилось учиться прятаться под водой, в болотах и дышать через соломинки или прорываться через немецкие линии, чтобы выйти из окружения. Кроме того, во время таких блокад немцы сжигали деревни, чтобы лишить партизан их опорных баз.

В 1943 году блокады стали происходить все чаще. Были уничтожены сотни селений, а их обитатели убиты. В некоторых случаях немцы собирали жителей деревень на партизанских территориях, силой загоняли их в сараи и поджигали. Оккупанты практически не пытались заручиться поддержкой белорусских крестьян и считали любой намек на сотрудничество с партизанами, даже если оно было вынужденным, достаточным основанием для уничтожения целых общин.

Партизаны тоже убивали тех крестьян, которых считали своими врагами, но такое случалось относительно редко. В целом же они пытались привлечь их на свою сторону.

В первые дни вторжения некоторые крестьяне приветствовали немцев, думая, что под их властью им будет лучше, чем при Советах. Но лишь немногие из них испытывали ярую враждебность к советской власти, которую, возможно, ожидали увидеть немцы, столкнувшись с ней среди украинских крестьян. Война, которую советское руководство вело с кулаками, и вызванный ею голод затронули Украину, но не Белоруссию. В Белоруссии никогда не было такого количества зажиточных крестьян; к началу советского периода большинство живших в сельской местности белорусов были очень бедными и питались в основном тем, что выращивали на собственных небольших земельных участках. Мало кто из них восторгался советской властью, но и ненависти к ней они не испытывали. В первый год войны белорусские крестьяне в большинстве своем сохраняли нейтралитет. Но по мере нарастания немецкой жестокости росла и ненависть белорусов к оккупантам[1].

Отчасти именно в ответ на участившиеся немецкие атаки поначалу автономные партизанские отряды стали постепенно сливаться в единое движение. Но прежде всего это произошло в результате усиления советского контроля. С самого начала войны советское руководство подчеркивало необходимость организованного партизанского движения: в Москве был создан Центральный штаб партизанского движения, а П. К. Пономаренко, первый секретарь ЦК КПБ, бежавший из Минска с другими белорусскими лидерами в первые дни войны, был произведен в генерал-лейтенанты и стал его начальником. Призыв к формированию партизанских отрядов перекликался с советской и (шире) российской историей. Партизаны помогли изгнать

---

[1] Интервью с Михаилом Трейстером и Михаилом Канторовичем. Минск, 17 сентября 2003 года; интервью с Михаилом Трейстером. Минск, 20 сентября 2003 года. И Трейстер, и Канторович рассказывали об отношении крестьян в районах, где они были партизанами, к СССР и немцам. В отдельном интервью Трейстер объяснил разницу между острой враждебностью украинских крестьян и гораздо более спокойным отношением белорусских сельчан к советской власти тем, что последние в большинстве своем были невероятно бедными: в Белоруссии не было аналога украинского класса кулаков, уничтожение которых являлось целью советской коллективизации.

Наполеона из России в 1812 году и сыграли важную роль в Гражданской войне 1918–1921 годов.

В Белоруссии, как и в других частях Советского Союза, считалось само собой разумеющимся, что партизаны будут участвовать в защите родной земли наравне с регулярной армией. Предполагалось, что в первые месяцы войны разрозненные партизанские отряды постепенно наладят связь с советским руководством, после чего советское партизанское движение будет только расти. В реальности почти весь первый год войны власти пытались наладить контакт и взять под свой контроль партизанские отряды, действовавшие вблизи линии фронта, а партизаны в более отдаленных районах вроде окрестностей Минска были предоставлены сами себе.

Весной 1942 года в глубине оккупированной белорусской территории, на Любанских болотах, более чем в 100 км к югу от Минска, был образован партизанский командный центр. Были созданы региональные и межрегиональные штабы. Советское руководство стало поставлять партизанам оружие и другие предметы снабжения и направлять их деятельность в более-менее единое и подконтрольное себе русло. Партизанские отряды получили двойную командную структуру: в каждом, помимо военного командира, появился назначенный партией политический комиссар.

Советская власть энергично взялась за расширение партизанского движения: уже существующие отряды делились, новые создавались с нуля; 1943 год стал для движения годом взрывного роста. Помимо евреев из Минского гетто и других мест, к партизанам все чаще присоединялись белорусские граждане, особенно молодые мужчины, бежавшие от немецкого насилия в деревнях и облав в городах и поселках, где немцы собирали молодежь, чтобы отправить на работу в Германию. Белоруссия с ее необъятными лесами и все более расположенным к партизанам населением стала центром советского партизанского движения (см. карту 3). Некоторые партизанские базы находились в сосновых борах, которые пугали немцев, но были хорошо знакомы белорусам и относительно удобны для передвижения. Другие были расположены в пущах — на огромных участках густого реликтового леса. По мере роста советского контроля партизаны становились все дисциплинированнее, хотя во время войны были и случаи, когда они грабили и убивали тех, кто хотел к ним присоединиться. Усилия советского командования по расширению партизанского движения сыграли на руку подполью гетто, которому раньше приходилось конкурировать с другими организациями за очень ограниченное число мест в партизанских отрядах.

После войны Гирш Смоляр вспоминал свои разговоры с другими евреями-партизанами, включая бывших лидеров подполья гетто, например Хасю Пруслину и Бориса Хаймовича, а также бывших связных. Все сходились во мнении, что более чем 10 000 евреев из гетто удалось добраться до леса и вступить в партизанские отряды. По его словам, около 5 400 из них вернулись в Минск в конце войны, остальные погибли во время боевых действий[2]. В другой своей работе Смоляр отмечает, что общее количество евреев, покинувших гетто в организованных подпольем группах, не превышало 2 000[3]. Большинство из приблизительно 8 000, добравшихся до партизан без помощи подпольщиков, бежали из гетто весной и летом 1943 года, когда многие отряды стали снабжаться советским оружием и брать добровольцев. Некоторые отряды в Старосельском лесу и Койдановском районе охотно принимали беженцев из гетто.

Даже те, кто самостоятельно бежал из гетто, пользовались при этом косвенной помощью подполья, а также (в большинстве случаев) белорусов. Они следовали маршрутами, проложенными совместными усилиями подпольных организаций города и гетто, вступали в отряды, контактировавшие с подпольем, часть из которых имела настолько прочные связи, особенно с организацией гетто, что отправляла туда и в окружающие Минск деревни своих связных, чтобы те приводили к ним евреев. Дорога из

---

[2] Стенограмма интервью с Гиршем Смоляром, апрель 1972 года // Yad Vashem Archives. 03/3605. P. 61.

[3] Смоляр Г. Население Минского гетто в борьбе против немецких захватчиков (неопубликованная рукопись). С. 16–17.

гетто в лес была куда опаснее для тех, кто уходил из гетто самостоятельно, а не в составе групп, которые отправляло подполье. По оценкам выживших, добраться до цели удавалось лишь одному из трех или четырех беглецов. Большинству из них на этом пути помогали один или несколько белорусов.

КАК ПОДПОЛЬЩИКИ УХОДИЛИ В ЛЕС

Согласно информации, полученной подпольем гетто от юденрата, по состоянию на март 1942 года около 4 000 евреев покинули Минское гетто либо в составе групп, организованных подпольем, либо частным образом, как выражались сами подпольщики[4]. Правда, первые такие группы были созданы не по инициативе подпольной организации, которая тогда только формировалась, а благодаря контактам действовавшей в гетто ячейки, в которую входили Нехама Рудицер, ее родственники, друзья и Борис Хаймович, с подпольщиками в русском районе, включая скрывавшихся там красноармейцев. Миша, брат Нехамы, и Федя Шедлецкий, его друг, служили связными в партизанском отряде, базировавшемся в Руденском районе, примерно в 40 км к югу от Минска, под командованием человека, которого называли то капитаном Быстровым, то Сергеевым. Связными их назначил лично Казинец — будущий лидер еще не существовавшего на тот момент минского подполья. С Казинцом молодых людей познакомил Даниил Кудряков, бывший красноармеец, скрывавшийся в Минске с группой своих сослуживцев. Миша вскоре стал членом партизанского отряда, а Федя при поддержке Кудрякова и остальных еще какое-то время выполнял функции связного. Перемещаясь между гетто, русским районом и лесом, он передавал сообщения и приводил добровольцев в отряд Быстрова/Сергеева.

В начале ноября 1941 года в гетто пришли Кудряков и Иван Кабушкин, член одной из подпольных групп русского района. Они

---

4   Стенограмма интервью с Гиршем Смоляром, апрель 1972 года // Yad Vashem Archives. 03/3605. P. 41.

каким-то образом узнали о готовящемся 7 ноября погроме и предупредили членов группы Хаймовича — Рудицеров, чтобы те успели спрятаться. Юноши также предложили организовать группу из 30–40 доверенных человек для отправки в отряд к Быстрову/Сергееву. Кудряков пообещал помочь собрать оружие и боеприпасы и спрятать их неподалеку от гетто на Кальварийском кладбище, через которое должен был пройти отряд. Подпольщики пережили погром 7 ноября, укрывшись на искусно замаскированном чердаке. Они продолжили подготовку людей для отправки к партизанам и на следующей встрече с Кудряковым и Кабушкиным разработали план, согласно которому уходящим предстояло разделиться на две группы: первая должна была покинуть гетто в грузовике с ложным дном, встретиться с Кудряковым, забрать у него оружие и отправиться в лес; вторая последовала бы за ней на другом грузовике.

Утром 10 декабря из гетто выехали две машины, каждая из которых везла людей с топорами и другими инструментами. В их пропусках было указано, что это рабочие, которые едут в лес рубить дрова. Миша был в одном грузовике, а Федя — в другом. Они забрали оружие с кладбища, и через несколько дней обе группы достигли отряда капитана Быстрова/Сергеева. На их основе было сформировано новое подразделение под его командованием. Двадцать четвертого декабря к Быстрову/Сергееву отправили третью группу, в которую вошли как люди из города, так и узники гетто. Ее ядро составляли члены подпольной ячейки, работавшей на радиозаводе в русском районе. Кроме того, Быстров/Сергеев просил, чтобы в этой группе были люди с медицинскими навыками или хотя бы способные ими овладеть, поэтому в нее включили восемь женщин из гетто, часть из которых были медсестрами, а другим предстояло на них выучиться. В назначенное время к воротам гетто прибыл грузовик с рабочими радиозавода во главе с Кудряковым. Женщины уже садились в автомобиль, когда к нему подошли несколько немецких солдат. Один из рабочих грубо швырнул женщину внутрь, как если бы он был полицаем, подгонявшим евреев по пути на работу. Мужчина за рулем был одет в немецкую униформу, так что никто не стал останавливать грузовик. Группа благополучно добралась до лесной базы капитана Быстрова/Сергеева[5].

В первые месяцы войны немецких чиновников, вероятно, больше заботила угроза восстания 100 000 военнопленных, содержавшихся в лагерях Минска и его окрестностей, чем сопротивление гражданских, будь то жители города или гетто. Обращение немцев с советскими военнопленными по своей жестокости соперничало с тем, как они обращались с евреями, особенно в начале войны, до первых крупных погромов.

В первых числах декабря 1941 года они прогнали тысячи истощенных голодом красноармейцев маршем по Минску, расстреливая тех, кто спотыкался и не мог угнаться за другими. Улицы города были усеяны трупами, которые не убирали несколько дней.

В ночь с 3 на 4 января 1942 года немцы арестовали несколько сотен военнопленных, обвинив их в подготовке восстания в нескольких лагерях в окрестностях Минска[6]. Многие жители го-

---

5 Рассказ о трех группах, которые ушли в отряд А. Быстрова/Сергеева в декабре 1941 года, основан на воспоминаниях: Е. Л. Шнитмана // НАРБ. Ф. 4683. Оп. 3. Д. 1196. С. 140/220–143/223; Нехамы Рудицер // НАРБ. Ф. 4683. Оп. 3. Д. 1196. С. 48; Ф. Д. Шедлецкого // Yad Vashem Archives. M41/49; Ханы Рубенчик // НАРБ. Ф. 4. Оп. 33а. Д. 659 С. 35–36. См. также [Smolar 1989: 63–64] и интервью с Ханой Рубенчик. Минск, 17 июля 2000 года.

6 О планировавшемся восстании военнопленных говорится в отчетах немецкой разведки, хранящихся в Бундесархиве (BArch). Так, в оперативной сводке № 9 о деятельности айнзацгрупп полиции безопасности и СД на оккупированной территории СССР за период с 1 по 31 января 1942 года утверждается, что группа раскрыла планы единовременного вооруженного восстания военнопленных в лазаретах № 1, 2 и 3, отдельном лагере для военнопленных и лагере на территории завода им. Ворошилова. Восстание было намечено на 4 января 1942 года. Согласно плану, к городу должны были подойти партизанские отряды, а советские парашютисты — высадиться в минском аэропорту, см.: BArch. R 70 SU 31. P. 144–150. В отчете, датированном мартом 1942 года, утверждалось: «В результате проведенных на этот момент арестов стало известно о существовании в гетто подпольной организации, состоящей из 60 человек, а также о том, что партизанам из гетто пересылаются деньги и оружие, около 60–80 евреев были отправлены к ним добровольцами», см.: BArch. R 70 SU 31. P. 198.

рода, включая евреев гетто, сочувствовали изможденным и истощенным солдатам, колонны которых они нередко видели на улицах. Однажды группа белорусских женщин, стоявших на противоположной гетто стороне улицы Немига, стала бросать картошку проходившим военнопленным. Когда те попытались ее поднять, немцы открыли огонь. Наблюдавшие за этим из-за забора еврейки увидели, как один из раненых пленных отполз к обочине дороги. Они указали ему на место, где проволока неплотно прилегала к земле, и мужчина заполз на территорию гетто. Женщины отвели его в местную больницу, где ему оказали необходимую помощь, зарегистрировав как живущего в гетто еврея. Когда он поправился, его включили в группу добровольцев и отправили к партизанам [Rubin 1977: 17].

К весне 1942 года немцы узнали о существовании не только подпольных ячеек в русском районе, но и подпольной организации гетто, которая занималась снабжением партизан и переправляла евреев в лес. Третьего апреля 1942 года в отчете айнзацгруппы сообщалось, что нелегальная группа из 60 евреев, проживающих в гетто, финансировала партийную работу, добывала оружие и регулярно усиливала партизанские группы; 60–80 евреев из гетто были переправлены к партизанам[7]. В отчете разведки от

---

[7] BArch. R 58/221. P. 219. Отчет № 11 о деятельности и обстановке айнзацгруппы охранной полиции и СД в СССР (за март 1942 года). С. 7 (пер. с нем.). В этом отчете также отмечается, что удалось схватить организатора партийного аппарата, грузинского еврея Мустафу Деликурдглы. Мустафой Деликурды-оглы, согласно паспорту, сделанному подпольщиком Захаром Гало, был Исай Козинец. — *Примеч. ред.* В более развернутом докладе, отправленном в Берлин 29 мая 1942 года и основанном на информации, полученной в результате арестов подпольщиков в конце марта — начале апреля, говорилось: «Стоит отметить, что главы отделов и лидеры Военного совета отрицательно относятся к еврейским партизанам, которых считают трусами, непригодными для активных действий. Интерес евреев к партизанскому движению был вызван главным образом их желанием выбраться из гетто; после этого они избегали дальнейшей деятельности и предпочитали идти своим путем, поэтому Военный совет давал еврейским партизанам ложные приказы и ошибочные маршруты, из-за чего те бесцельно блуждали по округе. Некоторые группы были схвачены немецкими солдатами», см.: НАРБ. Ф. 4683. Оп. 3. Д. 944. Л. 257–259. С. 4.

9 мая 1942 года отмечалось: «Финансирование партизанского движения происходило за счет денежных пожертвований из гетто. [Наше] расследование показало, что практически все гетто разбито на отделы и подотделы [связанные с подпольной деятельностью]». В отчете также говорилось, что «из гетто к партизанам выведено 100 евреев»[8].

В этом отчете немцы как минимум переоценили масштабы финансовой поддержки партизан со стороны гетто и сильно недооценили количество ушедших в лес евреев: по данным юденрата, к тому времени гетто покинули не 100, а 4 000 человек. Тем не менее эта информация заставила немцев приложить больше усилий, чтобы помешать евреям уходить в лес. Было увеличено количество патрулей вокруг гетто, а окружавшее Минск кольцо солдат и полицейских получило усиление.

Дорога из гетто в лес становилась все более опасной, но и условия в гетто — только хуже. Погром 2 марта 1942 года убедил многих евреев, что бегство в лес стоит риска. Когда в конце марта — начале апреля 1942 года волна арестов смела Первый городской комитет, подпольная организация гетто активизировала свои усилия по налаживанию связей с партизанами и созданию собственных баз в лесу. Сформированный в мае Второй городской комитет возобновил контакты своего предшественника и снова стал отправлять евреев в лес в сотрудничестве с гетто.

Впрочем, контакты с партизанами больше не могли проходить только по одной линии: кому-то помогал уходить городской комитет, других подполье гетто самостоятельно отправляло в отряды, с которыми оно поддерживало связь.

МАРШРУТЫ В ЛЕС

Помимо формирования групп, которые уходили в лес пешком, подпольная организация гетто нашла как минимум два пути для побега, которые можно было использовать многократно, причем

---

8   НАРБ. Ф. 4683. Оп. 3. Д. 944. Л. 257–259; BArch. R 58/697. P. 21, 23.

в обоих случаях ключевую роль в успехе предприятия играли белорусы.

После погрома 2 марта 1942 года количество желающих покинуть гетто резко увеличилось, но нежелание Военного совета включать их в число тех, кто отправлялся в лес, заставило подпольщиков искать другие варианты. Федор Кузнецов, глава действовавшей в русском районе подпольной группы железнодорожных рабочих, предложил перевозить евреев на поездах. Согласно плану, поезд, приближаясь к станции, расположенной прямо за городом, должен был замедлить ход, а машинист — помахать рукой. Увидев это, поджидавшие на путях евреи должны были забраться в вагон с углем и локомотив, после чего машинист снова набирал ход. Поезд, маршрут которого пролегал через партизанский лес, сбавлял скорость в обговоренном месте рядом с чащей, где ждали проводники. Евреи спрыгивали с поезда, и тот продолжал свой путь. Так в лес было переправлено около 500 евреев [Смоляр 1947: 51; Smolar 1989: 80–81].

Еще один особый маршрут появился благодаря группе молодых евреев, выдававших себя за метисов[9]. Они убедили немцев в своем смешанном происхождении, и им было позволено выводить евреев из гетто на работу и переводить их в городе с одного рабочего места на другое. Документы и белые повязки, которые они носили на руках, также давали им право жить за пределами гетто или, если они все-таки жили в гетто, ночевать в городе. Группа мишлингов присоединилась к подполью гетто и стала выводить евреев в лес. Ключевую роль в этом сыграл белорус и член городской подпольной организации, которого мы знаем только по имени, — Володя. В конце концов немцы узнали о подпольной деятельности мишлингов, почти все члены группы, которые не успели уйти в лес, были арестованы и убиты. Эту историю мы видим глазами Реувена Лионда, единственного вы-

---

[9] Мишлинги (нем. Mischlinge — «смешанные», «полукровки») — расовый термин времен нацистской Германии, обозначавший людей, имевших предков как арийского, так и неарийского (в частности, еврейского) происхождения. В немецком языке имел отрицательную коннотацию. — *Примеч. ред.*

жившего мишлинга, сбежавшего из города, когда их план раскрылся.

Лионд прибыл в Минск из Гольшан, городка на польской стороне белорусско-польской границы[10]. На начало войны ему было 24 года, он состоял в молодежной сионистской организации марксистского толка Ха-шомер ха-цаир. Опасаясь того, какой будет жизнь в немецкой оккупации, он решил последовать за отступающей Красной армией на восток. Мать дала ему адрес его дяди в Минске. Вместе с друзьями Лионд добрались на велосипедах до польско-советской границы. Пограничник запретил им двигаться дальше, и многие повернули назад. Но Лионд и один из его друзей пересекли границу незамеченными и продолжили свой путь. Вскоре они увидели немцев и с ужасом поняли, что те тоже перешли границу. Однако молодые люди не стали останавливаться. При подъезде к Минску им сказали, что немцы уже взяли город, и они решили его объехать. На дороге их остановили солдаты и отвезли в Минск, но не как евреев, а как мужчин, которых немцы регистрировали, чтобы отправить в Дрозды. Воспользовавшись суматохой во время регистрации, молодые люди сбежали. После этого друг Лионда решил, что нет никакого смысла страдать под немецкой властью в Советском Союзе, если можно делать то же самое дома, и поехал назад. Лионд же отправился в гетто и в конце концов нашел адрес, который дала ему мать. Его дядя был в Красной армии, но его тетка, Тэмма Козловская, впустила юношу.

В гетто Лионд встретил Хаима Колницанского, друга из родного города, который, как и Реувен, бежал на восток и теперь жил у своего племянника, минчанина Давида Барана. Хаим был мишлингом — сыном еврейской матери и отца-нееврея. Внешность Давида не была стереотипно еврейской, поэтому ему удалось убедить немцев, что он тоже принадлежит к этой кате-

---

[10] Лионд описывает Гольшаны как городок с населением меньше 1 000 человек, расположенный между Минском и Вильнюсом, см. стенограмму интервью Лионда на идише от 7 августа 1968 года, проведенного Д. Коэном в рамках проекта «Устная история» (Oral History Project) Еврейского университета.

гории. Так Колницанский и Баран получили документы, которые позволяли им выводить евреев на работу из гетто, перемещать их с одного рабочего места на другое и ночевать за пределами гетто. Помимо работы вожатым колонны, Хаим также стриг немцев на железнодорожной станции. Лионд раньше был парикмахером и привез свои инструменты в Минск. Хаим взял его с собой на работу и представил как своего друга-белоруса. Немцы поверили, потому что Лионд говорил только на белорусском и, казалось, не понимал ни слова по-немецки. Устроившись в парикмахерскую, он получил паспорт на имя Романа Адольфовича Лиондова, белоруса, который работал на немцев.

Лионд и Колницанский стали близкими друзьями, и Хаим по большому секрету рассказал Реувену, что его сосед и племянник Давид связаны с подпольем и партизанами. Он также признался, что и сам надеется завести такие связи. Колницанский понимал, что это будет непросто, потому что подпольщики, как и все жители гетто, не доверяли западникам, особенно евреям из Польши (все из-за нескольких коллаборантов, которых немцы ввели в юденрат). Но Хаим уже помогал Давиду в его подпольной деятельности и надеялся однажды обзавестись контактами среди партизан. Он пообещал сделать все возможное, чтобы подключить Лионда к подпольной работе.

Некоторое время спустя Хаим привел Лионда к Давиду; тот сказал ему, что подпольщики хотят, чтобы он устроился швейцаром в одно из зданий генерального комиссариата Беларуси, высшего органа немецкой власти в Минске. По соседству со штаб-квартирой комиссариата располагались мастерские и лавка сапожника, открытые немцами для своих нужд, а также отдел труда, позднее известный как биржа труда в гетто, где выдавались направления на работу и пропуска белорусам, работавшим на немцев. Немецкие чиновники часто бывали в этом здании, и задачей швейцара было держать для них дверь открытой. Эту должность до недавнего времени занимал еврей, но немцы сочли, что еврею не подобает открывать дверь перед высокопоставленными немецкими чиновниками, и уволили его. Теперь они искали на его место белоруса. Давид отметил, что документы Лионда позволят ему занять эту должность, и Лионд согласился. Вскоре после этого немцы решили открыть в том же здании парикмахерскую, куда устроился Хаим. Реувен, когда был не слишком занят открыванием дверей немецким чиновникам, работал вместе с ним.

Параллельно Лионд искал возможность подзаработать, чтобы скопить достаточно денег на покупку оружия, что позволило бы ему присоединиться к партизанам, если представится такая возможность. Во дворе генерального комиссариата рубили дрова несколько евреев из Германии, живших в зондергетто. Лионд познакомился с одним из них, мужчиной по имени Макс, и предложил ему приносить вещи, которые он или кто-то из его знакомых хочет обменять на еду. Лионд мог сделать это за них на рынке по пути на работу. Макс ухватился за такую возможность и начал приносить ему одежду, часы и драгоценности. Поначалу Лионд брал только часть еды в оплату за свои услуги, но затем стал брать и деньги, откладывая их на покупку оружия.

В итоге посредничество позволило Лионду купить пистолет. Ему также пришло в голову, что этот бизнес может помочь ему завести знакомство с секретарем отдела труда. За распределением рабочей силы в Минске следили лейтенант Штамп и его помощник, гражданский инженер Хенинг. Штамп редко появлялся в офисе; Хенинг делал это более регулярно, но чаще всего на рабочем месте была только дочь Хенинга, которую отец сделал своей секретаршей. На ее столе всегда лежали пустые бланки разрешений на работу: иногда Штамп и Хенинг подписывали их еще до заполнения, иногда после. Работа секретаря заключалась в том, чтобы напечатать на карточке описание работы, имя бригадира, количество рабочих и проштамповать пропуска германским орлом и свастикой. Используемая для этого печать хранилась в маленьком запертом шкафчике на стене кабинета. Периодически к Лионду приходили люди и просили похлопотать за них перед секретаршей о продлении разрешения на работу. За это Лионд дарил ей какое-нибудь украшение из своих запасов. Затем он стал продавать девушке вещи и спрашивать, что еще можно для нее раздобыть. Лионд по-прежнему старательно делал вид, что не знает немецкий, и это давало ему преимущество: он притворялся, что не совсем понимает, о чем идет речь, а потом приносил секретарше не то, что она просила, но что-нибудь похожее. Эти притворные недопонимания и необходимость их исправлять давали Лионду повод почаще заходить к ней в офис. Он заметил, что порой девушка надолго отлучалась из кабинета и забывала закрыть за собой дверь.

Попытки Лионда наладить отношения с секретаршей объяснялись не только желанием помочь людям, которым были нужны разрешения на работу: куда важнее было то, что подполье поручило ему и Хаиму выкрасть бланки для разрешений, которые можно было использовать, чтобы переправлять евреев из гетто в лес. Каждый раз, когда Лионд приходил в офис, а секретарши не оказывалось на месте, но дверь была открытой, он звал Хаима. Тот стоял на страже, пока Лионд вскрывал шкафчик, брал печать, штамповал пропуска, клал печать в шкаф, закрывал его и возвращал ключи на место. Они делали так многократно, и им ни разу никто не помешал. Лионд и Колницанский передали подпольщикам больше пропусков, чем те могли использовать. Печать на этих документах была настоящей и никогда не вызывала вопросов. На некоторых бланках уже стояли подписи Штампа и Хенинга, в остальных случаях ее подделывали позже. В документах указывалось количество людей, которых вывозили в лес на работу, имена шофера и вожатого колонны, модель грузовика и другие детали. Большинство документов, которыми пользовалось подполье, были поддельными, и чем хуже они были сделаны, тем проще было обнаружить подлог. Но пропуска, которые доставали Лионд и Колницанский, были настоящими.

К тому времени Давид, племянник Хаима, и Элиша Нарушевич, выходец из гетто, возглавили группу мишлингов-подпольщиков, которые работали на немцев колонновожатыми. Некоторые из них действительно родились в смешанных браках, другие просто убедили оккупантов, что относятся к этой категории.

Мишлинги стали возить евреев в лес, пользуясь документами, которые им достали Лионд и Колницанский. Под днищем их грузовика было спрятано оружие, а сами евреи везли с собой инструменты для колки дров. Ранним утром, когда формировались колонны рабочих, белорус по имени Володя въезжал в гетто на грузовике генерального комиссариата и забирал ожидавшую его группу. Нарушевич, как колонновожатый, садился к нему в кабину, и Володя вез своих пассажиров на юг, в заранее обговоренное место в 40 км от Минска, где их встречал посыльный из партизанского отряда под командованием Израиля Лапидуса. Володя и Нарушевич возвращались в Минск, и Нарушевич шел обратно в гетто. После нескольких таких поездок он присоединился к партизанам. Володя продолжил забирать из гетто евреев и отвозить их в лес. Эти группы сопровождали другие колонновожатые, которые сидели с ним в кабине грузовика и тоже оставались в лесу. Среди тех, кто таким образом попал к партизанам, был Давид Баран. К тому времени всем руководил Володя. Только он знал, где и когда его будут ждать в гетто, и у него были контакты, которые позволяли ему договариваться с партизанскими связными о встречах в лесу. Поездки продолжались всю позднюю зиму и раннюю весну 1941–1942 годов.

Однажды в апреле 1942 года Лионд и Колницанский переночевали на рабочем месте, а утром встретились с Володей и поехали с ним в гетто, чтобы забрать группу евреев. Хаим сидел в кабине с Володей, а Реувен — в кузове; все нужные документы были у них на руках. На выезде из города Лионд выбрался из грузовика и отправился на конспиративную квартиру, чтобы доложить, что все прошло успешно. Вечером после работы он снова пришел в квартиру, где подпольщики с нетерпением ждали возвращения Володи. Тот приехал поздно и сообщил, что отвез людей туда, где их должны были встретить, но связной так и не появился, потому что немцы устроили в том районе карательную операцию. Однако группа все равно решила остаться в лесу и попытаться самостоятельно выйти на партизан. На четвертый день после ее отъезда в Минск вернулась 17-летняя Шаэль Райя и рассказала, что случилось с остальными. Группа два дня безуспешно разыскивала партизан. Было решено отправить несколько человек обратно в город, где подполье могло свести их с представителями партизанских отрядов, которые время от времени наведывались в Минск. В город ушли трое: Шаэль, Хаим и человек по имени Дунар. По дороге им встретились немецкие солдаты, которые не поверили их документам и арестовали всех троих. За Шаэль солдаты следили не так внимательно, возможно, потому, что она была женщиной и выглядела моложе своих лет, а может, из-за того, что она не была похожа на еврейку, поэтому она смогла сбежать и добраться до Минска.

Хаима и Дунара доставили в город через несколько дней. Их привезли в генеральный комиссариат, где обнаружилось, что некоторые из документов Хаима были поддельными. Мужчин отправили в тюрьму. За этим последовали аресты других колонновожатых. Дунара отвели на одну из площадей Минска и заставили целый день сидеть на скамейке в окружении одетых в штатское сотрудников гестапо. Каждого, кто с ним здоровался, арестовывали. Пока шли аресты, Володе удалось скрыться. Лионд ушел в лес со связными партизанского отряда, которые в тот момент были в городе. Позже ему сказали, что Хаим так и не выдал немцам имен своих товарищей. Его повесили на одной из площадей Минска 9 мая вместе с другими подпольщиками [Liond 1993: 45–69].

ЧАСТНЫЕ ПОБЕГИ В ЛЕС

Те, кто уходил из гетто в частном порядке, то есть без помощи подполья, делали это без подготовленных проводников и нередко без поддельных документов и оружия, которыми подпольщики могли снабжать свои группы. И все же многим из тех, кто бежал самостоятельно, удавалось выбраться из немецкого окружения, достичь леса и добиться вступления в партизанские отряды. Некоторые делали это вообще без какой-либо помощи, как, например, Мира Рудерман, ее брат и отец, о которых было рассказано в главе 1. Другие не раз возвращались в гетто, прежде чем добивались успеха. Во многих случаях это становилось возможным благодаря помощи, которую они получали на своем пути.

Абраму Ильичу Розовскому было 17 лет, когда началась война (после которой он встретился с Мирой Рудерман и женился на

Рис. 17. Абрам Розовский.
Фото из коллекции
Р. А. Черноглазовой
и Белорусского
государственного архива
кинофотофонодокументов

ней). Он был одним из членов группы, состоявшей из четырех юношей и двух девушек в возрасте от 16 до 18 лет, которые собирали в гетто оружие (см. рис. 17).

Девушки работали на оружейном складе и умудрялись выносить с него запчасти винтовок. Парни пробирались под проволочным забором и забирали у своих подруг детали, когда они возвращались с работы, чтобы девушки могли пройти через КПП у ворот без контрабанды. Юноши же проносили детали в гетто под забором.

В апреле 1943 года Розовский узнал, что знакомую ему семью в гетто часто навещает мальчик 15–16 лет, который был партизанским проводником. Розовскому удалось с ним встретиться и уговорить отвести его с друзьями к партизанам. Ранним утром из гетто вышли 11 подростков, включая Абрама и проводника. Бóльшую часть группы составляли девушки, в том числе члены их первоначальной ячейки. Они успели пройти лишь несколько километров по дороге, ведущей из Минска на запад, когда навстречу им вышел немецкий отряд. Всех подростков поймали, кроме Абрама, который отошел на обочину и спрятался под мостом. Арестованных отвели на еврейское кладбище и расстреляли. Прятавшийся под мостом Розовский слышал выстрелы. Выйдя на улицу, он встретил белорусскую женщину, которая посоветовала ему не идти дальше. Она сказала, что немцы знают, что один из членов группы сбежал, и впереди его ждет засада. Розовскому пришлось вернуться в гетто.

Из двух девушек, работавших в оружейной мастерской, только одна была в пойманной немцами группе. Другая продолжала приносить в гетто оружие и гранаты. Однажды она не вернулась с работы, и Розовский больше никогда ее не видел. К тому времени у него были припрятаны две гранаты и обрез. Он собрал еще одну группу молодых людей и через контакт, который дал ему первый связной, соединился с другим проводником, согласившимся отвести Абрама и его товарищей в лес. Группа, состоявшая из девушки и трех парней, одним из которых был проводник, вышла из гетто, примкнув к рабочей колонне. Оказавшись снаружи, они сорвали желтые латы и выскользнули из колонны. Трое мальчиков лет двенадцати последовали за ними, так что теперь группа состояла из семи человек. Они шли за проводником на таком расстоянии друг от друга, чтобы нельзя было понять, что они вместе, но в то же время достаточном, чтобы не терять из вида того, кто шел впереди. По дороге им встретилась женщина, которая спросила Розовского, не еврей ли он. Так как она была дружелюбна, он ответил утвердительно, и женщина предупредила Абрама, что впереди стоят немецкие солдаты, которые проверяют документы у всех, кто проходит мимо. Розовский подал спутникам знак остановиться. Женщина показала им тропинку, которая вела в лес в обход КПП. Свернув на нее, подростки благополучно обогнули блокпост.

В лесу, примерно в 30–40 км от Минска, они повстречали отряд партизан, которые попросили Розовского и его товарищей показать им свое оружие. Ночью партизаны вернулись и потребовали отдать им не только оружие, но и одежду. Глава отряда обвинил Розовского и его друзей в том, что они были шпионами из гетто, и приказал троим из своих людей их расстрелять. Пока подростков вели глубже в лес, один из партизан подошел к Абраму и спросил, где он учился. Оказалось, что они ходили в одну школу. Партизан сказал Розовскому: «Мы пойдем в лес и будем стрелять в воздух, а вы должны бежать. Мы вернемся и скажем командиру, что выполнили приказ». Партизаны выстрелили в воздух, и Абрам с друзьями бросились прочь. В суматохе они потеряли проводника и двух других членов группы. У тех, кто остался (трое юношей, включая Абрама, и одна девушка), не было ни одежды, ни оружия. Кроме того, с исчезновением проводника они лишились своей единственной связи с партизанским отрядом.

Переодевшись в вещи, украденные у евреев, партизаны выбросили свою старую одежду. Подростки из гетто подобрали ее и продолжили свой путь. Правда, у них не было ни малейшего представления, куда им идти. К тому времени они забрались вглубь партизанской территории и часто встречали партизан, но те отказывались их принимать, объясняя это тем, что не могут брать безоружных. Несомненно, свою роль играло и то, что Розовский и его товарищи были евреями. Однажды они встретили группу украинцев, которые согласились забрать с собой не имевшего типичных еврейских черт рыжеволосого мальчика, но не остальных подростков. Оставшиеся три месяца они скитались по деревням. К счастью, на дворе было лето, они спали под открытым небом, добывая еду работой на крестьян, которым требовались дополнительные руки. Наконец-то им встретилась группа из четырех-пяти партизан верхом на лошадях, один из которых был секретарем минского обкома коммунистической партии и, как позже узнал Абрам, евреем. Он спросил подростков, ищут ли они партизан, и, получив утвердительный ответ, написал приказ командиру 3-й Минской бригады, чтобы их приняли. В конце лета 1943 года Розовский и двое его товарищей стали членами отряда им. Буденного под командованием Семена Ганзенко[11].

---

[11] Интервью с А. И. Розовским. Минск, 8 октября 1999 года и 11 ноября 2003 года.

СЕМЕН ГАНЗЕНКО И ОТРЯД ЗОРИНА

За несколько месяцев до этого Мира Рудерман с отцом и братом тоже стали членами отряда им. Буденного, хотя и прибыли, как и Розовский с друзьями, из гетто без оружия. Мира, история которой описана в главе 1, считала, что Ганзенко принял ее семью из-за возможной родственной связи: у его подруги Фани, молодой девушки из Минского гетто, с которой он познакомился в партизанском отряде, была такая же фамилия. Но у истории Ганзенко была и другая сторона, о которой Мира не знала, когда попала на партизанскую базу: он был одним из многих военнопленных неееврейского происхождения, спасенных подпольной организацией гетто.

Лагерь военнопленных на Широкой, получивший свое именование по названию улицы на окраине Минска, на которой он находился, был одним из мест, где действовали подпольщики гетто, по крайней мере до лета 1943 года. Благодаря своим контактам на бирже труда подполье смогло устроить нескольких своих членов на работу в лагерь. Соня Курляндская была секретаршей и переводчицей у коменданта лагеря, молодого человека по фамилии Городецкий, с удовольствием руководившего кровавыми рейдами в гетто[12]. Другие евреи, работавшие в лагере, включая подпольщиков и людей, связанных с их организацией, выполняли более рутинные задачи, например занимались поиском и доставкой еды, уборкой мусора. Подпольщицы Сара Левина и Софья Садовская не занимали в лагере никаких должностей, но в силу своих связей с городским подпольем помогали Курляндской планировать побеги военнопленных. Параллельно этому Александр Дементьев, член белорусского подполья, работал над расширением сети контактов организации и часто посе-

---

[12] Соня Курляндская входила в состав подпольной десятки, которую возглавляла Лена Майзлес, см.: Купреева А. П. Деятельность подпольной партийной организации в Минском гетто // НАРБ. Ф. 4683. Оп. 3. Д. 1197. С. 47. Дата рождения С. Д. Курляндской неизвестна: она погибла в 1943 году [Бараноўскі и др. 1995: 161].

щал столовую, куда водили на обед работавших на немцев военнопленных, чтобы завести с ними знакомство[13]. Усилиями Курляндской и других подпольщиков из лагеря к партизанам удалось переправить несколько групп военнопленных[14].

Двадцать четвертого апреля 1942 года Наум Фельдман, руководитель подпольной организации гетто, вывел группу из 25 евреев из гетто на запад, в Старосельский лес. Партизанский отряд, в который они хотели вступить, отказался их принять, тогда Фельдман и его группа создали свою базу. К ним стали присоединяться бежавшие в лес белорусы. Вскоре начались конфликты из-за того, кто должен руководить новым отрядом, тогда Фельдман отправил подпольной организации гетто сообщение с просьбой прислать кого-нибудь с армейским опытом и необходимой подготовкой, чтобы этот человек принял на себя командование.

Подпольщики узнали, что среди заключенных лагеря на Широкой улице находится Семен Ганзенко, старший лейтенант Красной армии, и решили организовать его побег. В мае 1942 года ответственные за вывоз мусора члены подполья спрятали Ганзенко и нескольких других пленных в бочки с отходами, дали им трубочки, через которые можно было дышать, загрузили бочки в грузовик и вывезли их из лагеря. В заранее условленном месте их встретил проводник, 18-летняя Таня Лифшиц, которая была подпольщицей, пока не ушла из гетто, чтобы стать связной у партизан. Она отвела мужчин в Старосельский лес, где беглецы присоединились к группе Фельдмана. Ганзенко стал командиром, а Фельдман — политруком и парторгом отряда им. Буденного, который в итоге разросся до бригады им. Пономаренко. Прибытие Ганзенко укрепило его связи с Минском, включая гетто, и обе

---

[13] Воспоминания товарища Дементьева // НАРБ. Ф. 750. Оп. 1. Д. 307.

[14] Смоляр рассказывает о двух подводах с евреями из лагеря на Широкой, которые прибыли в отряд Зорина с 30 винтовками, захваченными во время побега. Во главе этой операции стоял Зямка Гурвич, которому помогала Соня Курляндская [Смоляр 1947: 92–93; Smolar 1989: 120].

подпольные организации продолжили присылать в отряд группы добровольцев[15].

В конце зимы — начале весны 1943 года число бегущих из гетто возросло. Группы беженцев либо разбивали лагеря в деревнях на партизанской территории в надежде найти отряд, который их примет, либо блуждали по лесам. К тому времени количество минских евреев в отряде им. Буденного и других партизанских соединениях в Старосельском лесу было уже значительным, многие выходцы из подполья гетто занимали в них руководящие посты. Всем было ясно, что Красная армия победит, но не менее очевидным было и то, что перед отступлением немцы уничтожат Минское гетто. В начале 1943 года Шолом Зорин, минский еврей и член отряда им. Буденного, обратился к Ганзенко за разрешением создать большой семейный отряд из небоеспособных евреев. Он предложил собрать в одном месте и поместить под защиту бродивших по лесу беженцев и вывести из гетто еще больше людей, чтобы включить их в этот отряд[16]. На встрече с Ганзенко предложение Зорина поддержали Гирш Смоляр, влившийся к тому времени в состав другого партизанского отряда в Старосельском лесу, и Наум Фельдман. Они подчеркнули, что гетто находится на грани уничтожения.

Ганзенко обсудил этот вопрос на совещании со своим штабом. На следующее утро он собрал всех членов отряда и объявил, что отряд им. Буденного создаст в лесу специальный лагерь и попытается вывести в него как можно больше евреев из Минского гетто. Командиром нового отряда был назначен Шолом Зорин. Ганзенко поручил организацию лагеря пяти членам своего отряда, им же предстояло стать ядром боевой группы, которая будет его защищать. Позже к ним должны были добавиться боеспособные евреи из гетто. Боевая группа будет прикреплена к новому

---

[15] Воспоминания Н. Л. Фельдмана // НАРБ. Ф. 750. Оп. 1. Д. 307. С. 223–224. Таня Лифшиц пользовалась подпольным псевдонимом Наташа, под таким именем она и фигурирует в воспоминаниях Фельдмана. Она переехала в Израиль, вышла замуж, и теперь ее зовут Таня Бойко.

[16] См. воспоминания Гинды Тассман в [Even-Shoshan 1975–1985, 2: 383].

подразделению, и Ганзенко пообещал, что отряд им. Буденного передаст ей 15 винтовок [Smolar 1989: 117–119][17].

Весной 1943 года действиями партизан в районе к западу от Минска руководил Белорусский штаб партизанского движения по Барановичской области, который возглавлял В. Е. Чернышев, генерал Платон. Ганзенко, несомненно, проконсультировался с областным начальством, прежде чем объявить о создании отряда для небоеспособных евреев: такое решение было немыслимо без санкции сверху. Концепция большого семейного отряда, защищаемого небольшой боевой группой, выворачивала наизнанку традиционную динамику партизанских отношений, так как обычно лагеря были маленькими, состояли из родственников бойцов и следовали за боевыми подразделениями, обслуживая их нужды. Новое формирование получило название Еврейского семейного партизанского отряда, позднее — партизанского отряда № 106, а неофициально его стали называть отрядом Зорина. После его создания немцы активизировали свои действия в Койдановском районе. Солдаты окружили село Скирмонтово, схватили 30 человек, которые недавно прибыли из гетто и собирались присоединиться к отряду Зорина, согнали их вместе с несколькими местными жителями в овины и сожгли. В ответ на просьбы Зорина, которого поддержали другие командиры, генерал Платон согласился переместить отряд дальше на запад, в Налибокскую пущу, куда немцы вряд ли бы сунулись [Смоляр 1947: 96–97; Smolar 1989: 123].

Согласно советским архивам, в составе отряда Зорина было 558 человек, 137 из которых, в том числе 16 женщин, были членами боевой роты. Оставшиеся (421 человек) были безоружны. Это были небоеспособные женщины, дети и старики. Всего в отряде было 577 евреев, а один из бойцов боевой роты был белорусом. Но в реальности, похоже, подразделение было еще больше. Помогавший с его организацией Смоляр писал, что на момент создания отряда в нем было около 500 человек, но бежен-

---

17 См. также: Grinstein Y. Umkum un Vidershtand // Yad Vashem Archives. 033/465. P. 74–76.

цы продолжали прибывать, так что вскоре число его членов
(с учетом бойцов) превысило 600 человек [Смоляр 1947: 128;
Smolar 1989: 120, 122]. Согласно М. Кагановичу, в отряд Зорина
входило более 700 человек [Kaganovich 1956: 250]. Одним из них
была Гинда Тассман, которая писала, что численность отряда
продолжала расти даже после того, как он перебазировался
в Налибокскую пущу. По ее словам, в лесу работала школа, которую посещали несколько сотен детей [Even-Shoshan 1975–1985, 1:
384]. Зоринцы помогали другим партизанским отрядам: в их
лагере делали обувь и шили одежду; здесь работали пекарня,
прачечная и медицинский пункт.

Отряд прошел войну практически без потерь, лишь несколько
бойцов были убиты в стычке с немцами уже после освобождения
Минска, в которой сам Зорин получил ранение[18].

ЧЕРЕДА СПАСЕНИЙ

К весне 1943 года, когда был создан отряд Зорина, большинство
членов подполья перебрались в лес. В гетто оставались лишь
Сара Голдман и еще несколько женщин, которые занимались
формированием групп и их отправкой из города. Но весной
каждой из этих женщин поступили указания от партизан покинуть гетто и уйти в лес, что они и сделали.

Из гетто бежало все больше людей, которых не пугали ни
усиленные патрули, ни плотное кольцо немецких блокпостов на
дорогах, ведущих из Минска. Опасность была особенно велика,
если человек не знал, где искать партизан. К тому времени из
гетто ушло много людей, но мало кто вернулся, чтобы рассказать
другим, куда идти. Бежавшие без помощи подполья в большинстве случаев делали это в одиночку и без оружия.

---

[18] Данные об отряде Зорина приводятся согласно НАРБ. Ф. 3500. Оп. 5. Д. 402,
462. См. также [Slukhovsky 1975: 134–137] и: Grinstein Y. Umkum un Vidershtand. P. 74–77. Шестого июля 1944 года отряд Зорина вступил в бой с отступающими германскими частями. Погибли шесть членов отряда, сам Зорин
был тяжело ранен в ногу. — *Примеч. ред.*

Весной 1943 года евреям стало проще вступать в партизанские отряды. Поддержка советского командования, особенно поставка оружия, позволила многим партизанам принимать больше добровольцев, в том числе безоружных. У влившихся в отряды евреев появилось больше возможностей вернуться в гетто и забрать с собой членов семьи и друзей. Многие из тех, кого они приводили, и тех, кого вдохновили на побег своим примером, были слишком стары, или слишком молоды, или слишком слабы, чтобы держать в руках оружие. Но Зорин, Ганзенко и другие командиры не прекращали искать кандидатов в семейный отряд. Они рассылали по лесу агентов, чтобы найти заблудившихся беглецов, и отправляли в гетто проводников, в основном еврейских детей и подростков, чтобы вывести оттуда еще больше людей. Командиры связанных с гетто партизанских отрядов искали беженцев, которых можно было бы обучить на проводников и отправить обратно. Некоторым молодым выходцам из гетто хватало смелости возвращаться туда регулярно и продолжать выводить отряды. Другие думали, что у них не найдется столько мужества, но под давлением обстоятельств они обнаруживали, что это не так.

Йохевед (Ёхе) Рубенчик было 15 лет, а ее двоюродной сестре, Гинде Нехамчик (в замужестве Тассман), 11 лет, когда Минск попал в оккупацию. Рубенчики и Нехамчики, а также семья Ривки Рубенчик, которая приходилась обеим девушкам теткой, жили на Зеленой улице в населенном преимущественно евреями районе, который немцы превратили в гетто. В ночь на 4 ноября 1941 года, за четыре дня до первого крупного погрома, к ним в дверь постучались четыре эсэсовца и, прежде чем жильцы успели спрятаться, вломились в дом. Немцы убили родителей Гинды и шестерых ее братьев и сестер. Гинду спас отец, который специально упал на нее, когда его подстрелили, укрыв ее своим телом. Гостившему у них младшему брату Йохевед по имени Гершель тоже удалось спастись, спрятавшись под печкой. Гинда не знала, что ее двоюродный брат жив, и, когда немцы ушли, побежала в дом к тете Ривке, которая приютила племянницу. Девочка много месяцев жила с дядей и тетей, пока не сбежала из гетто при помощи своей двоюродной сестры.

Йохевед, как и Гинда, жила в большой семье и была старшей из семи братьев и сестер. Когда началась война, самая младшая, Тайба, была еще младенцем, а трое других были совсем маленькими. За ними присматривала их мать, Нехама, в то время как Ёха, ее отец Израиль и братья, Гершель и Абрам, работали за пределами гетто. Йохевед трудилась на одном из трех кирпичных заводов на западной окраине Минска. Когда начался большой погром 28–31 июля 1942 года, Йохевед, Гершель и их двоюродная сестра, Гинда, были на заводе, а отец Ёхи и ее младший брат, Абрам, работали в другом месте. Дома в гетто была только Нехама с четырьмя маленькими детьми. Держа малышку на руках, она побежала к малине, а остальные дети последовали за ней. Навстречу им вышли солдаты, и дети бросились врассыпную. Нехама же успела добежать до малины, где и спряталась вместе с остальными. Через пять дней, решив, что погром закончился, она выбралась с малышкой наружу. Кто-то — то ли солдат, то ли полицейский — увидел их, выстрелил и убил ребенка. Нехама пыталась найти других детей, но безуспешно. Когда Йохевед вернулась в гетто, она обнаружила свою мать абсолютно седой.

В этом погроме Ёха потеряла и своего брата Гершеля. В первый день работавших на кирпичном заводе евреев, включая Йохевед, Гинду и Гершеля, посадили в открытый грузовик и повезли обратно в гетто. Увидев пустые улицы, заваленные сломанной мебелью, рваным постельным бельем и одеждой, последствиями погрома, они решили, что их везут на расстрел. Ёха и Гинда убедили Гершеля выпрыгнуть из грузовика и сбежать. «Ты блондин, — сказала ему Йохевед. — Беги к гоям. Возможно, тогда ты выживешь». Но оказалось, что грузовик ехал через гетто в лагерь, где немцы держали работавших на них евреев во время погрома. Гершеля сестры больше никогда не видели.

На кирпичном заводе Йохевед познакомилась с жившей неподалеку белоруской Наташей Шунейко. Шунейко твердила, что Ёхе нужно не возвращаться в гетто, а бежать к партизанам, и девушка пыталась убедить оставшихся членов семьи в том, что это будет лучший выход. Но ее отец был против, потому что не сомневался, что их убьют по дороге. «Зачем искать смерти? Пусть

Рис. 18. Ёха [Йохевед Рубенчик] (слева) и Фаня Каплан.
Воспроизводится с разрешения А. Рубенчика из [Рубенчик 1999: 91]

смерть ищет нас», — говорил он. Мать Ёхи, привыкшая во всем поддерживать мужа, была с ним согласна. Однако девушка не отказалась от своей идеи. Шунейко сказала ей, что партизаны часто бывают в деревне под названием Старое Село. Она объяснила девушке, как туда добраться, и дала адрес жившей там сестры. Шунейко уверила Йохевед, что, стоит ей сказать, что она от Наташи, сестра примет ее, пока девушка будет искать партизан. Ёха стала уговаривать свою подругу, Фаню Каплан, пойти с ней. Сначала Фаня отказывалась, потому что ее парень, Леня, боялся дороги в лес, а Фаня не хотела его бросать. Йохевед сказала ей, что видела Леню с другой девушкой. Она солгала, но это помогло убедить Фаню бежать с ней из гетто (см. рис. 18).

Второго марта 1943 года Фаня и Йохевед ушли с кирпичного завода в лес. Они благополучно добрались до Старого Села, но сестра Наташи отказалась их принять. Пока девушки сидели на берегу протекавшей рядом реки и думали, что им теперь делать, к ним подошел белорус, приветливо поздоровался и спросил, не еврейки ли они. Фаня заявила, что они белоруски, и спросила у парня, кто он такой. Незнакомец ответил, что он партизан. Тогда в разговор вмешалась Йохевед и призналась, что они с Фаней все-таки еврейки. «Убей нас или возьми с собой», — сказала она. Партизан, который, как они позже узнали, сам был из Старого Села, пообещал отвести их к своим товарищам в лагерь неподалеку от соседней деревни Птичь. Он привел их в Птичь и приказал одной из женщин накормить их и пустить на постой. На следующий день парень отвел девушек в отряд, но командир партизан согласился их принять, только если Фаня станет его женой, на что она не согласилась. Девушки вернулись в Птичь, где их снова приютила та же женщина. Утром они услышали голоса: это были два партизана-еврея из Минска, которые пришли за ними. Оказалось, что белорусские партизаны передали Науму Фельдману, ставшему к тому времени политруком и парторгом отряда им. Буденного, сообщение о том, что в деревне Птичь есть две еврейские девушки, которые хотят присоединиться к партизанам, и Фельдман отправил за ними двух парней из своего отряда. Один из них оказался другом Фаниного брата, с которым она была знакома. Девушек посадили на телегу, на которой за ними приехали партизаны, отвезли на базу и приняли в отряд.

Примерно через месяц пребывания в отряде Ёха решила, что пришла пора вернуться в Минск и забрать семью. В гетто она знала девушку по имени Ева, которая тоже работала на кирпичном заводе и встречалась с немецким солдатом. Йохевед осуждала ее за это, но Ева говорила, что прежде всего ее любовник был не немцем, а бельгийцем, к тому же отличался от остальных, потому что хорошо с ней обращался, приносил еду и обещал сбежать с ней к партизанам. Ёха рассказала об этом командиру отряда и предложила разрешить ей и Фане вернуться в гетто, чтобы привести Еву и ее парня. Она указала на то, что солдат наверняка принесет с собой оружие, а также станет для партизан полезным пленником. Командир разрешил девушкам вернуться в гетто. Добравшись до Минска, они дождались сумерек, чтобы пролезть под ограждением, и договорились встретиться дома у Ёхи на следующий день. Фаня отправилась к своей сестре.

Йохевед вернулась домой и сказала родственникам, что пришла от партизан и заберет их с собой. Отец Йохевед отказался куда-либо идти, но мать и брат, Абрам, начали собираться. Дома была также 11-летняя двоюродная сестра Ёхи, Гинда. Она разрыдалась и заявила, что не хочет, чтобы ее оставляли. Йохевед пообещала девочке взять ее с собой. Позвали и тетку Йохевед, Ривку Рубенчик, но ее муж отказался куда-либо идти.

После войны Ривка писала в своих мемуарах, что из гетто и раньше уходили люди. Некоторые бывшие члены подполья возвращались, чтобы увести людей в лес, но в случае с теми, кто не имел связей с подпольем, казалось, что они канули в воду[19]. Слухи о возвращении Йохевед и Фани и о том, что они знают, где искать партизан, быстро распространились по гетто. Ёха рассказала семье, какой дорогой они пойдут на партизанскую территорию. Она отправила 13-летнего Абрама на базар, который, несмотря на запрет, время от времени возникал в гетто, чтобы тот купил соль, сигареты и спички для партизан. На рынке Абрам встретил нескольких друзей. Он рассказал им о возвращении сестры и о том, что уходит с ней к партизанам. Кроме того, он описал им маршрут. Между тем Йохевед отправилась на поиски Евы. Ева сказала ей, что больше не встречается с тем солдатом (а если бы даже встречалась, ей бы хватило ума не звать его к партизанам). Йохевед решила все равно забрать Еву с собой, чтобы та могла объяснить партизанам, что действительно встречалась с солдатом. Ёха надеялась, что это может спасти ее от гнева командира, когда она вернется с одними женщинами и детьми.

Ева настояла на том, чтобы взять с собой мать. По дороге к ней она встретила двух подруг. Проявив бо́льшую осторожность, чем Абрам в разговоре со своими друзьями, девушка сказала им, что до нее дошел слух о том, каким путем можно попасть к партизанам. После этого Ева пришла к матери и сказала ей, что они уходят из гетто. Мать Евы вскипятила воду, чтобы умыться, со-

---

19 Стенограмма интервью на идише с Ривкой Рубенчик, 29 августа 1968 года // Oral History Project. Tape 1401.

бралась, и они пошли к Йохевед. Подруги Евы зашли к ней домой, обнаружив еще теплую кастрюлю в пустой квартире, решили, что слухи не были слухами, и тоже начали готовиться к побегу. Так же поступили и друзья Абрама. Все они пришли в Старое Село вскоре после прибытия основной группы, которую вели Ёха и Фаня. Между тем по гетто поползли слухи о том, что Йохевед вернулась, чтобы забрать людей в лес, и о том, что до партизанской территории можно добраться, если следовать определенным маршрутом. Эти инструкции помогли многим людям уйти из гетто и добраться до Старого Села.

В группу, которая собралась дома у Йохевед, входили сама девушка, ее мать, брат Абрам, двоюродная сестра Гинда, их тетя Ривка, Ева с матерью, Фаня с матерью и сестрой. Правда, Фаня вернулась в гетто не только ради них, но и для того, чтобы увидеться с Леней. Она скучала по нему и хотела забрать с собой к партизанам, но оказалось, что Леню убили, пока они с Йохевед были у партизан. На заводе, где он работал, произошел взрыв. Хотя его причиной был несчастный случай, немцы обвинили во всем евреев и расстреляли всех еврейских работников. Все это произошло на том же кирпичном заводе, где раньше работала Фаня. Хотя Ёха чувствовала себя виноватой из-за того, что соврала подруге, она успокаивала себя тем, что Фаню убили бы вместе с Леней и другими рабочими, если бы она не ушла с ней из гетто.

Следующим вечером их группа, пробравшись через забор, покинула гетто. Они шли всю ночь и наутро достигли Старого Села, где уже собирались другие евреи. Йохевед, Фаня и Абрам отправились в лес в поисках оружия, брошенного отступающими красноармейцами в первые дни после немецкого вторжения. Они нашли несколько винтовок и отнесли их в партизанский отряд в надежде, что это подношение уменьшит гнев партизан, когда те обнаружат, что Ёха их обманула и привела с собой только друзей и родственников. Комиссар отряда был действительно очень зол. Он сказал, что посылал ее не за кучкой женщин и детей, и пригрозил расстрелом. Девушку защитил командир бригады, в которую входил отряд, и Йохевед с Фаней вернулись в отряд вместе с Абрамом.

Йохевед вызывалась на все самые опасные задания и прославилась далеко за пределами своего отряда. Она ставила мины и пускала под откос поезда. Когда ее хотели наградить, Йохевед сказала, что для нее самой большой наградой было бы разрешение вернуться в гетто и привести в лес еще больше людей. Ее снова отправили в Минск — на этот раз со списком имен, который ей дали в отряде. Четыре дня девушка пряталась в гетто, пока связные, с которыми ее свели партизаны, собирали людей из списка. Один из членов группы был колонновожатым и носил на рукаве белую ленточку, которая позволяла ему выводить евреев в город. С его помощью они вышли из гетто, не вызвав подозрений. Снаружи Йохевед приняла командование на себя. На случай, если их схватят, под курткой у нее был спрятан пистолет: девушка планировала убить себя, чтобы не попасть в плен. Ёха шла впереди, а остальные следовали за ней по двое на таком расстоянии, чтобы не терять друг друга из виду и чтобы прохожие не поняли, что они были вместе. Группа, в составе которой были аптекарь, врач и подпольщица Соня Садовская с маленьким сыном, выбралась из города и благополучно достигла партизанского лагеря.

Когда Йохевед и Фаня вернулись в свою бригаду вместе с Абрамом, остальные евреи из их группы остались в Старом Селе в надежде найти отряд, который их примет. Но никто из тех, кто приходил в деревню, не хотел забирать женщин и детей. Выживали они благодаря тому, что удавалось выпросить у крестьян. Один из жителей деревни предложил беглецам поселиться в пустом, застланном сеном коровнике, куда сельчане приносили бы им еду. Двенадцатилетняя Гинда, Нехама, мать Ёхи, и Ривка, ее тетя, несколько месяцев жили в этом коровнике с другой семьей из Минского гетто — Рахель Цукерман и ее дочерью Идой, которой было примерно столько же лет, сколько и Гинде. Однажды утром, сидя в коровнике, они услышали, что снаружи кто-то говорит на идише. В коровник вошел высокий усатый мужчина и сказал: «Женщины, вы меня не узнаете? Я тоже из Минска. Меня зовут Зорин». От счастья женщины разрыдались и бросились его целовать. Мужчина пообещал помочь и ушел.

Примерно через месяц Зорин снова появился в коровнике — на этот раз в сопровождении Наума Фельдмана и с мешком еды. Они объяснили, что командир Зорина, Семен Ганзенко, дал тому разрешение на создание семейного еврейского лагеря, чтобы спасти как можно больше евреев. Зорин планировал отправить в гетто детей, которые хорошо знали район, легко могли попасть внутрь и выскользнуть наружу, чтобы привести еще людей. Эту миссию он поручил Гинде и Иде. Гинда расплакалась, потому что не хотела возвращаться в гетто. Немцы убили всю ее семью, сказала она, а теперь убьют и ее. Но Зорин настаивал, что взрослым это не по плечу — только детям. В конце концов тетя Гинды, Нехама, сказала: «Гинда, выбора нет! Ты должна пойти».

Зорин отвел девочек к Соне, которая была проводником. Она дала им список с именами жителей гетто, в том числе двух врачей, и адрес дома. В нем жили подростки в возрасте от 18 до 20 лет, которые работали на СД и которых немцы планировали убить. Дети ушли.

В деревне примерно в 10 км от Минска они попали в немецкую засаду. Солдаты открыли огонь, и девочки побежали назад, в Старое Село, к Соне. Она отругала их за то, что они вернулись, и сказала, что они обязаны выполнить задание, а если они этого не сделают, то их расстреляют. Девочки переночевали в деревне, а наутро снова отправились в Минск. Они проникли в гетто и собрали людей, имена которых им дали, а также некоторых своих родственников. На этот раз Израиль Рубенчик, отец Йохевед, тоже согласился уйти. Девочки вывели из гетто больше 30 человек. Все они благополучно добрались до Старого Села.

Гинда возвращалась в гетто еще четыре раза и всякий раз приводила оттуда группы примерно по 50 человек. По гетто распространились слухи о том, что она отводит людей в Старое Село, и многие решили отправиться туда самостоятельно. По дороге некоторые были убиты, но большинству удалось выжить. В Старом Селе и соседних деревнях собрались сотни беженцев из гетто. Тех, кто не мог сражаться, определили в еврейский семейный отряд Зорина, оставшиеся пополнили ряды бойцов. Некоторые были приписаны к боевой роте, которая охраняла

семейный лагерь; остальные получили назначения в другие отряды. Гинда становилась известной в гетто, и возвращаться ей
было слишком опасно. Зорин сказал девочке, что она сделала
достаточно и что больше ее не будут посылать в гетто: другие
дети из гетто были достаточно обучены, чтобы занять ее место[20].

Когда я брала интервью у Йохевед и Абрама Рубенчиков в Израиле, Абрам принес с собой экземпляр своих мемуаров и фотографию Наташи Шунейко, белорусской женщины, которая рассказала Йохевед, как попасть на партизанскую территорию [Ру-
бенчик 1999; Рубенчик 2006: 123]. Он рассказал, что вернулся
в Минск во время работы над рукописью, нашел Шунейко и сделал
эту фотографию, которая вошла в его книгу. «Без этой женщины, — сказал Рубенчик, — ничего бы не получилось. Все, что за
этим последовало, стало возможным только благодаря ей»[21].

ЛЕСНЫЕ ПРОВОДНИКИ

Связанные с Минским гетто партизанские отряды широко
использовали евреев, обычно выходцев из гетто, в качестве
проводников, которые либо сами проникали в гетто, либо встречались с группами беглецов за его пределами. Этим занимались
мужчины и женщины, взрослые и дети. Но Зорин и командиры
других отрядов в Старосельском лесу, причастные к кампании
по массовому спасению евреев, в основном полагались на детей,
подростков и молодых женщин, особенно тех, чья внешность не

---

[20] Этот рассказ основан на интервью, опубликованных мемуарах и стенограммах интервью: интервью с Йохевед и Абрамом Рубенчиками (Петах-Тиква,
Израиль, 23 июля 2000 года), Евой Перевозкиной (Беэр-Шева, Израиль,
20 ноября 2000 года), Гиндой Тассман (Нехамчик) (Бат-Ям, Израиль, 13 ноября 2000 года); воспоминаниях Й. Иберман-Рубенчик и Г. Тассман в [Even-
Shoshan 1975–1985, 2: 371–377, 378–386]; стенограммах интервью на идише,
взятых Д. Коэном в рамках проекта «Устная история» (Oral History Project)
Еврейского университета у Ривки Рубенчик (29 августа 1968 года, запись
№ 1401), Й. Иберман-Рубенчик (29 августа 1968 года, запись № 1402), Г. Тассман (15 октября 1968 года, запись № 1230).

[21] Интервью с Абрамом Рубенчиком. Петах-Тиква, Израиль, 23 августа 2000 года.

была типично еврейской. В детях и молодых женщинах реже видели потенциальную угрозу, чем во взрослых мужчинах. Ребенку было достаточно достать из кармана мяч и начать играть, чтобы избежать подозрений. Именно так один из детей-проводников, 13-летняя Сима Фитерсон, сигнализировала своим группам о том, что впереди опасность. Когда она доставала мяч, шедшие за ней люди должны были спрятаться среди деревьев или на обочине дороги и оставаться там, пока она его не уберет.

Зорин и другие командиры полагались на детей в силу их умения проникать в гетто, великолепной памяти и бесстрашия. Дети из гетто часто лучше взрослых знали его устройство и подходящие точки для входа и выхода. Они быстро запоминали маршруты, ведущие в лес, и знали обо всех подстерегающих на пути опасностях. Детальное знание местности не позволяло им заблудиться и служило огромным преимуществом, когда нужно было спрятаться. Некоторым детям, которые служили лесными проводниками, было всего 11 лет, но они прекрасно понимали, что рискуют жизнью каждый раз, когда выводят группы из гетто. В то же время вероятность гибели могла казаться им не такой реальной, как взрослым в той же ситуации. Многие дети и подростки либо обладали невероятным мужеством, либо быстро его развивали, могли сохранять спокойствие и принимать взвешенные решения в обстоятельствах, которые у других бы вызвали панику.

В использовании детей в качестве проводников были, конечно, и недостатки: это подвергало их огромной опасности, вынуждало принимать взрослые решения и решать взрослые проблемы. Но в условиях войны и немецкого геноцида подобное вряд ли кого-то останавливало. Тетя Гинды была не единственной взрослой, убеждавшей свою малолетнюю племянницу взяться за дело, порученное ей партизанами. Кроме того, дети могли быть эгоистичными и жестокими. Таня Лифшиц, которая служила проводником в отряде им. Буденного под командованием Семена Ганзенко, попросила вывести из гетто ее маму. Ганзенко передал просьбу Зорину, и тот отправил в гетто мальчика и девочку из своего отряда. Имя матери Тани было в их списке, но они потре-

Рис. 19. Сима Фитерсон после войны. Фото из архива С. Фитерсон-Водинской

бовали у женщины золото в качестве платы. Золота у нее не было, и мама Тани осталась в гетто[22].

Симе Фитерсон было всего 12 лет, когда началась война, но она стала образцовым лесным проводником: девочка вывела из гетто шесть групп, в каждой из которых было по меньшей мере 20 человек, и все они добрались до леса в целости и сохранности (см. рис. 19).

Дядя Симы, Арон Фитерсон, был членом подполья, к которому имел отношение и ее старший брат. Возможно, это и помогло ей подготовиться к будущей роли. Пока Сима жила с семьей, она работала на кирпичном заводе и часто ходила на железнодорожную станцию неподалеку от гетто, где иногда можно было украсть соль из вагонов, которые шли в Германию. Эту соль она относи-

---

[22] Интервью с Таней Лифшиц-Бойко (Бат-Ям, Израиль, 10 ноября 2000 года). Подполье выдало Лифшиц документы на имя Татьяны Мацкевич. В некоторых подпольных материалах ее называют именно так, при этом подпольным псевдонимом Лифшиц было имя Наташа.

ла в Старое Село, где меняла ее на еду. В Старом Селе она встретила белорусскую женщину по имени Муся, которая поняла, что Сима была ребенком из еврейского гетто, и старалась о ней заботиться. Муся часто кормила Симу и позволяла ей оставаться на ночь, а также раздобыла для девочки документы, согласно которым та была белоруской, что сделало ее походы на железнодорожную станцию и в Старое Село значительно безопаснее.

Двадцать пятого марта 1943 года Симе пришлось бежать из гетто. В тот день она вместе с другими девочками стала петь на кирпичном заводе партизанскую песню. Немецкий солдат разобрал в русском тексте слово «Сталин» и назвал Симу партизанкой. Другие девочки сказали ей, что она должна бежать, и показали лаз под забором, окружавшим фабрику. Сима ушла, прекрасно понимая, что не сможет вернуться, и отправилась в Старое Село. На подходе к деревне ее остановили два вооруженных человека. Один сказал другому: «Возможно, она еврейка». На фуражке одного из них Сима увидела красную звезду и расплакалась от счастья и облегчения. Как оказалось, этими людьми были Зорин и Фельдман. Один из них дал девочке автомат и сказал, что, если она сможет его нести, они возьмут ее в отряд им. Сталина, в котором состоял Фельдман. Доказав, что она может удержать в руках автомат, девочка села к ним на телегу, и они отвезли ее к Мусе, которая присматривала за многими беженцами и которая, как надеялись Зорин и Фельдман, сможет ее опознать. Муся сказала: «О, это Симочка», — и объяснила Зорину с Фельдманом, что они привезли ребенка из гетто. Партизаны дали Симе небольшой пистолет и научили им пользоваться. Они также дали ей указание застрелить себя, если ее схватят.

Тридцатого апреля 1943 года девочке было поручено вывести членов подполья из гетто. Сима вернулась домой, и ее старший брат, Зяма, помог ей собрать группу. На следующий день она вывела из гетто 14 молодых мужчин и 6 девушек. Сима возвращалась в гетто еще четыре раза и каждый раз уводила в лес группу примерно из такого же количества человек. В июне 1943 года она вернулась в пятый раз, чтобы забрать из гетто свою мать. Выглянув в окно родительского дома, она увидела приближающегося начальника гетто, немецкого офицера по фамилии Готтенбах, в сопровождении сотрудника еврейской полиции. Сима сказала матери, что они пришли за ней, но та ей не поверила. Тогда девочка убежала к соседке, которая уложила ее в постель, накрыла одеялом и сказала своим детям сесть сверху. Готтенбах и полицейский ворвались в дом, но не нашли Симы. Тогда они забрали ее мать и двоих братьев, отвели их в тюрьму гетто и расстреляли. Кроме того, немцы пришли за ее отцом в больницу гетто, где он приходил в себя после избиения полицейским, которому он посмел перечить. Мужчина попытался выбраться через окно, но упал и умер. Все это время Сима пряталась в квартире у соседки. Через несколько дней за девочкой пришли двое мужчин, которые, несомненно, были подпольщиками. Они вывели Симу из гетто и вернули ее партизанам. У Симы был с собой пистолет, и она могла застрелить Готтенбаха и полицая, когда они вошли в дом. Но подполье запрещало своим членам убивать в гетто немцев и полицейских, опасаясь последствий для себя и его жителей. Сима выполнила приказ.

Больше Сима не появлялась в гетто: немцы узнали о ее вылазках, и партизаны запретили ей возвращаться. Еще два раза она встречалась с группами за пределами гетто и выводила их в лес. В одной из этих групп, помимо евреев, были военнопленные из города. Сима выполняла и другие задания партизан: однажды она привела из Минска женщину, которая работала уборщицей в управлении СД. Сотрудники СД имели привычку оставлять табельное оружие на ночь на рабочем месте. Уходя в лес, девушка забрала с собой 17 или 18 пистолетов. Позже Симе и этой девушке (которой выдали один из принесенных ею пистолетов) поручили пустить под откос немецкий поезд. Они выполнили и этот приказ.

Партизанский отряд стал для Симы семьей, а жена командира, которая была медсестрой, взяла девочку под свою опеку. Однажды Сима заболела, и медик отряда, Мария Абрамовна Кирзон, работавшая врачом в гетто, сказала, что ей нужна вареная печень. Партизаны увели у немцев стадо коров, зарезали одну из них и приготовили ее печень для Симы. Девочка поправилась.

Ближе к концу войны партизаны решили переправить Симу через линию фронта на Большую землю (так называли неоккупированную часть России). Но, когда прибыл самолет, она отказалась в него садиться и убежала. Партизаны в шутку арестовали ее за неповиновение.

Сима оставалась с отрядом вплоть до наступления советских войск и освобождения Минска в 1944 году[23].

ПОМОЩЬ НЕМЕЦКИХ ВОЕННЫХ

Когда я брала интервью у бывших узников гетто, столкнулась с удивительным для себя количеством историй о немцах, которые помогали евреям бежать в лес. Многие из моих собеседников отмечали, что некоторые немцы хорошо обращались с евреями, и их рассказы это подтверждали.

Так, в начале войны немецкий солдат предупредил Сару Голанд и ее семью о том, что оккупационные власти планируют убить всех евреев.

Похожую историю рассказывала Берта Генделевич, студентка одного из медицинских училищ Минска, которая была в Слуцке с семьей, когда началась война, и вместе со всеми родственниками угодила в Слуцкое гетто. Немецкий солдат, которому было поручено сопровождать ее брата каждое утро по дороге на работу, шепнул ему, что власти собираются убить всех евреев, и посоветовал бежать из гетто[24].

У девятилетнего (на момент начала войны) Миши Новодворского возникли более тесные отношения с немецким солдатом, который, по его словам, не раз спасал ему жизнь. Мише (единственному из всей семьи) удалось пережить погром 7 ноября 1941 года, после чего он перебрался жить к тете и дяде. В поисках еды мальчик стал уходить из гетто, пролезая под забором. Услышав о немецком солдате, который якобы давал еду всем, кто ее

---

[23] Интервью с Симой Фитерсон-Водинской. Петах-Тиква, Израиль, 8 ноября 2000 года.

[24] Интервью с Бертой Генделевич. Минск, 6 октября 1999 года.

попросит, он взял мешок и отправился к правительственным зданиям в городе, где был его пост. Когда он подошел к солдату, тот спросил, нужен ли ему хлеб. Испуганный Миша отказался, но солдат заметил его пустой мешок и положил в него кусочек хлеба. После этого Миша не раз возвращался к нему и завел знакомство с солдатом, назвавшимся Вилли (его фамилии мальчик так и не узнал). Вилли сказал Мише, что у него есть дети и что Миша напоминает ему одного из сыновей. Он также признался, что испытывает к евреям особое уважение, так как считает их культурными и образованными. Как-то раз Миша застал Вилли за прослушиванием речи советского чиновника по радио. Выступавший говорил по-русски, и Вилли попросил Мишу перевести, о чем тот говорил. Миша испугался, но все-таки сказал, что чиновник говорил о победе над немцами и о том, что они будут наказаны за свои преступления. Вилли ответил: «Хорошо». Однажды, когда мимо них проходил Вильгельм Кубе, глава оккупационной минской администрации, Вилли сказал Мише: «Надеюсь, он скоро умрет. Тогда, возможно, война закончится, а я смогу вернуться домой».

Вилли убеждал Мишу идти в партизаны и говорил, что если Миша станет партизаном и увидит Вилли, то не должен в него стрелять, потому что сам Вилли не собирался стрелять в партизан. Но Вилли не только вел разговоры, но и предпринимал активные попытки для защиты Миши. Однажды по дороге на Советскую улицу, где находились правительственные здания, мальчика остановил полицейский, который сказал, что отведет его в участок. Вилли увидел это и сказал полицейскому: «Мы здесь не для того, чтобы воевать с детьми». После этого он потребовал отпустить Мишу. Полицейский возразил, что пойманный мальчишка — еврей. Вилли достал пистолет и пригрозил застрелить полицая, если тот не отпустит его. В другой раз Миша едва успел выбраться из гетто, как наткнулся на засаду: отряд полицейских окружил группу сбежавших из гетто евреев. Неподалеку мальчик увидел Вилли и попросил пойти с ним, чтобы со стороны казалось, что Вилли сопровождает Мишу на работу. Вилли выполнил его просьбу и тем самым защитил Мишу от полицейских.

В итоге Миша все-таки ушел к партизанам: ранним утром 22 октября 1943 года он, как обычно, выскользнул из гетто, а когда вернулся, его встретили усыпанные телами улицы, пустые дома и разрушенная ограда. Он присоединился к группе детей, собравшейся за пределами гетто. Старший из них, 14-летний Иосиф Левин, служил проводником в отряде им. Кутузова, командиром которого был Израиль Лапидус, выходец из Минского гетто. Левин повел группу из 40 детей в многодневное путешествие на юг, где находилась база отряда. Проходя немецкие блокпосты, они представлялись беженцами из Смоленска, потому что слышали, что в этом российском городе многие поддерживали немцев и бежали на запад, когда его взяла Красная армия. Все дети благополучно добрались до партизанской базы[25].

Партизаны разместили беглецов в домах крестьян из соседней деревни (Поречье) и снабжали их продуктами, чтобы помочь прокормить детей. Одним из тех, кто поставлял крестьянам еду, был Гендель Соломонов — еврей из Минского гетто, состоявший в партизанском отряде им. Суворова, действовавшем в том же районе. До прибытия детей он (вместе с другими еврейскими партизанами) ставил вопрос о том, как можно помочь прибывавшим в лес беженцам из гетто, после чего было принято решение о поддержке детей и других не годившихся в бойцы евреев[26]. Самой младшей из прибывших в Поречье детей была сестра Иосифа Левина, Майя, которой на тот момент было всего шесть лет. В более поздних интервью Майя Крапина (урожденная Левина) вспоминала, что в деревне по-разному реагировали на присутствие такого количества еврейских детей. Одна из соседок, по словам Крапиной, обвинила женщину из ее семьи в том, что та подвергает опасности всю округу. Если немцы придут, говорила она, все жители будут убиты. Но приютившие Майю люди не принимали такой логики и относились к ней как к члену семьи.

[25] Интервью с М. Т. Новодворским. Минск, 7 октября 1999 года. При рождении Новодворского назвали Меир Тевелович; имя Михаил Тимофеевич он получил в детском доме, в котором жил после освобождения Минска.

[26] Интервью с Генделем Соломоновым. Минск, 1 августа 2000 года.

Рис. 20. Лея (Лиза) Гуткович
с первым мужем до войны.
Фото из архива Л. З. Гуткович

После освобождения они убедили Майю перебраться в минский детдом, потому что ее могли искать родственники. Действительно, там ее нашел дядя, служивший в партизанском отряде. Но девушка все равно часто возвращалась в деревню к своей второй маме[27].

Самым известным примером помощи минским евреям со стороны немцев стала история немецкого лейтенанта Вилли Шульца[28]. Ключевую роль в ней сыграла 25-летняя (на момент начала войны) Лея, или Лиза, Гуткович (см. рис. 20). Она же через несколько десятилетий рассказала о случившемся в нескольких интервью.

Гуткович входила в бригаду из 200 еврейских женщин, которые носили дрова и уголь в котельную местного подразделения люфтваффе, располагавшегося в одном из правительственных зданий на Советской улице. Эта бригада работала под началом немецкого лейтенанта Вилли Шульца. Второго марта 1942 года женщины, как обычно, возвращались с работы и были останов-

[27] Интервью с М. Л. Крапиной. Минск, 4 октября 1999 года.

[28] По этой истории режиссером У. фон Меховым был снят документальный фильм «Die Judin and der Hauptmann: Die Geschichte der Ilse Stein» (Германия, 1994).

лены у ворот. В это время в гетто проходил погром. Многие люди, заранее предупрежденные подпольем и юденратом, успели спрятаться, и немцы не смогли выполнить свой план. Тогда они стали останавливать колонны, отделять специалистов от неквалифицированных рабочих и расстреливать последних. Хотя Лиза и не была квалифицированным рабочим, ей удалось выжить благодаря тому, что проверявший ее офицер толкнул девушку в колонну к специалистам.

На следующий день Гуткович вернулась на работу и обнаружила, что почти все работавшие с ней женщины погибли. Их место заняли другие, в том числе немецкие еврейки из зондергетто. Шульц приказал им построиться. Он прошел вдоль строя, рассматривая женщин и спрашивая их имена. Возле одной из немецких евреек он остановился, пожал ей руку и что-то сказал. Позже Лиза подошла к этой женщине, которая представилась Ильзой Штейн, и спросила, что было причиной столь неожиданной беседы: неужели она была знакома с Шульцем до войны? Ильза сказала, что не знает его, и предположила, что могла просто ему понравиться.

Так оно и оказалось. Ильза и Лиза подружились. Шульц назначил их своими заместительницами: с этого момента девушки должны были каждое утро приходить к нему в кабинет и получать талоны, которые Ильза распределяла среди немецких евреек, а Лиза — среди местных. По этим карточкам работницы получали в полдень по миске жидкого супа и по куску хлеба. Вскоре стало очевидно, что Шульц устроил это, чтобы проводить время с Ильзой (см. рис. 21).

Однажды, когда за талонами пришла одна Гуткович, Шульц спросил ее, почему немцы убивают евреев. Этот вопрос потряс девушку. «Вы немецкий офицер, — сказала она. — Как вы можете задавать мне подобные вопросы? Все, что я могу вам сказать, — до прихода немцев мы все были равны: евреи, белорусы и люди других национальностей. Такой была наша жизнь в Советском Союзе». В другой раз, когда Лиза снова пришла к нему в кабинет одна, Шульц признался ей, что любит Ильзу, и спросил, что он может сделать, чтобы ее спасти. Гуткович ответила, что, если бы

Рис. 21. Вилли Шульц и Ильза Штейн. Фото из архива Л. З. Гуткович

ей удалось сбежать из гетто, она бы смогла выжить, так как выросла в деревне, знала белорусский и умела работать на ферме. Но в случае с Ильзой она не знала, что предложить, потому что та не знала ни русского, ни белорусского и не смогла бы выжить за пределами гетто. Судя по всему, Шульц спрашивал совета и у других. Еще один немецкий офицер, летчик и бывший коммунист, предложил переправить двух женщин через линию фронта в Москву. Лизу они собирались взять с собой для того, чтобы она могла объяснить советским военным, что сопровождающие ее немцы не были шпионами. Но этого летчика отправили на фронт до того, как они смогли воплотить свой план в жизнь. Возможно, это было даже к лучшему, так как шансы выжить после такого были бы невелики.

На территории, где располагалось командование люфтваффе, также работал белорус Сергей Герин, которого Лиза знала, потому что до войны они вместе работали на минской электростанции. Герин искал возможность переговорить с Гуткович на работе с глазу на глаз в каких-нибудь укромных местах и давал ей листовки, из которых становилось понятно, что он был связан с подпольем. Лиза рассказала ему о Шульце и его чувствах к Ильзе. Герин сообщил ей о ситуации на фронте. От него к концу 1942 года она узнала о Сталинградской битве, которая обескровила немецкую армию. Когда Лиза рассказала обо всем Шульцу, он был в восторге, так как увидел в этом шанс на спасение Ильзы. Он спросил Гуткович, откуда ей это известно. Она не могла признаться ему в связи с подпольем (даже если она не была прямой, на тот момент еще не было ясно, является ли Герин подпольщиком) и вместо этого сказала, что об этом говорили люди на улице, когда она шла на работу. Кроме того, она заметила, что Шульц мог бы сам узнавать новости, так как у него было радио, на что он ответил, что ему не позволяют слушать советские трансляции. Помимо этого, Шульц напомнил ей, что не понимает по-русски. Но он сказал, что может поручить ей каждый день в определенное время убирать небольшую комнату, в которой будет стоять радиоприемник. Солдатам, которые работали в этой комнате, придется выходить, чтобы она могла помыть полы. Во время уборки она сможет слушать советские трансляции, а затем рассказывать ему последние новости.

Однажды, когда Лиза мыла полы и слушала радио, в кабинет вошел один из работавших в нем офицеров по фамилии Фишер и потребовал сказать, кто его включил. Лиза ответила, что не знает. Фишер спросил, что она успела услышать, и Гуткович сказала, что по радио говорили об успехах немцев под Москвой, которую они скоро займут. Фишер ответил, что она лжет, показал ей удостоверение сотрудника СС и сказал, что разберется с ней позже. В ужасе Лиза бросилась к Шульцу, но он попросил ее не беспокоиться и сказал, что поговорит с Фишером. Лиза возразила, что Фишер был эсэсовцем и что ей нужно немедленно бежать. После этого она пошла к Герину и рассказала ему о случившемся.

Он пообещал ее спасти. Позже в тот же день Герин сказал Лизе, что в гетто к ней придут два человека из подполья и скажут, что делать. К его предложению Гуткович отнеслась серьезнее, чем к словам Шульца. Она закончила свою смену и вечером, как обычно, отправилась в гетто.

В тот день в ее комнату действительно пришли двое мужчин, сказали ей пойти утром на работу и передать Шульцу следующее: если он хочет спасти Ильзу, ему нужно найти грузовик, оружие и оформить документы для выезда группы рабочих в лес. Подпольщики предоставят карту партизанской территории и проводника, и Ильзу с Лизой переправят к партизанам вместе с 25 членами подполья. Поначалу Шульц опешил от такого и заявил, что не знает, как ему раздобыть машину и оружие. Он сказал, что хотел спасти только Ильзу и Лизу. Лиза объяснила, что это невозможно: двух женщин никогда не отправят одних к партизанам — все должно выглядеть так, словно группа рабочих едет в лес рубить дрова. Подполье сказало ей, что их будет 25 человек: 12 женщин и 13 мужчин. Шульц ответил, что посмотрит, что можно сделать. Лизе и Ильзе велели готовиться к отъезду. Им обеим сказали, что они могут взять кого-нибудь с собой. Лиза договорилась взять с собой четырех подруг, а Ильза — двух сестер. На следующий день Лизе было велено, как обычно, подходить с друзьями к зданию биржи труда в гетто.

Утром 30 марта 1943 года у биржи они присоединились к организованной подпольем группе и проводнику с картой, стали ждать грузовик. Машина опаздывала, ожидание становилось опасным, и многие ушли. Через полчаса грузовик все-таки прибыл. В нем сидели Шульц, Ильза с двумя сестрами, которых он забрал в немецком гетто, и водитель. При себе у Шульца было разрешение на выезд группы рабочих в Руденск, в направлении Могилева. Он решил и сам перейти к партизанам. Водитель ничего не знал об этом плане. Проводник сказал, что все это неправильно и слишком опасно, и отказался с ними ехать. Карту он отдал Шульцу. Они согнали достаточно евреев, чтобы заменить ушедших, и грузовик выехал из гетто. С двумя немецкими офицерами в кабине и официальным пропуском они без проблем прошли все блокпосты. Добравшись до партизанской территории, они оказались на берегу реки: когда-то здесь был мост, но он был взорван. Беглецы вылезли из грузовика, один из юношей разделся, переплыл реку и постучал в дверь дома на другом берегу. К нему вышел старик, сел в лодку и стал переправлять членов группы через реку.

Первыми на другой берег сошли Шульц, водитель, Ильза с сестрами и Лиза. Они зашли в дом старика, прибывшие позже остались снаружи. Вскоре появились мужчины с оружием, которых Лиза приняла за партизан. Когда они вошли в дом и начали обыскивать тех, кто находился внутри, водителю стало плохо. Много десятилетий спустя Лиза вспоминала, что в этот момент Шульц взял Ильзу на руки и сказал, что спас ее, потому что любит. Партизаны поняли ситуацию и отнеслись к Шульцу с уважением. Всю группу отвели на партизанскую базу; Шульц с Ильзой, Лиза и водитель попали в один отряд, остальных распределили между другими подразделениями. Шульц и Ильза теперь были парой, и им предоставили отдельное жилье. Всех беглецов допросили, Шульца и водителя — особенно тщательно. Шульц признался, что был офицером и занимался противовоздушной обороной Минска, и рассказал партизанам о расположении немецких войск. Когда его спросили о намерениях, Шульц сказал, что готов выполнять любые приказы партизан, но больше всего хотел бы попасть в Москву и рассказать всему миру о том, как жестоко немцы обращаются с людьми на оккупированных территориях.

Лизе и водителю было приказано отправиться в другой отряд, а Шульц и Ильза остались при штабе. Как-то ночью водитель сбежал из отряда и заблудился. Его приютил местный крестьянин, который накормил немца и дал ему водки, а когда тот напился и уснул, вызвал партизан. Водитель попытался объяснить, что хотел вернуться в Минск, чтобы привести еще добровольцев, но партизаны ему не поверили, и немца расстреляли. Шульца и Ильзу на самолете доставили на Большую землю. Несколько месяцев они жили в подмосковном поселке для иностранцев, пока офицеры НКВД не забрали Шульца. Ильза никогда больше его не

Рис. 22. Сергей Герин. Фото
из архива Л. З. Гуткович

видела. На официальный запрос после войны ей ответили, что
Шульца увезли в лагерь для военнопленных, где он заболел ме-
нингитом и умер. Самой Ильзе предложили принять советское
гражданство, что она и сделала. Она переехала в Биробиджан,
где познакомилась с русским евреем из Ростова-на-Дону и в итоге вышла за него замуж. Через несколько лет она перебралась
в родной город мужа.

В конце 1980-х годов Лиза обнаружила в газете «Вечерний
Минск» объявление, размещенное Ильзой Шульц, которая разыскивала людей, спасших ее из Минского гетто, и просила написать
или позвонить ей в Ростов-на-Дону. Лиза связалась с ней, и Ильза совершила первую из нескольких поездок в Минск, чтобы
повидаться с ней.

После того как их группа покинула город, немцы арестовали
Сергея Герина — белоруса, который помогал организовать побег
Лизы и Ильзы. Его допрашивали и отправили в Аушвиц, а за-
тем — в два других концлагеря (см. рис. 22).

Герина освободили союзники, и он вернулся в Минск. Но его здоровье было подорвано, и он умер в возрасте 34 лет. Жена Герина и двое его сыновей жили в нищете. Гуткович, которая во время войны вышла замуж за партизанского командира, помогала содержать его семью. «Все это произошло благодаря ему, — говорила она. — Без него все это было бы невозможно»[29].

---

[29] Интервью с Л. З. Гуткович. Минск, 6 июля 2000 года. Гринштейн подтвердил эту историю и роль, которую сыграло в ней подполье (Интервью. Гиватаим, Израиль, 12 ноября 2000 года). Кроме того, он излагает ее в своей рукописи, см.: Grinstein Y. Umkum un Vidershtand // Yad Vashem Archives. P. 11–14. Гринштейн пишет, что Шульц поначалу плохо относился к евреям, но, стоило ему влюбиться в Ильзу, его поведение резко изменилось. Анна Красноперко работала в бригаде Шульца и была свидетельницей его отношений с Ильзой и Лизой (она называет их Отто Шмидтом, Эдитой и Линдой, но ее рассказ в точности соответствует истории Шульца). Она описывает его как порядочного и храброго мужчину, который с уважением относился к своим подчиненным и несколько раз спасал евреев от других немцев. Красноперко вспоминает случай, когда Шульц отправил с поручением одну из женщин своей бригады. Ее остановил полицейский, который не поверил, что ей разрешили покинуть рабочее место, и стал угрожать арестом. Когда об этом узнал Шульц, он отвесил полицейскому оплеуху и приказал тому извиниться перед женщиной за то, что он посмел усомниться в ее словах. К изумлению Анны и других присутствовавших евреев, полицейский действительно извинился. Красноперко ушла из гетто раньше Лизы, Ильзы и Шульца, см. [Красноперко 1989: 92–93, 106–118]. В отчете, написанном Анной Мачиз во время войны в партизанской деревне, упоминается немецкий офицер Шульц, который привез с собой в партизанский отряд 37 евреев, см.: НАРБ. Ф. 4. Оп. 33а. Д. 656. Л. 201, 202.

Глава 7

Предательство минского подполья советскими властями

В конце июня — начале июля 1944 года Красная армия быстро продвинулась по территории Белоруссии и уже 3 июля освободила Минск. В город со всех сторон стекались партизанские отряды, и 16 июля здесь прошел большой партизанский парад. Часть партизан была мобилизована в Красную армию, но многие вернувшиеся из леса минчане остались в городе и попытались вернуться хотя бы к подобию жизни, которую они вели до войны. В Минске была восстановлена советская власть.

В первые годы после войны партизанская борьба и поддерживавшее ее коммунистическое подполье воспевались по всему Советскому Союзу. Великая Отечественная война легла в основу новой или как минимум переосмысленной и обновленной советской идентичности, которая стояла над многочисленными национальностями, составлявшими СССР. В этом новом прочтении те, кто добровольно рисковал жизнью ради защиты Родины и победы над нацизмом, становились нравственным ориентиром. Менее героические аспекты партизанской борьбы, такие как насильственная (часто) экспроприация крестьянской собственности и недисциплинированное, а иногда и откровенно преступное поведение отдельных партизан, долгое время вымарывались из общественных дискуссий о войне. Партизанское прошлое стало обязательным условием успешной политической карьеры.

Вопрос, какой личный вклад был внесен в партизанскую борьбу, особенно остро стоял для жителей оккупированных территорий, так как советские власти придерживались позиции «виновен, пока не доказано обратное». Так называемая жизнь под немцами накладывала отпечаток коллаборационизма, от которого можно было избавиться только в том случае, если была доказана причастность к Сопротивлению.

С учетом всего сказанного выше можно было бы подумать, что оставшихся в живых членов минского подполья чтили как героев. Но в реальности вернувшиеся советские чиновники относились к ним с подозрением и вскоре после освобождения начали арестовывать бывших подпольщиков по обвинению в коллаборационизме. Большинство арестов пришлось на период между 1944 и 1946 годами, а некоторые случились еще до окончания войны. К 1949 году было арестовано по меньшей мере 126 бывших членов организации и людей, имевших хоть какое-то отношение к минскому подполью[1].

В 1945 году Хася Пруслина, в прошлом — одна из лидеров подполья гетто, и другие оставшиеся на свободе бывшие подпольщики стали добиваться официального признания минского горкома как легитимной подпольной организации. С одной стороны, они хотели, чтобы минское подполье заняло заслуженное место в истории войны, с другой — надеялись, что это приведет к пересмотру уже открытых дел и защитит бывших подпольщиков и их семьи от дискриминации, вызванной негативным отношением со стороны советской бюрократии.

Пруслиной, женщиной потрясающей честности и мужества, восхищались не только бывшие товарищи по подполью — к ней относились с уважением или как минимум с опаской даже советские чиновники, для которых она была постоянной головной болью. Именно это позволяло ей стоять на своем, когда для других все могло закончиться тюрьмой, если не хуже.

---

[1] Интервью с Е. И. Барановским. Минск, 12 декабря 2000 года. Барановский являлся директором НАРБ и входил в комиссию 1959 года, чей отчет стал основанием для реабилитации минского подполья. Как член комиссии, Барановский, по его собственным словам, видел 126 дел на людей, связанных с подпольем, которые были арестованы после войны.

Пруслина, которой на начало войны был 41 год, умерла задолго до того, как я начала свое исследование, поэтому мне пришлось полагаться на ее записи, доступ к которым мне предоставила ее дочь, З. А. Никодимова, и на устные свидетельства других людей.

Согласно одной из историй, которую мне рассказала Никодимова, вскоре после освобождения Минска Пруслину попросили встретиться с членом Минского горкома. К тому времени она уже начала понимать, что В. И. Козлов, занимавший тогда должность секретаря минского обкома КПБ, являлся одной из главных фигур в кампании по дискредитации минского подполья. Козлов был тесно связан с П. К. Пономаренко и Л. Ф. Цанавой, который, как народный комиссар госбезопасности БССР, отчитывался лично перед Л. П. Берией. Пруслиной сделали предложение: если она продолжит пользоваться своим подпольным псевдонимом Пелагея Петровна Федюк и не вернется к настоящему (явно еврейскому) имени, ей предоставят место в советском руководстве, она обретет финансовую стабильность, ее будет ждать блестящая карьера. Для матери-одиночки с малолетним ребенком такое предложение, особенно в финансовом плане, наверняка было весьма привлекательно. Но женщина отказалась и вернулась к своему еврейскому имени — Хася Менделеевна Пруслина.

До конца жизни она с трудом сводила концы с концами, подрабатывая преподавательницей там, куда ее брали. Немногие решились бы ответить отказом на такое предложение людей Сталина. Еще меньше было тех, кому удалось при этом остаться невредимым[2].

---

[2] Интервью с З. А. Никодимовой. Минск, 1 августа 2000 года. Никодимова рассказала мне, что под Витебском, откуда ее мать родом, фамилия Пруслин была распространенной еврейской фамилией. Хася Менделеевна была благоразумна и мужественна. Никодимова рассказала, как однажды она гуляла с матерью и Козловым, который хвастался недавно вышедшей из печати книгой по истории партизанского движения и пересказывал ее содержание. В ответ 10-летняя Зина пренебрежительно бросила: «Но ведь в вашей книжке одна сплошная болтовня». Мама резко ткнула девочку локтем в бок, и та поняла, что ей не стоит делать подобных замечаний.

Рис. 23. Хася Менделеевна Пруслина в 1950-х годах. Фото из архива З. А. Никодимовой

Пока Сталин был жив, оспорить официальное осуждение минского подполья было невозможно. Вскоре после смерти вождя в 1953 году Пруслина и некоторые другие бывшие подпольщики начали кампанию по реабилитации подполья (см. рис. 23) и в 1960 году добились своего: президиум ЦК КПБ проголосовал за признание и реабилитацию минского подпольного горкома, действовавшего в 1941–1942 годах.

Из всех проходивших по этому делу 113 человек были оправданы. Некоторые не дождались реабилитации и умерли в тюрьмах или лагерях. Другие вышли на свободу ранее, но все это время жили в тени обвинений в предполагаемом коллаборационизме. Те, кто оставался в заключении, но имел родственников, готовых бороться за их права, были отпущены. Однако, несмотря на официальное признание заслуг минского подполья, над памятью о нем по-прежнему висело облако подозрений.

Елена Гапова, которая родилась и выросла в послевоенном Минске, рассказывала, что в начале 1970-х годов, когда она училась в школе, минское подполье по-прежнему считалось запятнанным коллаборационизмом, люди старались избегать разговоров на эту тему[3]. Но члены подполья получали пенсии как участники Великой Отечественной войны, и их причастность к подполью не использовалась против них или их детей при устройстве на работу либо при поступлении в университет, по крайней мере официально.

В 1970 году Пруслина написала подробный рассказ о том, как шла борьба за реабилитацию минского подполья, в котором проследила, как нарастала враждебность к нему со стороны группы советских чиновников. Ее свидетельство, которое подтверждается документами из белорусских архивов и другими бумагами Пруслиной, и легло в основу этой главы. Во введении Пруслина пишет:

> Мы, бывшие минские подпольщики, очень рады реабилитации минского подполья. Это признание произошло только в сентябре 1959 года [вопрос о признании подполья был вынесен на голосование ЦК на основе резолюции, принятой в предшествующий год, но впоследствии отмененной].
>
> Главными противниками признания заслуг минских патриотов в Великой Отечественной войне были ПОНОМАРЕНКО П. К. [первый секретарь ЦК КПБ], КОЗЛОВ В. И., МАЛИН и т. д. Наибольшее упорство, вернее — упрямство, проявил В. И. КОЗЛОВ. Это он объявил монополию на славу в нашей области...
>
> О покойниках плохо не говорят. Но факты — упрямая вещь, и я буду приводить только факты. Зная о них с 1942 года, я не могу молчать. Правда, пишу слишком поздно: нет прежней памяти — возраст не тот... Нет и прежней ярости: моему возрасту присуща снисходительность.
>
> Почему же я все-таки пишу? Во-первых, потому, что следы многолетней упорной борьбы за признание минского подполья нашли отражение в многочисленных документах: заявлениях и письмах в ЦК КПБ и ЦК КПСС...

---

[3]   Личный разговор с Еленой Гаповой. Минск, июль 2000 года.

Тому, кто будет знакомиться с этими материалами, особенно когда нас, подпольщиков, уже не будет (мы глубокие старики), трудно будет поверить, что на борьбу за признание героизма минских патриотов в годы войны ушло около 20 лет. Следовательно, живые свидетели могут оказаться нужными истории.

Получилось так, что мне пришлось быть не только свидетелем, но и одним из участников этой борьбы [Никодимова 2010: 56–57].

ПОДОЗРЕНИЯ СОВЕТСКОЙ ВЛАСТИ ОТНОСИТЕЛЬНО ПОДПОЛЬЯ

Летом 1942 года минский городской комитет с восторгом узнал от своего контакта среди партизан о создании в Любанских болотах, примерно в 150 км к югу от Минска, подпольного обкома КПБ и о том, что он хочет связаться с минским подпольем.

С момента своего создания минское подполье действовало само по себе, оставаясь советским по духу, но не получая ни конкретных указаний, ни материальной поддержки с Большой земли. Легитимный и уполномоченный партией подпольный комитет, ради которого подпольщики всячески откладывали создание общегородской организации, так и не объявился. Попытки связаться с КПБ, руководство которой находилось в Москве, тоже не увенчались успехом. Но новости из Любанских болот давали надежду на долгожданный прорыв.

Горком попросил Хасю Пруслину отправиться на Любанщину. К тому времени она уже была главной связной между подпольем гетто и горкомом. Пруслина жила в русском районе, где возглавляла подпольную группу, в составе которой она была единственной еврейкой. Помимо контактов с подпольем гетто, она участвовала в кампании по спасению еврейских детей, распространяла подпольную литературу, занималась поиском жилья для подпольщиков и была, как она сама писала в своих мемуарах, «паспортным столом»: с помощью белорусского подпольщика Василия Сайчика Пруслина изготовила большое количество поддельных паспортов, которые она затем выдавала членам подполья в гетто и русском районе [Никодимова 2010: 28]. Из-за подпольной работы ей приходилось часто переходить границу гетто. Пруслина научилась отвлекать от себя внимание, прикидываясь старухой. Однажды ночью, в декабре месяце, еще до того, как она обзавелась собственным поддельным паспортом, Пруслина шла по Республиканской улице, где как раз заканчивалось гетто, когда заметила, что прохожих рядом с ней остановили для проверки документов. К ней подошли двое переодетых полицейских, один из которых крикнул: «Стой!» Он спросил, откуда та идет. «С работы», — ответила Пруслина по-белорусски. Полицейский потребовал у нее документы. Она достала справку, выданную юденратом, и сказала: «Нате-нате, мои голубы, читайте: я женщина неписьменная». Полицейские посветили ей лампочкой в лицо, каждый хлопнул ее по плечу и сказал: «Иди, бабка» [Никодимова 2010: 25]. В справке, которую им дала Пруслина, было написано, что она еврейка. Возможно, полицейские отпустили ее потому, что приняли за безобидную старуху, или потому, что были неграмотными, или все вместе[4]. На самом деле Пруслина была одним из самых образованных членов минского подполья. Она училась в аспирантуре по истории народов СССР и преподавала в Коммунистическом университете Белоруссии, читая курсы по истории Советского Союза и основам марксизма-ленинизма. Горком сделал Пруслину своим представителем в областном комитете отчасти потому, что она пользовалась всеобщим доверием и уважением, а частично из-за того, что гестапо вышло на ее след, так что ей нужно было уйти из Минска.

В попутчики Пруслина взяла свою подругу — Анну Езубчик, белорусскую коммунистку, которую Пруслина привлекла к подпольной работе. Женщины были знакомы благодаря совместной учебе в аспирантуре. Они встретились с секретарем горкома Иваном Ковалевым, который подробно рассказал им о работе

---

4   Заявление Х. М. Пруслиной Комиссии по составлению хроники Великой Отечественной войны, 25 августа 1944 года (рукопись хранилась среди бумаг Пруслиной).

комитета, чтобы они передали эту информацию обкому и попросили у него радиоприемник (с его помощью можно было поддерживать связь), а также деньги, газеты и литературу. Им дали несколько записок, написанных на папиросной бумаге, которые Пруслина незаметно зашила в платье, а также «35 [немецких] марок, по кирпичику хлеба и кое-что из товаров для маскировки, будто... шли менять все это на харчи» [Никодимова 2010: 75]. Им показали маршрут на карте и дали записку: на одной стороне — пароль, потом написано: «Обратитесь к такому-то, крестьянину Лещеня деревни Альбинск... Скажете: "Верно, убит?" Он ответит: "Да, убит"». Это должно было значить, что они в нужном месте [Никодимова 2010: 40].

Дорога заняла шесть суток и проходила по местности, где шли бои между немцами и партизанами. Даже спрашивать, как добраться до Альбинска или близлежащих деревень, было опасно, потому что такой вопрос выдавал намерение женщин попасть на партизанскую территорию. Однажды им встретился мужчина на велосипеде. Он остановился, осмотрелся по сторонам, сказал: «Уходите немедленно: здесь никто не выживает», а потом сразу умчался прочь. Но другой мужчина объяснил им, как обойти проходившее неподалеку сражение и попасть на болота, где находились партизанские базы. Женщины последовали его совету, отправились на Любанские болота, где заночевали. На следующее утро они встретили четырех вооруженных мужчин, которые представились полицейскими, хотя были одеты в обычную одежду. Женщины решили, что это партизаны. Их арестовали и отвели в деревню, по улицам которой ходили мужчины со звездами на головных уборах. Стало ясно, что они находятся на партизанской территории.

Женщин допросили. Их приняли за шпионок из Минска и приговорили к расстрелу. К счастью, в последний момент вмешался член обкома, случайно оказавшийся в этой деревне. Он знал, что в обкоме ждали представителей из Минска, и, услышав, что партизаны собираются расстрелять двух минских шпионок, приказал остановить казнь. Одиннадцатого сентября 1942 года Пруслина и Езубчик прибыли в расположение обкома, где их радушно встретили его руководители: С. К. Лещеня и В. И. Козлов. Женщин засыпали вопросами о положении дел в Минске. Козлов радировал об их прибытии первому секретарю ЦК КПБ и начальнику Центрального штаба партизанского движения — Пономаренко. Тот прислал им привет и предложил написать отчет о работе минского горкома. Пруслина и Езубчик остались в обкоме и за следующие две недели заполнили две тетрадки, написав все, что они знали о работе минского подполья. Козлов пообещал предоставить необходимое снабжение, посоветовал женщинам отдохнуть и сказал, что лично проследит за тем, чтобы они добрались до Минска в целости и сохранности. Обсуждалось также создание представительства обкома ближе к Минску, чтобы можно было поддерживать связь, не совершая таких трудных и опасных путешествий.

Козлов улетел в Москву, и примерно две недели спустя оттуда прибыл секретарь ЦК КПБ И. П. Ганенко, чтобы провести совещание с командным и политическим составом партизан. «Встретил он нас недружелюбно. Он не хотел нас слушать и сразу словно бросил ком грязи в лицо: "Уличные женщины, — сказал он, — знают гораздо больше, чем вы"» [Никодимова 2010: 59]. Лещеня и другие члены обкома стали относиться к ним с враждебностью и подозрением. Пруслина и Езубчик обнаружили, что за ними постоянно следят, словно за шпионками, при этом они не понимали, чем была вызвана такая резкая перемена. Вскоре их под конвоем доставили в бригаду им. Ворошилова, от которой в минском горкоме и узнали о существовании обкома. Их принял комиссар бригады, секретарь минского обкома КПБ И. Д. Варвашеня, состоявший в хороших отношениях с горкомом. Он рассказал женщинам, что до него дошли вести о массовых арестах подпольщиков в Минске, и послал Пруслину и Езубчик в разведку в город, чтобы узнать обстановку.

Пруслина и Езубчик вошли в Минск разными путями, договорившись встретиться позже на квартире у одной из участниц подполья. Пруслина случайно встретила на улице подпольщицу Ольгу Ивановскую, которая отвела ее в сторону и рассказала, что все члены Второго городского комитета были арестованы вместе с сотнями рядовых членов, а те, кому удалось избежать ареста, уходят в лес, так что Пруслина и Езубчик должны были срочно покинуть город. В обкоме Пруслиной дали письмо, которое она должна была доставить в горком. Она смогла передать его жене члена подполья, которая пообещала положить послание в бутылку и закопать ее в саду, а после освобождения Минска откопать и отдать его советским властям. Пруслина и Езубчик вернулись в бригаду им. Ворошилова и доложили обо всем, что случилось в Минске. Вскоре после этого они заметили, что Варвашеня и другие члены бригады стали относиться к ним с тем же презрением, с которым они столкнулись в обкоме. Варвашеня в грубой форме приказал Пруслиной покинуть базу и работать в госпитале при бригаде, хотя она ничего не знала о медицине и не хотела этим заниматься. Езубчик и несколько других женщин из минского подполья отправили в другую бригаду. Пруслина писала:

> После прихода из Минска отношение к нам резко изменилось к худшему. Не буду описывать всех издевательств над нами. Нам просто не доверяли, и, если где-нибудь что-нибудь в отрядах случалось, во всем винили «проклятых минских шпионок». Так, в отряде им. Суворова ЕЗУБЧИК А. А. и БАТУРИНУ Марию [еще одну подпольщицу из Минска] публично не допустили к партизанской присяге. Таких примеров было немало [Никодимова 2010: 62].

Зимой 1942 года и весной-летом 1943 года группы, которые минское подполье посылало к партизанам, часто сталкивались с подозрениями и подвергались многодневным допросам[5].

Пруслина не называет даты их с Езубчик возвращения в бригаду им. Ворошилова, но, судя по ее рассказу, это произошло в октябре 1942 года. Двадцатого ноября Пономаренко разослал партизанским командирам всей Белоруссии радиограмму с грифом «совершенно секретно», то есть предназначенную для передачи только на партизанских волнах. После этого отношение

---

[5] Интервью с Р. Г. Хасеневич. Минск, 13 октября 1999 года; интервью с М. М. Канторовичем. Минск, 9 октября 1999 года.

партизанского командования к подполью резко изменилось. Возможно, именно эта радиограмма повлияла на то, как Варвашеня обращался сПруслиной и Езубчик; может быть, она лишь подкрепила послание, переданное Козловым и Лещеней из областного комитета. В радиограмме Пономаренко говорилось следующее:

> Всем партизанским бригадам и отрядам Белоруссии!
> Немецкая разведка в Минске организовала подставной центр партизанского движения с целью выявления партизанских отрядов, засылки в них от имени этого центра предателей, провокационных директив и ликвидации партизанских отрядов.
> Этот центр партизанскими отрядами минской зоны разоблачен.
> Имеются сведения о том, что в этих же целях немецкой разведкой создан второй центр, который также рассылает директивы и людей и пытается связаться с партизанскими отрядами.
> Приказываю:
> 1) в целях предотвращения проникновения в отряды вражеской агентуры партизанским отрядам с представителями каких бы то ни было организаций из Минска в связи не вступать и никаких данных о дислокации, численности, вооружении и действиях отрядов не давать;
> 2) появляющихся представителей тщательно проверять, внушающих сомнения задерживать.
> Начальник Центрального штаба партизанского движения П. Пономаренко[6].

В 1945 году, после освобождения Минска, минский обком КПБ созвал семинар для командного и политического состава партизанских отрядов по подготовке к первой годовщине освобождения Белоруссии. Пруслину пригласили выступить с докладом

---

[6] Директива Центрального штаба партизанского движения № 215 партизанским бригадам и отрядам Белоруссии о мерах по предотвращению проникновения в отряды вражеской агентуры, 4 ноября 1942 года. — *Примеч. ред.* См.: НАРБ. Ф. 4085. Оп. 1. Д. 1. С. 21–22.

о минском подполье. Она подробно и с гордостью рассказала о его достижениях. Выступление прошло в ошеломляющей тишине, после чего к Пруслиной подошла большая группа слушателей. «Вы с такой любовью говорили о героизме минских подпольщиков... — отметили они. — Все сказанное вами нас поразило. Мы были совсем иного мнения о них. К нам осенью 1942 года пришла из обкома совершенно другая установка, не так оценивавшая минское подполье». «Что же это была за установка?» — спросила Пруслина. Политработники рассказали ей о письме из обкома, в котором говорилось, что надо с большой предосторожностью относиться к прибывающим из Минска, особенно не доверять тем, кто был связан с так называемым гестаповским горкомом. «Можете себе представить, — сказали они Пруслиной, — как мы обращались с пришедшими в отряды минчанами-подпольщиками. Мы поступали с ними сурово, по законам военного времени» [Никодимова 2010: 63].

Примерно в то же время Пруслина лично столкнулась с таким отношением со стороны В. И. Козлова. Она несколько лет читала курс истории СССР в Высшей партийной школе, слушателем которого в какой-то момент оказался первый секретарь минского обкома. На каждом занятии Пруслина поднимала вопрос о признании минского подполья. Каждый раз, писала она в своих мемуарах, Козлов отвечал одно и то же: «Никакого подполья в Минске не было. Все, что вы называете коммунистическим подпольем, было затеей гестапо, чтобы выявить советских патриотов и уничтожить их». После этого он предлагал ей запомнить, что вся организованная борьба против оккупантов шла от него, что именно он, Козлов, руководил всем подпольем и партизанским движением в Минской области [Никодимова 2010: 64].

ОБВИНЕНИЯ В КОЛЛАБОРАЦИОНИЗМЕ

Директива с подписью Пономаренко и инструкция от обкома, о которой политработники рассказали Пруслиной в 1945 году, обернулись для многих членов минского подполья арестами и обвинительными приговорами. Часть из них пришлась на последние полтора года войны, когда подпольщиков арестовывали в партизанских отрядах или в тылу, но большинство случилось уже после освобождения. Никого не арестовывали просто за то, что они были членами минского подполья. Но в выдвинутых против них обвинениях связь с подпольем часто служила доказательством того, что их действия, которые в иных обстоятельствах считались бы абсолютно невинными, были предательством.

Пример Нины Одинцовой — подпольщицы, которая 6 октября 1942 года вернулась из Минска в бригаду им. Ворошилова и в конце ноября была расстреляна как шпионка, — показывает, как связь с минским подпольем могла быть использована для обвинений в коллаборационизме. После войны мать Нины, Мария Тимофеевна Одинцова, написала Пономаренко письмо, в котором осудила казнь своей дочери и заявила, что Нина была патриоткой, а не пособницей немцев.

Было составлено досье, в которое вошли показания командиров и рядовых членов бригады им. Ворошилова, а также одного из сотрудников обкома. В них утверждалось, что во время одного боя против карательной экспедиции немцев Одинцова подавала немцам, наступающим на партизан, условные сигналы и пыталась перебежать на их сторону. Эти обвинения подкреплялись не детальным описанием произошедшего, а, скорее, ссылками на знакомство Одинцовой с Ковалевым, который на тот момент являлся секретарем минского горкома. В сентябре 1942 года его арестовали вместе с остальными членами комитета; по некоторым данным, он стал немецким осведомителем, выдав немцам других подпольщиков. До своего ареста и ухода Одинцовой в бригаду им. Ворошилова Ковалев часто навещал ее семью для встреч с отцом Нины, а одно время Одинцовы даже прятали его у себя. После прокатившейся по подполью волны арестов в конце сентября — начале октября 1942 года и после радиограммы, которую Пономаренко разослал командирам партизанских бригад и отрядов в начале ноября, Нину Одинцову обвинили в том, что она пришла к партизанам по приказу Ковалева для сбора сведений о бригаде. Одно из писем уличало ее в том, что, находясь в бригаде, она оставалась в контакте с Ковалевым, что было невозможно, потому что в то время он был уже арестован.

Дело против Одинцовой во многом строилось на связях ее семьи с Ковалевым, при этом оно основывалось не только на обвинениях в том, что он сотрудничал с немцами после ареста, но и на куда более спорном предположении, что он и до этого был в сговоре с ними[7]. Ковалев, может быть, и стал информатором после своего ареста, но это вовсе не означает, что он изначально был предателем. Даже если он сотрудничал с немцами до ареста, это еще не делает коллаборантами тех, с кем он контактировал. При выстраивании подобных обвинительных цепочек напрочь игнорируется тот факт, что некоторые люди ломаются под пытками. Поиск шпионов становится самоцелью, из-за чего улики против обвиняемого, какими бы сомнительными они ни были, воспринимаются более серьезно, чем свидетельства в его пользу.

Многие обвинения, выдвинутые против бывших членов минского подполья, основывались на еще более сомнительных доказательствах соучастия, чем знакомство Одинцовой с Ковалевым, и куда более превратном толковании фактов. Одинцову хотя бы обвинили в том, что она подавала сигналы немцам. Других судили как коллаборантов за то, что они работали на немцев, хотя их работа была лишь прикрытием для сбора информации в интересах подполья, или за действия, которые были обычными для партизан, но после войны могли быть представлены в предосудительном свете.

Н. М. Никитин был членом подпольного Военного совета, уничтоженного в ходе облавы в конце марта 1942 года. Никитину удалось избежать ареста только потому, что его уже не было в Минске. Он был назначен командиром партизанского отряда, который вскоре развернулся в бригаду, в составе которой было много бывших подпольщиков. В октябре 1942 года бригада перешла через линию фронта. Вскоре Никитина и других членов командного состава арестовали советские власти. Тринадцатого

---

[7]   Личное дело Нины Одинцовой // НАРБ. Ф. 4. Оп. 33а. Коробка 87. Д. 615.

октября 1943 года за принадлежность к немецкой разведке и провокаторскую деятельность Никитина приговорили к 15 годам лагерей. Его обвинили в организации грабежей мирных граждан населения по приказу немецких агентов Рогова, Белова и Котикова и в самовольном переходе линии фронта.

Ссылка на контакты Никитина с Роговым, Беловым и Котиковым аналогична обвинениям Нины Одинцовой в связях с Ковалевым. Рогов и Белов возглавляли Военный совет, членом которого был Никитин. Котиков состоял во Втором горкоме. Рогов и Белов, судя по всему, сотрудничали с немцами после своих арестов в конце марта — начале апреля 1942 года, как и, вероятно, Ковалев полгода спустя. Котиков был арестован в конце сентября 1942 года после второго провала подполья и, видимо, тоже стал информатором. Сложно сказать точно, что с ним случилось, поскольку его признание в предательстве было получено на допросах с помощью методов, не слишком, вероятно, отличавшихся от тех, которыми пользовались немцы. В обвинениях, выдвинутых против Котикова, также упоминалось, что он назначил комиссаром А. М. Гвоздева, которого тоже подозревали в коллаборационизме. Дело Гвоздева, о котором будет рассказано далее, было полностью сфабрикованным. Обвинение Никитина в организации грабежей мирных граждан было связано с тем, что его бригада, как и все партизаны, занималась экспроприацией провизии у крестьян. Пункт о самовольном переходе линии фронта выглядел странно, особенно с учетом того, что в других случаях пребывание на оккупированной территории расценивалось как свидетельство желания сотрудничать с немцами. В 1957 году Никитина, как и многих других, оправдали. На тот момент он по-прежнему находился в лагере. Когда дочь привезла ему известие о скором освобождении, у Никитина случился сердечный приступ, в результате чего он умер[8].

---

8 Досье на Н. М. Никитина // Центральный архив КГБ Республики Беларусь (ЦА КГБ РБ). Пруслина упоминает в своих бумагах, что Никитин погиб в Магадане [Никодимова 2010: 62]. Директор НАРБ, Барановский, рассказал, что Никитин умер, когда к нему в лагерь приехала дочь с известием, что его оправдали. Интервью с Е. И. Барановским. Минск, 12 сентября 2000 года.

Арест некоторых бывших подпольщиков во время войны мог быть и не связан с минским подпольем. В. И. Сайчик, одна из подпольных кличек которого была «Дед», участвовал в создании подпольной типографии и управлении ею на квартире у Вороновых в русском районе. В конце сентября 1942 года его, как и многих других членов подполья, арестовали немцы, но, в отличие от большинства товарищей, ему удалось сбежать. Сайчик ушел из Минска, вступил в партизанскую бригаду и в составе группы перешел через линию фронта. После этого его арестовали и обвинили в том, что он был завербован немецкой разведкой, с разрешения которой и был освобожден из-под стражи. Бежать из-под немецкого ареста удавалось очень немногим, и такие люди неизбежно сталкивались с недоверием, когда возвращались на советскую сторону. В 1943 году Сайчик был приговорен к пяти годам лагерей. Через четыре года его дело было пересмотрено, «Деда» оправдали[9].

В некоторых случаях аресты объяснялись исключительно связью с минским подпольем. Л. С. Барановский был арестован 10 января 1943 года. На тот момент он был рядовым бригады Н. М. Никитина. Незадолго до ареста Никитина (в декабре 1942 года) его бригада была расформирована, а большинство ее членов разогнали. В обвинительном заключении по делу Барановского говорилось следующее:

> Барановский... остался в оккупированном Минске и состоял в преступной связи с минским подпольным партийным комитетом, организованным немцами в провокационных целях ... Зная о предательской деятельности членов этого подпольного комитета, Барановский оставался с ним в контакте до июня 1942 года. Затем он присоединился к партизанской бригаде Никитина по рекомендации Козлова, который был членом комитета и, очевидно, являлся немецким агентом. Во время своего пребывания в бригаде Барановский вступил в преступную связь с Никитиным[10].

---

[9]   Досье на В. И. Сайчика // ЦА КГБ РБ. Передано сотрудником КГБ И. Ериным в Минске.

[10] Досье на Л. С. Барановского // ЦА КГБ РБ.

Многие обвинения, выдвинутые против членов минского подполья, основывались исключительно на том, что во время войны они работали на немцев, что считалось доказательством добровольного сотрудничества. Часть из них устроились на свои места по просьбе других подпольщиков, часть нашли эту работу самостоятельно, но использовали ее для сбора информации в интересах подполья. Некоторые просто пытались прокормить себя в военные годы. Кому-то из обвиняемых удалось доказать, что они не были коллаборантами, и их выпустили уже в 1940-х годах. Но даже им пришлось провести по несколько месяцев (а иногда и лет) в тюрьмах или заниматься тяжелым трудом в лагерях. Некоторые полностью отсидели свой срок, а другие оставались в заключении до конца 1950-х годов. Многие были реабилитированы только после того, как их дела были пересмотрены в результате усилившегося давления на Коммунистическую партию Белоруссии с целью признания минского подполья.

В некоторых случаях дела против бывших подпольщиков, арестованных как добровольные коллаборанты из-за их работы, прекращались, когда оказывалось, что они действительно работали на подполье. Например, в июле 1945 года за службу в полиции гетто, за участие в погромах и облавах был арестован Арон Фитерсон. Вскоре, однако, было установлено, что он вступил в ряды полиции по приказу подполья и помогал людям бежать из гетто. Двадцать второго ноября 1945 года Фитерсона освободили, а дело было закрыто[11].

Варвару Плавинскую, врача и подпольщицу, тоже отпустили после того, как было доказано, что предполагаемый коллаборационизм с ее стороны был на самом деле подпольной работой. Во время войны Плавинская работала в больнице в русском районе, за что ее и арестовали 28 февраля 1946 года, так как она слишком сблизилась с главврачом, который был членом националистического и прогерманского Национально-трудового союза нового поколения. Плавинскую приговорили к восьми годам тюрьмы. Но она подала апелляцию и смогла доказать, что

---

[11] Досье на А. Г. Фитерсона // ЦА КГБ РБ.

работала в больнице и налаживала отношения с начальником по приказу минского подполья. В 1948 году ее оправдали[12].

Впрочем, такие случаи были скорее исключениями. Большинство арестованных подпольщиков были реабилитированы только в конце 1950-х — начале 1960-х годов.

Мария Скоморохова и ее муж Петр были арестованы в 1948 году. В их деле причиной ареста была также указана работа на немцев, хотя на самом деле она была лишь предлогом для подпольной деятельности. Марию обвинили в том, что во время войны она была надзирательницей женского отделения в минской тюрьме. Петру, который служил курьером в немецком суде, тоже были предъявлены обвинения в добровольной работе на немцев. Каждый из них был приговорен к 25 годам лишения свободы. Через 11 лет их дела были пересмотрены, так как выяснилось, что супруги работали на минское подполье. Мария пользовалась своим положением, чтобы освобождать подпольщиков, а Петр ей помогал. Оба были реабилитированы в 1959 году[13].

В других делах не говорится о том, занимались ли обвиняемые подпольной деятельностью на своих рабочих местах, а просто отмечается, что они выполняли указания подполья. Однако это представляется весьма вероятным, так как подпольщики, работавшие в прямом контакте с немцами, могли собирать полезную для подполья информацию и проводить диверсии.

Ирма Лейзер была арестована в декабре 1943 года, когда она уже состояла в партизанском отряде. Ее обвинили в том, что она добровольно оставалась в оккупированном Минске и работала на немцев (сначала — медсестрой, а затем — официанткой в солдатской столовой). Ее приговорили к семи годам лагерей. В 1961 году, когда ее оправдали, было отмечено, что Лейзер находилась в контакте с минским подпольем и выполняла приказы члена горкома Жана (Ивана Кабушкина).

Евгения Лягушевич была арестована в сентябре 1944 года по обвинению в коллаборационизме из-за своей работы на кухне

---

[12] Досье на В. В. Плавинскую // ЦА КГБ РБ.

[13] Досье на П. Т. Скоморохова и М. А. Скоморохову // ЦА КГБ РБ.

минского железнодорожного вокзала и из-за контактов со служившими там немецкими офицерами. Ее приговорили к пяти годам заключения. В 1960 году ее дело было пересмотрено. В нем появилась отметка, что она сотрудничала с минским подпольем. Лягушевич тоже была реабилитирована[14].

Таких случаев было много. Мне удалось изучить дела 16 бывших членов минского подполья, арестованных за коллаборационизм. По словам Барановского, состоявшего в комитете, который в 1959 году голосовал за реабилитацию минского подполья, в то время на пересмотр было вынесено 128 дел. Он отмечал, что наверняка были и другие подпольщики, чьи дела не пересматривались. Это должны были потребовать их родственники или друзья, но многие подпольщики были арестованы под своими подпольными кличками, так что близкие могли просто не знать об этом, считая их погибшими[15].

Во многих случаях, когда бывшие подпольщики не смогли защитить себя, возникает вопрос: почему они не пытались доказать, что примыкали к Сопротивлению, а не занимались коллаборационизмом? Чтобы показать, что дружба с немецкими чиновниками или иная форма сотрудничества, которую в других обстоятельствах можно было принять за коллаборационизм, на самом деле ими не были, нужно было доказать свою принадлежность к минскому подполью. Но после радиограммы Пономаренко ссылка на подполье не обязательно помогала делу, даже могла усилить подозрения в сотрудничестве с немцами. Были случаи, когда свидетели показывали, что обвинения в коллаборационизме были ложными, так что подсудимых отпускали. Так, после показаний Брони Гофман и других подпольщиков освободили Василия Сайчика[16]. Но часто свидетели, которые могли вообще не знать обвиняемых, того, чем они занимались во время войны, говорили то, что им было приказано. По закону такие свидетели сохраняли анонимность. Их показания доступны, но без имен

---

[14] Досье на И. И. Лейзер и Е. В. Лягушевич // ЦА КГБ РБ.

[15] Интервью с Е. И. Барановским. Минск, 15 сентября 2003 года.

[16] Интервью с Броней Гофман. Минск, 30 сентября 1999 года.

они практически бесполезны. Иногда такие честные свидетели помогали опровергнуть ложные обвинения. Но обычно они делали так, как им было сказано. Некоторые могли поступать добровольно, но применялась и сила.

История А. М. Гвоздева, отправленного в оккупированный Минск советским Министерством госбезопасности, которого сначала арестовали немцы, а затем свои, показывает, как это работало[17].

Гвоздев возглавлял группу из трех человек, которых забросили на парашютах в оккупированную Белоруссию с коротким списком контактов в Минске и приказом докладывать в Москву о ситуации в городе. У Гвоздева была с собой рация, с помощью которой он мог связаться с Москвой. По дороге в Минск он закопал ее в лесу, достаточно близко от города, чтобы до нее было легко добраться и отправить или получить сообщение. Оба его спутника, Владимир Волков и Николай Глочка, были родом из Минска, а Гвоздев был русским. Гвоздев сразу начал подозревать Волкова, потому что тот не явился на точку сбора, о которой они договорились перед высадкой. Встретив Гвоздева в Минске, Волков сказал ему, что не смог их найти и отправился в город в одиночку. Гвоздеву это показалось подозрительным, и он сообщил о случившемся в Москву, но ему было велено забыть о сомнениях и продолжать работать с Волковым[18].

---

[17] А. Ф. Веремейчик рассказывает об этих событиях в своих воспоминаниях, см.: НАРБ. Ф. 750. Оп. 1. Д. 37. С. 66–68. Правда, они слегка отличаются от версии Гвоздева. Я опираюсь на слова Гвоздева, потому что все это случилось именно с ним, но рассказ Веремейчик тоже заслуживает упоминания. Она пишет, что Волков познакомил Гвоздева с Роговым, не зная, что последний стал предателем. После исчезновения Гвоздева Волков встретил Рогова на улице, спросил, не знает ли тот, куда делся Гвоздев, и был арестован. Согласно версии Веремейчик, и Волкова, и Гвоздева избивали в гестапо. Гвоздеву удалось сбежать и уйти в лес к партизанам, после чего он отправился в Москву, где был репрессирован. Волков, пишет Веремейчик, был убит в тюрьме.

[18] Мой рассказ основан на письме капитана госбезопасности при Совете министров СССР А. М. Гвоздева секретарю минского горкома КПБ и комиссии по делу минского подполья, датированном 1959 годом, см.: БГАМЛИ. Архив В. Б. Карпова. Ф. 305. Оп. 1. Д. 309.

Гвоздеву дали адреса трех подпольных квартир и имена живших в них женщин[19]. Он остановился у одной из них, Анастасии Веремейчик, возглавлявшей подпольную группу. Через этих женщин Гвоздев собирал информацию о происходящем в Минске и передавал в Москву. В начале марта 1942 года Волков вступил в контакт с Роговым, одним из лидеров подпольного Военного совета, и настоятельно рекомендовал Гвоздеву с ним встретиться, указав на то, что в составе Совета были выжившие из других групп, десантированных из Москвы, которые не смогли приступить к выполнению своих задач, потому что некоторые из их членов были схвачены немцами. После такого Гвоздев согласился на встречу. Рогов представил его троим мужчинам, с которыми Гвоздев оказался знаком. Один из них, Василий Юшкевич, был братом другой связной Гвоздева, Антонины Анисимовой, которая в то время жила в деревне за пределами Минска. Юшкевич был ранен в стычке с немцами, и Гвоздев организовал его переезд к сестре, где Юшкевич мог подлечиться в надежде, что он еще пригодится в дальнейшем.

Волков снова предложил Гвоздеву встретиться с Роговым, и после некоторых колебаний тот согласился. Вторая встреча состоялась в Минске 27 марта 1942 года. Волков проводил Гвоздева до нужного места в небольшом переулке, отходившем от крупной улицы, но перед самым поворотом оставил его, сказав, что хочет зайти к знакомым, которые жили в этом районе. Гвоздев свернул в переулок, увидел Рогова и протянул ему руку. Рогов на приветствие не ответил. В этот момент Гвоздева окружили несколько человек в штатском и затолкали в подъехавшую машину. Его отвезли в штаб-квартиру гестапо, где Гвоздева стали допрашивать и избивать. Была проведена очная ставка: в присутствии офицеров гестапо Волков и Рогов заявили о связях Гвоздева с советскими органами. Рогов стал активно призывать арестованного последовать его примеру и сотрудничать с немца-

---

[19] Советские власти не имели связи с минским горкомом, но в городе существовали подпольные группы, находившиеся в контакте с КГБ. Возможно, через них Гвоздев и получил нужные имена.

ми. Гвоздев плюнул ему в лицо и назвал сволочью. После этого его избили до потери сознания.

Очнувшись, Гвоздев обнаружил себя в небольшой комнате. Он поднялся и приоткрыл дверь: через образовавшуюся щель он увидел стол, за которым сидело двое очень пьяных гестаповцев. Гвоздев понял, что находится не в тюрьме и что ему надо бежать, иначе его убьют. Он подождал, пока охранники напьются и уснут, и тихо вошел в комнату. Услышав шаги часового за дверью, Гвоздев понял, что так ему не уйти. Но в помещении было незарешеченное окно. Выглянув в него, Гвоздев увидел, что находится на втором этаже. Он схватил лежавший на столе пистолет и выпрыгнул в окно. Поднявшись с земли, он стал блуждать по улицам Минска, временами теряя сознание. В конце концов он нашел подпольную квартиру одной из своих связных. Постучавшись в дверь, он снова потерял сознание и пришел в себя уже внутри, куда его занесли с улицы. Гвоздев пробыл в этой квартире два месяца, восстанавливаясь после пережитого. В начале лета 1942 года он отправился в ту же деревню, в которую ранее отослал Юшкевича — раненого десантника, с которым его познакомил Рогов. Вместе они вступили в бригаду Никитина, которая базировалась в том районе. Никитин назначил Гвоздева ее комиссаром.

В сентябре 1942 года бригада перешла через линию фронта. Никитина и Юшкевича арестовали сразу, а Гвоздева — уже в Москве, куда он отправился, чтобы доложить о ситуации в оккупированной Белоруссии. Его рассказу о бегстве из гестапо не поверили и обвинили в том, что он был завербован немецкой разведкой[20]. Гвоздева отправили в тюрьму на Лубянке, где ему организовали очную ставку с Котиковым — одним из членов Второго горкома, арестованным в сентябре 1942 года. Тут Гвоздев наверняка вспомнил об очной ставке, которая была у него в ге-

---

[20] Досье на Гвоздева не оказалось среди материалов, выданных мне КГБ. Так как он был капитаном госбезопасности при Совете министров СССР, его досье наверняка хранится в другом месте. Вряд ли к нему можно получить доступ.

стапо. Он знал Котикова по времени, проведенному в Минске, но тот все равно свидетельствовал против него, и Гвоздева отправили в лагерь. Однако он продолжал настаивать на своей невиновности. Его дело было все-таки пересмотрено (по-видимому, в 1959 году или чуть ранее), и Котикова допросили повторно. На этот раз он отказался от своих показаний, заявив, что все, что он тогда говорил о Гвоздеве, было ложью. Оговорить Гвоздева его заставил следователь[21].

ПРИЧИНЫ НАПАДОК НА МИНСКОЕ ПОДПОЛЬЕ

Почему же Пономаренко и другие хотели дискредитировать подполье? Почему они продолжали кампанию против него в течение стольких лет? Простейший ответ заключается в том, что Пономаренко действительно считал минское подполье рассадником немецких шпионов и хотел защитить от предательства партизанские отряды, действовавшие в районе Минска.

Пономаренко был, безусловно, в курсе массовых арестов, обрушившихся на подполье в конце сентября — начале октября 1942 года. Он, несомненно, слышал о том, что были схвачены все члены горкома и что некоторые из них, включая Ковалева, стали называть немцам имена. Знал он и о том, что в немецкой газете *Minsker Zeitung* вышли фото с выступлениями перед рабочими

---

[21] А. Л. Котиков был арестован советскими органами по подозрению в доносительстве во время войны. На допросе 9 апреля 1946 года Котиков признался, что выдал немцам имена многих подпольщиков и помогал им при арестах, указывая на нужных людей. Среди тех, кого он сдал немцам, Котиков назвал Гебелева. Однако это вызывает определенные сомнения, поскольку к тому времени Гебелев уже был убит, а Котиков знал об этом. Вряд ли можно узнать, было ли его признание искренним или вынужденным. Но оно цитируется Т. Горбуновым и другими в отчете «К вопросу о партийном подполье в г. Минске в годы Великой Отечественной войны, июнь 1941 — июль 1942 года», рукопись которого мне предоставил Е. И. Барановский. Этот документ лег в основу статьи «О партийном подполье в Минске в годы Великой Отечественной войны (июнь 1941 — июль 1944 года», опубликованной в журнале «Коммунист Белоруссии» (1960. № 6). Позже выдержки из нее были напечатаны в газете «Советская Белоруссия» (1960. 5 июля).

человека, похожего на Ковалева, в которых тот призывал их прекратить борьбу. Пономаренко мог прийти к выводу, что горком изначально был создан немцами как приманка для советских патриотов и должен был привести к массовым арестам. Бесспорно, второй провал минского подполья мог еще больше укрепить его в этом мнении, так как он был во многом похож на первый: массовые аресты снова начались после того, как руководители Военного совета выдали немцам имена подпольщиков.

Второй провал минского подполья (особенно сообщения о коллаборационизме Ковалева) придавал убедительности точке зрения, из-за которой партизанские командиры говорили о минских шпионах и гестаповском горкоме. Но в то же время Пономаренко и другие лидеры партизанского движения, ответственные за такое отношение к подполью, получили немало донесений о серьезных успехах минской организации, которые слабо соотносились с версией о том, что за ней стояло гестапо. Кроме того, Пономаренко получил рапорт Владимира Казаченка, советского агента, отправленного в Минск, чтобы разведать обстановку в городе, в котором тот утверждал, что причиной арестов стало не наличие в подполье двойного агента, а, скорее, несоблюдение мер безопасности и неспособность некоторых задержанных выдержать пытки. Но эти сообщения никак не повлияли на официальную оценку минского подполья. У Пономаренко и его сторонников должны были иметься другие причины для его дискредитации, помимо беспокойства в связи с массовыми арестами.

Даже до сентябрьских арестов Пономаренко относился к минскому подполью в лучшем случае прохладно. Выше уже приводился рассказ Пруслиной о том, что им с Езубчик довелось пережить в обкоме на Любанских болотах. Их тепло встретили по прибытии 11 сентября 1942 года (когда стало понятно, что они не шпионки, а агенты подполья). Но через две недели, с появлением Ганенко, посланника Пономаренко, отношение к ним резко изменилось. Вскоре Пруслину и Езубчик отослали в партизанскую бригаду им. Ворошилова, которая располагалась ближе к Минску. Варвашеня, комиссар бригады, отправил женщин в город с приказом больше разузнать о проходивших там арестах. Они провели в Минске всего одну ночь и сразу вернулись в бригаду, где обнаружили, что отношение к минскому подполью изменилось в худшую сторону. Если Пруслина не ошибается в сроках, Пономаренко испытывал враждебность к подполью еще до массовых арестов в конце сентября, а перемена в отношении Варвашени произошла задолго до 20 ноября, когда Пономаренко разослал свою радиограмму. Возможно, ей предшествовало другое сообщение Пономаренко или областного центра. Не стоит, правда, зацикливаться на этих датах: память Пруслиной могла ее подводить. Она фиксирует, что резкие изменения в отношении к подполью произошли осенью 1942 года. Именно тогда случились массовые аресты, за которыми последовала радиограмма Пономаренко.

И все же вполне очевидно, что даже до сентябрьских арестов Пономаренко не горел желанием входить в контакт с минским подпольем. ЦК был заинтересован в сборе информации о действиях немцев в Белоруссии и отправил на оккупированную территорию несколько групп парашютистов, которые выполняли свою миссию до тех пор, пока, как в случае с группой Гвоздева, не были выведены из строя немцами. Двадцать восьмого апреля 1942 года, когда группа Гвоздева прекратила свое существование после его ареста, из Москвы прибыла другая группа, которую возглавлял С. К. Вишневский. Вступив в контакт с минским подпольем, он начал передавать в Москву радиограммы о ситуации в Белоруссии. Двадцать третьего мая он доложил, что минский подпольный комитет ищет способ выйти на связь с ЦК КПБ[22]. Горком также пытался установить с ним контакт через партизан. Двадцать третьего августа Котиков, член подпольного горкома, откомандированный в базировавшуюся рядом с Минском бригаду «Старик», написал письмо на имя Пономаренко и отдал его командиру бригады Василию Семено-

---

[22] Т. Горбунов и др. К вопросу о партийном подполье в г. Минске в годы Великой Отечественной войны, июнь 1941 — июль 1942 года. С. 53 // НАРБ. Личный фонд Е. И. Барановского.

вичу Пыжикову[23] с просьбой отправить лично начальнику Центрального штаба. Пыжиков так и сделал, приложив к нему свое письмо Пономаренко, в котором косвенно поддержал просьбу подполья. Оба послания, очевидно, передавались членами ЦК КПБ друг другу, и на текст письма Пыжикова Пономаренко наложил резолюцию:

1. Тов. Сергеенко: через этот отряд [имеется в виду бригада «Старик»] можно в Минске развернуть дело.
2. Тов. Авхимович: на Минск надо уполномоченного ЦК. Пономаренко, 21 октября 1942 года.

Но никто так и не вступил в контакт с подпольем[24].

Одиннадцатого сентября 1942 года, когда Пруслина и Езубчик прибыли в обком, В. И. Козлов, его глава, радиограммой уведомил Пономаренко об их появлении и запросил у него инструкций. Женщинам сказали, что Пономаренко приветствовал их приход и попросил предоставить детальный отчет о том, что происходит в Минске. Но Пономаренко также оставил пометку на радиограмме Козлову, выразив в ней свои подозрения насчет минского подполья. Он написал следующее:

Тов. Козлову:
1. Необходимо, чтобы ваши люди и агенты тщательно проверили, не посланы ли они [Пруслина и Езубчик] с провокационными целями.
2. Пришлите мне подробный отчет о Минске и программу агентурной и подпольной работы.

Конечно, требование тщательной проверки Пруслиной и Езубчик звучит как стандартная процедура. Вероятно, именно так и воспринял его Козлов, относившийся к женщинам с теплом

---

[23] Партийная кличка «Старик», которую Пыжиков взял, будучи не таким уж и старым человеком, могла иметь отношение к одному из дореволюционных псевдонимов В. И. Ленина, на несколько личных встреч с которым он ссылался. Вторая кличка — Владимиров. — *Примеч. ред.*

[24] Там же. С. 53–55. Цит. по: [Иоников 2020].

и уважением. Все изменилось после прибытия Пономаренко, который грубо обошелся с женщинами и, по-видимому, дал понять другим, что они должны вести себя так же. Вполне возможно, что Пономаренко поменял свое отношение к минскому подполью только после сентябрьских арестов, но очевидно, что и до этого оно не отличалось теплотой.

Если причиной враждебности Пономаренко были подозрения, вызванные событиями сентября — октября 1942 года, пространный доклад Владимира Казаченка от 25 декабря должен был ее смягчить. Казаченок подчеркивал, что в Минск его отправил ЦК КПБ, который возглавлял Пономаренко. Сразу после арестов он вернулся в Москву, как раз им в первую очередь посвящен его доклад. Казаченок писал, что начал подозревать Ковалева еще до его ареста (приводимые им доказательства, правда, были не слишком убедительны: ему рассказали о том, что кто-то видел человека с бородой и усами вместе с гестаповцами и что якобы этот человек был членом горкома, а Ковалев, как ему говорили, как раз носил бороду и усы). Но, несмотря на эти подозрения, Казаченок утверждал, что главной проблемой минского подолья были не коллаборанты, а широко распространенное безалаберное отношение к собственной безопасности. Члены горкома, писал он, знали адреса друг друга. На подпольных собраниях, которые он сам посещал, собиралось слишком много людей, многие подпольщики обладали слишком многочисленными связями среди партизан, а многие партизаны знали имена слишком многих членов подполья. Все это, отмечал Казаченок, противоречило главному принципу конспирации, согласно которому каждый подпольщик должен состоять в контакте только с одним членом подполья (ну или с несколькими, но в любом случае чем меньше, тем лучше). Он советовал продолжить подпольную работу в Минске, но исправить указанные недочеты[25].

---

[25] Доклад Владимира Казаченка Пономаренко от 25 декабря 1942 года // НАРБ. Ф. 3. Оп. 33а, 86. Д. 6546. С. 336–338. На документе стоит рукописная пометка: «Добавить к минскому делу».

Чтобы понять отношение Пономаренко к минскому подполью, нужно вспомнить о том, что он, как и другие члены ЦК КПБ и белорусского правительства, бежал из Минска в ночь с 24 на 25 июня 1941 года, то есть через считаные дни после нападения немцев. На заседании ЦК 22 июня было принято решение об эвакуации детей из города, о создании районных комитетов для защиты предприятий и снабжения Минска водой. Но почти ничего из этого не было сделано, потому что уже 23 июня началась бомбардировка Минска, которая повторилась и на следующий день, вызвав пожары по всему городу. Некоторых детей, находившихся в пионерских лагерях за городом, посадили на поезда и автобусы, и на этом эвакуация закончилась, при этом в Минске на тот момент оставалось еще около 150 000 человек [Никодимова 2010: 60]. Нескольким тысячам удалось бежать на восток, где их не смогли достать немцы, но большинству либо помешали, либо они даже не пытались это сделать. Коммунистические лидеры оставили Минск без партийного руководства. Никто не получил полномочий на создание подпольного движения[26].

Рассказывая о растущей враждебности по отношению к минскому подполью, Пруслина пишет о своей беседе с Т. С. Горбуновым (один из руководителей КПБ), состоявшейся после смерти Сталина. Когда белорусские коммунисты прибыли в Москву, один из советских чиновников спросил его, почему они так быстро бежали из Белоруссии. Горбунов ответил, что и так уже находился на границе. Когда об этом узнал Пономаренко, его весьма встревожили подобные вопросы. Как отмечает Пруслина, на то у него были весомые причины: примерно в то же время был расстрелян за трусость генерал Д. Г. Павлов, командовавший войсками в Белоруссии. Если верить Горбунову, Пономаренко созвал свой аппарат, который помог ему сочинить историю о массовой и организованной эвакуации из Минска. Помимо этого, на совещании была принята установка как мож-

---

26 Т. Горбунов и др. К вопросу о партийном подполье в г. Минске в годы Великой Отечественной войны, июнь 1941 — июль 1942 года. С. 3–4 // НАРБ. Личный фонд Е. И. Барановского.

но чаще говорить об этом устно и в печати. В октябре 1941 года в газете «Правда» вышла статья, в которой говорилось об организованной эвакуации из Минска и утверждалось, что все, кто хотел, смогли покинуть город. Об этой статье узнали жители Минска, потому что на нее стала ссылаться немецкая пропаганда. Пруслина писала:

> Жители Минска с болью и гневом спрашивали нас, подпольщиков: «Разве это правда? Ведь если мы могли уйти из Минска на восток и не ушли, значит, мы хотели остаться здесь и жить под сапогом у оккупантов. Как он [Пономаренко] смел нас так оскорблять и издеваться над нами?» Мы, подпольщики, во всем винили фашистскую пропаганду [Никодимова 2010: 60].

Поспешное бегство коммунистической верхушки, страх Пономаренко перед репрессиями и придуманная им история об организованной эвакуации, которой не было, — все это помогает объяснить его враждебность к минскому подполью. Если бы эвакуация состоялась, все коммунисты и сторонники советской власти покинули бы Минск. В городе не осталось бы никого, кто мог бы заняться организацией коммунистического подполья. Существование в Минске подпольного движения, в котором состояли сотни людей, беспокоило Пономаренко, потому что ставило под сомнение его историю о массовой и организованной эвакуации.

С этим была связана и другая причина его враждебности: он не давал санкций на его создание. Четвертого декабря 1942 года Пономаренко отправил В. С. Абакумову, заместителю наркома внутренних дел СССР, письмо (видимо, в ответ на присланный в августе отчет Котикова о работе минского подполья), где, помимо прочего, сообщал:

> Указываемый Котиковым подпольный горком, членом которого он состоял, не является оставленным нами для подпольной работы и не включал в себя ни одного человека, известного нам и оставленного для работы в тылу. Весьма

возможно, что этот подпольный горком был подставным для выявления и арестов оставленного для работы [в оккупированном Минске] партийного актива...[27]

Кроме того, Пономаренко отмечал следующее:

Нам известно, что этот подпольный горком выделил Военный совет для руководства партизанским движением в Минской области, состав которого был целиком провокационным. Этот состав Военного совета был разоблачен нашими товарищами, оставленными в тылу для работы. Один из его членов — Белов — был расстрелян, второй — Рогов, бывший командир РККА, — якобы направлен гестапо в советский тыл.

Похоже, что Рогов и другие члены Военного совета после арестов действительно стали коллаборантами. Но на самом деле Пономаренко никого не оставлял для работы в Минске. В начале войны, когда формировались тайные группы Сопротивления, многие белорусские коммунисты не решались на создание единой подпольной организации, опасаясь последствий в связи с нарушениями партийной вертикали. Их страхи оказались оправданными. Но они не ожидали, что Пономаренко станет апеллировать к субординации не только для атаки на них, но и для того, чтобы отвлечь внимание от своей неспособности обеспечить руководство во время нападения Германии.

Во время войны и в первые годы после нее нападки Пономаренко на минское подполье не вызвали почти никаких возражений, потому что они совпадали с официальной позицией, согласно которой каждый, кому удалось выжить при немецкой власти, был коллаборантом. Именно поэтому советские власти арестовывали тех, кому удалось бежать из немецкого плена: считалось, что их

---

[27] Сообщение Пономаренко Абакумову, заместителю народного комиссара внутренних дел (НКВД) от 4 декабря 1942 года; Горбунов Т. и др. К вопросу о партийном подполье в г. Минске в годы Великой Отечественной войны, июнь 1941 — июль 1942 года // НАРБ. Ф. 4. Оп. 81. Д. 1433. Л. 17. Цит. по: [Иоников 2020].

отпустили, потому что они согласились работать на немецкую разведку. Некоторые из тех, кому удалось бежать из-под ареста и уйти в лес к партизанам, не упоминали о том, что были арестованы: это тоже считалось доказательством сотрудничества[28]. Работа на немцев во время войны воспринималась как свидетельство добровольного сотрудничества. В деревне это редко становилось проблемой: крестьяне жили тем, что обрабатывали свою землю. Но жителям Минска требовалась работа, чтобы пережить войну. С закрытием советских предприятий, уходом администрации и разрушением в бомбардировках большинства торговых предприятий в центре Минска получить работу можно было только у немцев. Рассматривая трудоустройство жителей как свидетельство коллаборационизма, советские власти игнорировали тот факт, что людям нужно было чем-то питаться, поэтому они фактически переносили обвинения в сотрудничестве на большую часть населения Минска. После войны принцип «виновен, пока не доказано обратное» нередко создавал трудности для белорусов, когда они поступали в университеты в Москве или других городах Советского Союза, пытались получить стипендию или устроиться на работу.

Для тех, кто был связан с подпольем, вопрос доказательства того, что они действовали из патриотических побуждений, стоял наиболее остро, поскольку любая организация, не получившая одобрения коммунистической партии, была, согласно официальной логике, антисоветской и, как следствие, прогерманской.

После войны возобновились партийные чистки, начавшиеся во второй половине 1930-х годов, направленные на поиск предателей, хотя и в куда более скромных масштабах. Тем, кто состоял в партии до войны или вступил в нее в партизанских отрядах после 1941 года, было очень важно получить обновленный партийный билет — не только из-за статуса, но и потому, что он давал определенную защиту от преследований. Невозможность получить новый билет причиняла немало бед.

Пруслина писала, что после войны ей целый год пришлось работать в минском горкоме без партбилета. Позже она узнала,

---

[28] Досье на В. И. Сайчика // ЦА КГБ РБ.

что Лещеня выкрал из ее личного дела справки о ее подпольной работе в 1941–1942 годах и заменил их документами, в которых ничего не говорилось о ее деятельности в этот период. Возможно, именно это и стало причиной задержки в выдаче ей партбилета[29]. С похожими проблемами сталкивались и другие бывшие минские подпольщики.

В последние дни декабря 1954 года и начале января 1955 года в Белорусском государственном музее Великой Отечественной войны в Минске прошла конференция бывших членов подполья. Некоторые не пришли на нее, опасаясь, что их имена будут ассоциироваться с минским подпольем. Но 24 бывших подпольщика приняли в ней участие. Их выступления, в основном с рассказами о подпольной деятельности, были включены в итоговый протокол. Конференция была организована с целью защиты репутации минского подполья, и на ней в том числе обсуждалось обращение с подпольщиками после войны. Александра (Шура) Янулис, завербовавшая во время войны Миру Рудерман в качестве связной для арестованного лидера подполья Кабушкина, отмечала:

> После войны выяснилось, что один [бывший подпольщик] не может получить прописку, другой — устроиться на работу, третий — пройти партийную перерегистрацию. Один из моих коллег заявил: «Все, кто остался под немцами, — предатели». Мои дети выжили, но многие лишились семей, детей, матерей, сестер и братьев. Что они получили взамен? Мы ни о чем не просим, но, думаю, каждый из нас имеет право называть себя честным человеком[30].

В основе обвинений в адрес минского подполья лежал советский принцип «виновен, пока не доказано обратное», но опреде-

---

[29] Пруслина Х. М. К истории реабилитации минского коммунистического подполья (1941–1942). С. 18. Рукопись предоставлена мне З. А. Никодимовой.

[30] Протокол совещания бывших участников коммунистического подполья в Минске в годы немецко-фашистской оккупации. Минск, декабрь 1954 — январь 1955 года. В приложении — письменные воспоминания бывших подпольщиков // НАРБ. Ф. 4683. Оп. 3. Д. 830. С. 200.

ляющим фактором стали страхи и амбиции Пономаренко и его сторонников, в первую очередь — Козлова и Лещени. После войны Козлов стал главным выразителем мнения о том, что минское подполье было затеей гестапо, и главным противником официального признания его легитимности. Козлов сблизился с Пономаренко и в послевоенные годы высоко поднялся в иерархии КПБ. Лещеня был не так близок с секретарем ЦК и не получил такого же повышения. Тем не менее он тоже выиграл от отказа официально признать Первый и Второй горкомы. Лещеня был секретарем созданного советским командованием Третьего («лесного») горкома, базировавшегося в лесу, вдалеке от Минска. Если Первый и Второй горкомы были рассадниками коллаборационизма, все заслуги за достижения подполья принадлежали законному, официально утвержденному Третьему горкому, созданному в конце 1943 года.

В сентябре 1943 года Козлов и. А. Бельский, его помощник, написали секретарю находившегося на оккупированной территории районного комитета КПБ Николаю Ефремовичу Авхимовичу письмо с призывом к созданию Третьего минского подпольного комитета[31]. Они настаивали на назначении Лещени вторым секретарем горкома и называли людей, которые должны были стать его членами. В письме также отмечалось, что вопрос о местонахождении горкома всесторонне продуман, о чем будет рассказано Авхимовичу при личной встрече. Все это было одобрено и исполнено. Третий горком был создан 24 октября 1943 года, но базировался он не в городе, а в лесу, в Пуховическом районе, в 70 км к юго-востоку от Минска. Третий горком стали называть «лесным», а возглавлявший его Лещеня ни разу не был в Минске. Два других члена горкома были минчанами, но никто

---

[31] Письмо В. И. Козлова и. А. Бельского Н. Е. Авхимовичу. Цит. по: Горбунов Т. и др. К вопросу о партийном подполье в г. Минске в годы Великой Отечественной войны, июнь 1941 — июль 1942 года. С. 96–97. На письме, подписанном Авхимовичем, стоит пометка: «Направлено в ЦК КПБ, 26 сентября 1943 года». Двадцать восьмого сентября Козлов и Авхимович отправили Пономаренко радиограмму, в которой также просили утвердить Лещеню вторым секретарем.

из них не посещал города во время войны. Даже если они были в курсе ситуации в Минске, им было бы сложно руководить подпольной работой, потому что условия в городе быстро менялись. Большинство подпольщиков ушли в партизанские отряды, и многие жители следовали их примеру. За диверсиями и другими действиями движения Сопротивления в основном стояли партизанские отряды, базировавшиеся за пределами Минска, которые посылали в город связных для распространения подпольной литературы с призывами к диверсиям и вступлению в партизаны. Эти же связные создавали в городе подпольные ячейки и самостоятельно устраивали диверсии. Раньше подпольную литературу печатали в Минске и отправляли в лес. Теперь партизаны печатали ее в лесу и доставляли в город.

Несмотря на такой переход инициативы от города к лесу, движение Сопротивления в Минске набирало обороты.

Двадцать четвертого июня 1943 года оккупационная газета Minsker Zeitung опубликовала письма сотрудника Центрального торгового общества Востока в Минске Эрнста Вестфаля своему другу, ефрейтору Фрицу Ошлису, в Германию, в которых он в довольно мрачных тонах описывал ситуацию в городе. Вестфаль писал:

> С партизанами постоянно приходится иметь дело, даже в самом г. Минске. В последние месяцы много немцев застрелено... Шоссе на Вильно не проезжее, на Барановичи проезжее только при условии прикрытия танк[ами] в сильном эскорте... Четыре недели тому назад у меня сперли грузовик, больше того, шофер погрузил свою семью и уехал к партизанам. Это старые повседневные события... В Минске 22.06 в городском театре была заложена мина, которая была рассчитана на нас — немцев, но только вечером, когда состоялось праздничное представление для белорусов, как заключение праздника освобождения; мина взорвалась — и свыше 30 убитых и 100 раненых. Затем они попытались взорвать электростанцию — одну неделю не было электротока, взорван паровой котел молокозавода. В солдатском кино и солдатском общежитии три недели тому назад было

найдено несколько бомб. В прошлую субботу бандиты [партизаны] попытались взорвать мою хлебопекарню, только, вероятно, заряд оказался плохим. В воскресенье вечером у офицерского общежития на воздух взлетела легковая автомашина, а у водокачки — паровоз [Шестая сессия 1946: 29][32].

«Лесной» комитет посылал в Минск связных с подпольными газетами и листовками, а они создавали в городе подпольные группы. Но, пытаясь взять на себя руководство подпольной работой в Минске, «лесной» горком столкнулся с конкуренцией со стороны обкома и другого официального органа — минского сельского подпольного райкома. Обком возглавлял Козлов, находившийся в тесном контакте с Пономаренко, что облегчало доступ к ресурсам. Минский сельский подпольный райком установил связи со всеми партизанскими отрядами, причастными к деятельности городского движения Сопротивления. Обком и сельский райком находились в постоянном контакте, а «лесной» горком часто оказывался не у дел. Пруслина, которой было поручено работать в редакции выпускаемой «лесным» горкомом газеты «Минский большевик», столкнулась с тем, что ее экземпляры проще было доставить в другие районы Белоруссии, чем в Минск. В обкоме и минском сельском райкоме хотели сохранить Минск под своим контролем и делали все возможное, чтобы «Минский большевик» не попал в город. Незадолго до освобождения Лещеня поручил Пруслиной обойти все отряды партизанской зоны, чтобы составить списки партизан из Минска. Но не успела она закончить эту работу, как Лещеня заявил ей, что весь ее труд напрасен, потому что он узнал, что ему не быть секретарем минского горкома. Он был прав: когда они прибыли в освобожденный Минск, оказалось, что в городе уже работал легальный горком во главе с Глебовым.

Но даже после войны Лещеня хотел присвоить себе заслуги Первого и Второго горкомов, считая себя руководителем всего

---

[32] Цит. по: Горбунов Т. и др. К вопросу о партийном подполье в г. Минске в годы Великой Отечественной войны, июнь 1941 — июль 1942 года. С. 91–92.

минского подполья во время войны, и продолжал подрывать усилия Пруслиной и других по реабилитации минского подполья 1941–1942 годов [Никодимова 2010: 73–74].

РЕАБИЛИТАЦИЯ ПОДПОЛЬЯ

В июле 1945 года Минск отмечал первую годовщину своего освобождения. По такому случаю комиссия, в которую вошли Козлов, возглавивший к тому времени минский обком, и другие члены горкома, подготовила проект решения Бюро ЦК КПБ, в коем говорилось, что с первых дней войны минчане героически боролись против оккупантов, но руководили этой борьбой не первый и второй составы горкома 1941–1942 годов, а «лесной», или третий, состав горкома 1943 года. Даже подобная формулировка «привела Пономаренко в такое бешенство, что на Бюро ЦК он так смешал с грязью... секретаря мингоркома тов. БЕЛЬСКОГО, что тот тяжело заболел» [Никодимова 2010: 66].

Комиссия также рекомендовала присвоить Минску звание города-героя, которого удостаивались города, оказавшие наиболее ожесточенный отпор немцам. Пономаренко провалил и это предложение комиссии. Группа из четырех бывших подпольщиков просила разрешить им провести свое собрание, и Бельский одобрил этот запрос. Учитывая выдвинутые против минского подполья обвинения и риск навлечь на себя гнев высокопоставленных партийных деятелей вроде Пономаренко, имевшего прямые выходы на главу белорусского НКВД Л. П. Цанаву и самого Сталина, подача такого запроса и его одобрение Бельским требовали немалого мужества.

Совещание состоялось в июне 1945 года. Руководить им Бельский поручил Молочко, секретарю горкома по пропаганде. На совещании присутствовали 35 бывших членов минского подполья, которые рассказывали о своей борьбе с оккупантами во время войны и обсуждали, как им добиться официального признания своих усилий [Никодимова 2010: 66–67].

Было решено начать с создания комиссии, которая соберет отчеты подпольщиков об их деятельности в военное время.

Пруслину выбрали председателем этой комиссии и поручили ей собрать отчеты подпольщиков, чтобы составить на их основе доклад для представления в минский горком. В состав комиссии также вошли Езубчик, Смоляр и др. Они стали собирать информацию о других подпольщиках, написали собственные отчеты и уже приступили к составлению доклада, когда все материалы затребовал Козлов. Больше совещаний не проводилось, и Пруслина больше никогда не увидела этих документов.

В 1968 году, через много лет после смерти Сталина, когда его послевоенные сторонники уже лишились всякой власти и можно было открыто обсуждать такие темы, Молочко признался Пруслиной, что собрание вообще состоялось, потому что он получил приказ сверху прекратить возню с минским подпольем [Никодимова 2010: 67].

Но Пруслина и другие подпольщики не собирались сдаваться. Не получив поддержки минских горкома и обкома, они решили обратиться к вышестоящим органам. В 1949 году они послали письмо Сталину и получили ответ, в котором говорилось, что ЦК КПБ предложено изучить этот вопрос и принять нужное решение. ЦК КПБ создал комиссию, в которую вошли Козлов, Цанава и другие высокопоставленные белорусские чиновники. Но она явно бездействовала.

В 1954 году подпольщики снова затребовали разрешение на проведение собрания, результатом чего стало совещание, которое продолжалось несколько дней в конце декабря 1954 — начале января 1955 года. Тот факт, что оно прошло в минском музее Великой Отечественной войны, свидетельствует об определенной степени легитимности собрания.

Смерть Сталина позволила подпольщикам говорить более свободно. Никто из высокопоставленных чиновников не присутствовал на совещании, но Лещеня, который к тому времени стал членом горкома, составил список подпольщиков, и каждому из них выдали бумажку с подтверждением, что они были участниками минского коммунистического подполья. Однако ни Пруслина, ни другие подпольщики этим не удовлетворились, поскольку вопрос о признании Первого и Второго горкомов по-прежнему не был решен. Они обратились в горком с требованием выпустить заявление, снимающее обвинения в коллаборационизме не только с отдельных членов подполья, но и с минских комитетов 1941–1942 годов. Лещеня по-прежнему отвечал, что никаких подпольных горкомов в Минске во время войны не было, а создание минского подполья было затеей гестапо [Никодимова 2010: 68]. Согласно официальной позиции, Пруслина и другие подпольщики были честными антифашистами, но втянутыми в немецкую спецоперацию.

В 1956 году члены подполья предприняли еще одну попытку добиться его официального признания. Они отправили письмо на имя Хрущева, назначенного первым секретарем ЦК КПСС, в котором указали, что в 1945 году Коммунистической партии Белоруссии было поручено заняться вопросом о статусе минского подполья, но с тех пор ничего так и не было сделано, а все попытки оживить процесс блокировались Пономаренко и Цанавой, человеком Берии в Белоруссии[33]. ЦК КПБ снова было поручено разобраться с этим вопросом, после чего была создана комиссия, которую возглавил Козлов. Члены подполья передали ему документы, но он сказал, что не только не будет их читать, но и вообще не собирается разбираться в вопросе, потому что в Минске не было никакого подполья, никаких руководителей он не утверждал, а все, что происходило в городе, было затеей гестапо [Никодимова 2010: 68].

В 1958 году члены подполья предприняли очередную попытку. Один из них, И. Д. Будаев, написал письмо в президиум ЦК КПСС, в котором назвал Пономаренко и Козлова главными противниками реабилитации минского подполья и заявил, что порученное советскими властями расследование по этому вопросу постоянно блокируется в Минске. Партийному руководству Белоруссии пришло письмо из президиума ЦК КПСС, который категорически настаивал на необходимости решения проблемы и обещал взять процесс под свой контроль. Снова была создана комиссия во главе с Козловым. Состоялось собрание, на котором выступали

---

[33] Письмо Н. С. Хрущеву от участников минского подполья, 3 июля 1956 года. Оригинал хранится в архиве Пруслиной.

подпольщики, а все происходящее стенографировалось, после чего Козлов положил записи в сейф. На этом все и закончилось.

Подпольщики снова обратились в ЦК КПСС. Наконец, К. Т. Мазуров, сменивший Пономаренко на посту первого секретаря ЦК КПБ, воссоздал комиссию, назначив ее председателем Горбунова и понизив Козлова до рядового члена. Горбунов был тем самым членом ЦК, который рассказал Пруслиной о панике Пономаренко из-за поспешного бегства из Минска в начале войны и о придуманной им истории об организованной эвакуации Минска [Никодимова 2010: 68–69].

Седьмого сентября 1959 года под председательством Горбунова состоялось заседание реорганизованной комиссии по минскому подполью. Его члены представили отчеты о деятельности подполья в период Первого и Второго городских комитетов. Горбунов выступил с докладом, в котором заявил, что никакой эвакуации из Минска не было, но в городе было организовано подпольное движение, которым руководили Первый и Второй горкомы. Он рассказал об успехах подпольщиков в проведении диверсий, отправке людей, о создании подпольной типографии и поставках снабжения партизанам. Горбунов утверждал, что провалы конца марта — сентября 1942 года произошли из-за массовости подпольного движения, ввиду чего немецкие агенты сумели собрать о нем достаточно данных, а также из-за того, что некоторые арестованные не выдержали пыток. Кроме того, он отмечал, что чиновники в Москве были дезинформированы о ситуации, в силу чего воспринимали эти провалы как доказательство того, что минское подполье было немецкой спецоперацией. Пономаренко, в частности, слишком поторопился с передачей партизанам своего мнения о том, что подполье было фальшивкой, не озаботившись подробнее расследовать этот вопрос. Горбунов также озвучил имена подпольщиков, которые были ошибочно арестованы как коллаборанты[34].

---

[34] Горбунов Т. К вопросу о партийном подполье в г. Минске в годы Великой Отечественной войны, июнь 1941 — июль 1942 года. Постановление ЦК КПБ от 7 сентября 1959 года. Протокол № 178/а // НАРБ. Ф. 4. Оп. 81. Д. 1433. О попытках Козлова отменить это решение и его повторном принятии см. [Никодимова 2010: 69].

Члены комиссии выступили за полную реабилитацию Первого и Второго горкомов, и даже Козлову пришлось поддержать единогласное решение. Правда, вскоре после этого ему удалось добиться его отмены сверху, но подпольщики снова обратились в Москву с просьбой о пересмотре.

Осенью 1959 года президиум ЦК КПБ проголосовал за признание и реабилитацию минского подполья 1941–1942 годов. Мазуров, первый секретарь ЦК КПБ, объявил об этом решении на XXIV съезде Коммунистической партии Белоруссии в феврале 1960 года. Группа сотрудников Института истории партии при ЦК КПБ и Института истории АН БССР КПБ составила справку «О партийном подполье в Минске в годы Великой Отечественной войны», первым в списке авторов которой значился Горбунов. На ее основе была создана более популярная и высокопарная версия, опубликованная в журнале «Коммунист Белоруссии», выдержки из которой также печатались в минской газете «Советская Белоруссия»[35].

Дела арестованных членов минского подполья были пересмотрены, и к 1962 году 113 подпольщиков были реабилитированы.

В 1974 году Минску было присвоено звание города-героя.

---

[35] Коммунист Белоруссии. 1960. № 6. Статья «О партийном подполье в Минске в годы Великой Отечественной войны, июнь 1941 — июль 1944 года» основана на материалах неопубликованного доклада Горбунова. Выдержки из этой статьи позднее были перепечатаны в газете «Советская Белоруссия» (1960. 5 июля).

Глава 8
Стратегии Сопротивления в других городах

КАУНАССКОЕ ГЕТТО

Минское гетто было одним из пяти гетто в оккупированной немцами Восточной Европе, в которых возникло мощное движение Сопротивления. Но из этих пяти только Минск находился на бывшей территории Советского Союза. Варшава, самый западный из пяти городов, располагалась в той части Польши, которая была оккупирована Германией 1 сентября 1939 года (см. карту 2). Белосток, Каунас и Вильнюс были частью территории, которую по условиям пакта Молотова — Риббентропа занял СССР (Вильнюс был официально аннексирован СССР в 1940 году). После нападения Германии Вильнюс и Каунас вместе с Минском вошли в состав немецкого рейхскомиссариата Остланд (расположенная южнее Украина стала рейхскомиссариатом Украина). Белосток был выделен в специальный округ, охватывавший также район Гродно. Варшава стала частью одноименного генерал-губернаторства, границы которого примерно совпадали с рубежами независимой Польши.

Эти административные тонкости имели вполне реальные последствия для евреев, оказавшихся в гетто Восточной Европы: впервые немцы применили свою политику систематического уничтожения еврейского населения на оккупированных советских территориях (в рейхскомиссариатах Остланд и Украина), а затем расширили ее действие на генерал-губернаторство Варшава, где темпы ликвидации были еще выше. Но рейхскомиссариат Остланд включал в себя как территории, которые с 1924 года находились под советской властью, так и части бывшей независимой Польши. Евреи Варшавы, Белостока, Вильнюса и Каунаса сохранили между собой тесные культурные и организационные связи. Минские же евреи фактически жили в собственном мире, поскольку жизнь в Советском Союзе в течение 20 лет до войны кардинально отличалась от жизни за его пределами, а контакты между советскими и несоветскими евреями были очень ограниченными.

Резкие различия в истории еврейских общин Польши, Литвы и Советской Белоруссии в XX веке определили разницу в культуре и движении Сопротивления в местных гетто. Общины за пределами Советского Союза в межвоенный период находились под серьезным влиянием сионизма в его разных версиях — от крайне правой до радикально левой. В СССР сионизм был запрещен и превратился в не более чем воспоминание. В межвоенной Польше большой популярностью пользовался Бунд, который был упразднен в СССР, хотя и продержался несколько дольше сионистских организаций. Многие, особенно молодые, евреи в гетто Варшавы, а затем Белостока, Вильнюса и Каунаса были членами еврейских организаций, имевших представительства по всей Польше и Литве. В каждом из этих гетто примерно одни и те же организации участвовали в формировании подпольных движений и спорах о том, какую форму должно принять движение Сопротивления. Некоторым членам левосионистских групп вроде Бунда удалось сохранить контакты с товарищами в других гетто. Они помогли выработать общую стратегию Сопротивления, главным пунктом которой была мобилизация сил для организации восстаний в гетто.

Подобные связи были особенно сильными между евреями в гетто Вильнюса, Белостока и Варшавы, которые состояли в молодежных организациях, сыгравших важную роль в формировании движения Сопротивления. Контакты между этими тремя гетто и гетто в Каунасе тоже осуществлялись, но гораздо реже, и их влияние на Сопротивление в Каунасском гетто было куда менее выраженным. Здесь главной стратегией, которую в итоге поддержало все подполье, стала отправка евреев в лес. Минское гетто оставалось в стороне от этих процессов: здешнее подполье не имело никаких контактов с подпольными движениями в гетто Польши и Литвы. Лидеры минского подполья узнали о существовании Сопротивления в этих гетто только после своего ухода к партизанам, когда до них дошли слухи о Варшавском восстании[1].

Эта книга завершается рассказом о подполье Каунасского гетто и его усилиях по отправке евреев в лес, так как это дает удобный повод сравнить его с подпольем Минского гетто: из Каунасского гетто до партизан добралось всего около 300 человек (из Минска в партизанские отряды пришло почти 10 000 евреев). Конечно, между ними существовали географические и логистические различия. Как и гетто в Минске, Каунасское гетто окружал забор из колючей проволоки, но вдоль него через определенные промежутки стояли часовые. Чтобы выбраться из него, нужно было найти место, которое не просматривалось с ближайшего поста, либо подкупить часового. В отличие от Минска, лес находился не в однодневном переходе от Каунаса. Его жители не могли самостоятельно выбраться из гетто, дойти до леса и найти отряд, к которому они могли бы присоединиться. Но леса были в нескольких днях пути от города, и к 1943 году в них появились партизаны. Главное же отличие заключалось в том, что с первых дней оккупации подполье Минского гетто было частью более широкого подпольного движения. Подпольщики и многие евреи, которые не были членами организации, получали в Минске существенную помощь извне. Поиски внешних союзников неоднократно заканчивались разочарованием для коммунистического подполья Каунасского гетто. Лишь осенью 1943 года его членам

---

[1] В послевоенном интервью Смоляр заявил, что ни он, ни другие члены подполья Минского гетто не обладали информацией об условиях в других гетто и о наличии в них подпольных организаций, пока, уже в лесу, до них не дошли слухи о Варшавском восстании, см.: Стенограмма интервью с Гиршем Смоляром, апрель 1972 года // Yad Vashem Archives. 03/3605. P. 62–63.

удалось найти группу, которая смогла связать их с партизанами. Слабость и изолированность подпольщиков за пределами гетто позволяли посылать в лес только ограниченное количество людей. В контексте изучения минского подполья история Каунасского гетто подчеркивает важность внешних союзников — наличия связей с сильной подпольной организацией и разветвленной сети контактов между евреями в гетто и неевреями за его пределами.

Альтернативой отправке евреев в лес была мобилизация сил для подготовки восстания в гетто, и именно эту стратегию взяли на вооружение подпольщики в гетто Варшавы, Вильнюса и Белостока (правда, с очень разными для себя результатами). В Варшаве подполье подняло бунт, к которому присоединилось все население гетто, и подавить его удалось только тогда, когда полностью уничтожили гетто. В Белостокском гетто подпольщики тоже пытались восстать, но остальные жители их не поддержали. В Вильнюсском гетто, несмотря на все усилия подполья, так и не состоялось мятежа.

Прежде чем перейти к Каунасскому гетто, я в общих чертах коснусь этой истории и расскажу о причинах, побудивших подпольные движения Вильнюса, Варшавы и Белостока выбрать стратегию восстания в гетто, и о том, почему она привела к таким разным результатам.

Так как история Варшавского гетто широко известна, движение Сопротивления в гетто стало ассоциироваться исключительно с восстаниями. Призывавшие к ним подпольщики понимали, что немцы собираются истребить евреев. Они считали зазорным отправлять своих членов за пределы гетто, а в Варшаве возможность уйти в лес в принципе была доступна немногим. Но там, где существовали условия для отправки в лес значительного количества людей, имело смысл выбрать именно этот путь.

Большинство призывавших к возмущениям членов подполья понимали, что им вряд ли удастся их пережить. Но они верили, что только так могут защитить честь еврейского народа, и считали восстание способом заявить свой протест миру и истории. Для молодых подпольщиков это было важнее выживания. Но большинство жителей гетто не разделяли их идеализма, а если и разделяли, то не испытывали той же готовности претворять в жизнь его принципы. В большинстве своем они надеялись, что им как-нибудь удастся пережить войну, и не спешили присоединяться к восстаниям или вообще не желали в них участвовать, если только не были уверены, что их единственный выбор — умереть без борьбы (или оказав отпор). Население гетто Вильнюса и Белостока до самого конца цеплялось за надежду, что им удастся выжить. Преимущество стратегии с отправкой евреев в лес как раз и заключалось в том, что она сочетала отпор с надеждой на выживание.

Минское и Каунасское гетто отличались от гетто Вильнюса, Варшавы и Белостока не только тем, что гетто Каунаса частично, а Минское — полностью оставались вне сети коммуникаций, существовавшей между тремя гетто с сентября 1941 года по первую половину 1942 года, но и настроениями, царившими среди официального руководства. В Минске и Каунасе оно было представлено юденратом и советом старейшин (альтстенратом) соответственно; в Варшаве и Белостоке тоже действовали юденраты; гетто Вильнюса управлял Яков Генс, начальник еврейской полиции. Лидеры варшавского и белостокского юденратов вместе с Генсом придерживались стратегии сотрудничества из убеждения (по крайней мере в случае Генса), что посредством переговоров и взаимодействия можно спасти больше евреев, чем путем отпора. В Минске юденрат был частью подполья гетто, совет старейшин поддерживал подполье в Каунасе, и оба этих органа старались по мере сил избегать коллаборационизма (в случае Минска — до тех пор, пока немцы не внедрили коллаборантов в юденрат). Подпольщикам Вильнюса, Белостока и Варшавы ничего не оставалось, кроме как бросить вызов официальным властям в борьбе за руководство гетто, и только в Варшаве подполье вышло из нее победителем. В Минске и Каунасе администрация сотрудничала с подпольем, так что в соперничестве не было необходимости. В обоих городах подполью удалось заручиться широкой поддержкой населения. В том и другом случае одной из главных причин этого стали усилия подполья, связанные с отправкой евреев в лес.

СТРАТЕГИЯ ВОССТАНИЯ В ГЕТТО

Вильнюсское гетто было первым, где возникла единая подпольная организация, здесь же были разработаны методы и стратегия, которые со временем были переняты подпольными движениями Варшавы и Белостока. В первые месяцы оккупации немцы уничтожили десятки тысяч вильнюсских евреев, причем как до, так и после 6 сентября 1941 года, когда по соседству были созданы два гетто. К началу 1942 года из приблизительно 57 000 евреев, проживавших в Вильнюсе на момент немецкого вторжения, в живых оставалось лишь около 20 000.

В канун наступающего года состоялось тайное собрание активистов Ха-шомер ха-цаир. В воззвании, составленном Аббой Ковнером, утверждалось, что массовые убийства в Вильнюсе и гетто были шагами по реализации немецкого плана геноцида, а также содержался призыв к вооруженному сопротивлению. Двадцать первого января была создана Объединенная партизанская организация (на идише — Фарейникте партизанер организацие, ФПО), в руководство которой вошли левые и правые сионисты и коммунисты (бундовцы присоединились к ним позднее). В другие гетто были отправлены связные, которые рассказывали об убийствах в Вильнюсе, о намерениях немцев устроить геноцид и призывали к созданию во всех гетто объединенных подпольных организаций. Молодежь, особенно левые сионисты, прислушивалась к этим словам, но большинство престарелых лидеров встречали их в штыки.

Как следствие, вставал вопрос стратегии: что лучше — уйти в лес и присоединиться к зарождавшемуся партизанскому движению или поднять восстание? Варшава была слишком далеко от партизан, чтобы реалистично рассматривать первый вариант. В гетто Вильнюса и Белостока, расположенных ближе к партизанской территории, обсуждались оба сценария, при этом в Вильнюсе преобладала точка зрения, что уйти в лес значило бы бросить население гетто на произвол судьбы, что для защиты еврейской чести требуется поднять восстание, которое стало бы посланием всему миру и вошло бы в историю. В гетто Белостока некоторые разделяли эту точку зрения; другие говорили, что отпор в лесу будет эффективнее. Некоторые поддерживали оба варианта и выступали за расширение еврейского присутствия в лесах, что должно было помочь при восстании. Но на практике для этого почти ничего не делалось. Хотя некоторые надеялись на одновременное восстание за пределами гетто, что позволило бы людям прорваться за стены и спастись, большинство призывавших к восстанию ждали, что для них оно закончится смертью.

В гетто Вильнюса и Белостока так и не произошло массовых выступлений. В Вильнюсском гетто ФПО столкнулась с отсутствием широкой поддержки, когда в июле 1943 года немцы потребовали выдачи ее лидера — коммуниста Ицика Витенберга — и пригрозили в противном случае уничтожить гетто. Его имя они узнали, арестовав членов действовавшего в городе небольшого коммунистического подполья. ФПО рассматривала возможность поднять восстание для защиты Витенберга, но возмущение жителей гетто, требовавших его выдачи, показало, что оно не встретило бы поддержки. По решению лидеров ФПО Витенберг сдался властям. Первого сентября, когда немцы и их приспешники вошли в гетто и начали хватать его жителей, члены ФПО, согласно плану, собрались в своей штаб-квартире и заняли позиции на противоположной стороне улицы, чтобы вступить в бой с немцами. Но они поняли, что даже это не приведет к восстанию, что сражение закончилось, не успев толком начаться. После этого члены ФПО стали уходить в леса, чтобы присоединиться к партизанам.

В гетто Белостока какое-то время существовали две подпольные организации: члены одной придерживались левых взглядов, другой — правых. Связующим звеном между ними выступала Ха-шомер ха-цаир. В феврале (5–12.02) 1943 года немцы вместе с подручными провели в гетто акцию, о которой подпольщики знали заранее. Левая подпольная организация попыталась поднять восстание, но правая ее не поддержала, и отпор был подавлен.

Этот провал продемонстрировал необходимость консолидации, что привело к созданию единой подпольной организации. Шестнадцатого августа 1943 года, когда немцы и их пособники вошли в гетто, чтобы депортировать его жителей в концлагеря, она подняла восстание. Но участие в нем приняли только члены подполья, из которых почти никто не выжил.

И в Вильнюсе, и в Белостоке на настроения людей влияли доводы официальных руководителей гетто: Якова Генса, главы еврейской полиции Вильнюса, Эфраима Бараша, председателя белостокского юденрата, — и их поведение. Оба утверждали, что немцам необходимы еврейские рабочие, что движение Сопротивления подвергает гетто опасности, что усердный труд и исполнение немецких приказов были лучшими способами предотвратить убийства. Оба сотрудничали с немцами, вели переговоры о том, сколько евреев подлежит выдаче, и передавали согласованное количество людей в руки оккупантам. В обоих гетто те, кому удавалось пережить эти акции, отчаянно цеплялись за надежду, что они и члены их семей как-то сумеют пережить и войну. Мало кто разделял идеализм подпольщиков. Большинство считало, что восстание лишь приведет их к гибели и подтолкнет немцев к уничтожению гетто.

Сложно винить жителей гетто в том, что они продолжали надеяться на то, что поражение Германии случится раньше, чем их убьют. Но подпольная стратегия восстания не учитывала этих надежд, поэтому не нашла поддержки у населения гетто Вильнюса и Белостока.

В Варшавском гетто старания подпольщиков увенчались массовым восстанием, потому что, когда немцы пришли его уничтожить, у жителей не оставалось сомнений, что выжить им не удастся и что единственный доступный им выбор — борьба или отказ от нападения на немцев.

После великой депортации 22 июля — 12 сентября 1942 года население гетто сократилось с приблизительно 130 000 до примерно 60 000 человек. Восемнадцатого января 1943 года немцы снова вторглись в гетто и устроили вторую депортацию, которая продлилась четыре дня. На этот раз к колонне депортируемых присоединились вооруженные члены Еврейской боевой организации (польск. Żydowska Organizacja Bojowa, ZOB) и в удобный момент напали на сопровождавших строй немцев. Завязался бой, и многим евреям удалось сбежать.

Этот эпизод вместе с нападением ZOB на юденрат и еврейскую полицию, которые открыто помогали немцам во время великой депортации, помогли организации заручиться поддержкой тех, кто еще оставался в живых. Фактически ZOB взяла на себя руководство Варшавским гетто. Среди его обитателей почти никто не сомневался, что немцы еще вернутся, на этот раз — чтобы уничтожить гетто.

Подавляющее большинство переживших великую депортацию были относительно молоды: некоторых вычеркнули из списков из-за их работы на немцев, другие просто спрятались. В гетто практически не осталось ни детей, ни стариков, а большинство жителей лишились своих семей. У многих, если не почти всех, гнев и желание отомстить возобладали над желанием выжить.

Лидеры ZOB делали все возможное, чтобы найти поддержку за пределами гетто, но руководство Армии Крайовой, главной силы польского Сопротивления, фактически отказало им в помощи. В отсутствие такой поддержки бежать из гетто во время или после восстания было невероятно сложно. Несмотря на это, когда немцы снова вошли в гетто 19 апреля 1943 года и подпольщики (среди которых были мужчины и женщины, члены ZOB и присоединившихся к ней более мелких организаций — всего от 600 до 800 человек) подняли восстание, его поддержало все население гетто. Люди набросились на оккупантов, используя все, что попадалось под руку. Прошло больше месяца, прежде чем немцы смогли вернуть гетто под свой контроль.

Ни одна из подпольных организаций гетто Польши и Литвы не имела серьезных союзников за их пределами, ни у одной из них не было возможности вывести из гетто существенную часть населения. По сути, стоявший перед ними вопрос сводился к тому, что лучше — остаться в гетто и заявить о себе так, чтобы их услышали за его пределами, или отправить небольшое количество людей в лес, где были более благоприятные условия для продолжения борьбы. В Каунасском гетто возобладала вторая стратегия, отчасти потому, что молодые сионисты в подполье хотели этого не меньше, чем коммунисты. Вот только добраться до леса из гетто Каунаса было гораздо труднее, чем из Минска.

СОЗДАНИЕ КАУНАССКОГО ГЕТТО

Немцы заняли Каунас 24 июня 1941 года. Советские войска, оккупировавшие город с предыдущего лета, ушли из него двумя днями ранее, сразу после нападения Германии 22 июня. Некоторые литовские националисты приветствовали немцев, так как верили, что они поддержат литовскую независимость. Некоторые даже согласились с программой нацистов, в том числе с ее антисемитизмом. Два дня до прихода немцев банды литовцев устраивали погромы. К моменту, когда немецкие войска вступили в город, погибли тысячи евреев. В течение следующих нескольких дней литовцы с разрешения немцев убили еще 800 каунасских евреев. Устроенные местными жителями погромы, с которых началась немецкая оккупация, стали провозвестником грядущего насилия.

Литовцы в целом, и особенно националисты, натерпелись от советской власти. Ее поддержали коммунисты, но Коммунистическая партия Литвы была весьма малочисленной и почти не имела влияния. Среди ее членов было непропорционально много евреев, что, несомненно, отчасти объяснялось ее решительным неприятием антисемитизма. Но еврейские сторонники коммунистов составляли ничтожную часть от всех литовских евреев. Как и в Польше, евреи в Литве придерживались более левых позиций, чем неевреи, но большинство голосовало не за коммунистов, а за социал-демократов. В Литве, как и в Польше, лишь немногие евреи были поклонниками Советского Союза. И все же большинство евреев считали советскую власть куда предпочтительнее немецкой, и некоторые, понимая, что Литва неизбежно будет захвачена одной из этих двух стран, приветствовали советский переворот 1940 года. Вкупе с тем, какую заметную роль играли евреи в созданной коммунистами административной структуре, это привело к тому, что в глазах местного населения они стали отождествляться с ненавистной советской оккупацией. Многие винили евреев в депортациях на восток, которые прошли в последние месяцы советской власти, даже несмотря на то, что среди депортированных было непропорционально много евреев, прежде всего сионистов. Неприязнь к евреям, вызванная советской оккупацией, наложилась на уже существовавшие антисемитские настроения. Когда немцы вошли в Литву, они нашли здесь много людей, восприимчивых к их антисемитской и антисоветской риторике, при этом многие литовские коммунисты и те, кого немцы могли сделать своей мишенью, бежали, не дожидаясь их прихода. Местных профашистских националистов, столкнувшихся с репрессиями в СССР, немцы поставили на позиции, которые давали им авторитет, если не реальное влияние. Таким образом, уже в первые дни войны евреи остались без большинства своих потенциальных защитников и союзников, в то время как их главные противники получили новую степень общественной легитимизации.

Десятого июля 1941 года немцы объявили, что к 15 августа все каунасские евреи должны переехать в Вильямполе, бедный район через реку от города, в котором жили как литовцы, так и евреи. Многие местные евреи были убиты во время первых погромов, из-за чего часть домов пустовала. Живущим в этом районе литовцам было приказано выехать. Был создан юденрат, который в Каунасе назвали альтстенратом — советом старейшин, а Эльханана Элькеса, сиониста, стоявшего на центристских позициях, назначили его главой. Гетто окружили колючей проволокой, расставив по периметру часовых. Примерно 33 000 каунасских евреев пришлось тесниться на территории, где раньше проживало около 4 000 человек.

Осенью 1941 года немцы регулярно отправляли крупные партии евреев в IX форт — один из фортов окружавшей город крепости XIX века, который оккупанты использовали в качестве тюрьмы и лагеря смерти. Как и в Вильнюсе, немцы пытались скрыть убийства от жителей гетто, используя меньшее и отделенное от основного гетто в качестве перевалочного пункта. Они многократно переводили тысячи евреев из большого гетто в малое, а затем отправляли их на смерть в IX форт.

Восемнадцатого августа немцы вывезли из гетто 534 представителя интеллигенции. Четвертого октября они отправили около 1 800 обитателей малого гетто в IX форт. Двадцать восьмого октября немцы перевели 9 200 жителей большого гетто в малое, а оттуда — в IX форт. Четвертого ноября они вывели оставшихся обитателей малого гетто в IX форт и ликвидировали малое гетто. Несмотря на попытки оккупантов скрыть свои действия, слухи о судьбе тех, кого они забрали с собой, все-таки просочились наружу.

После резни, устроенной осенью 1941 года, наступил тихий период, продлившийся до осени 1943 года. В это время немцы воздерживались от массовых убийств, позволив совету старейшин управлять гетто, а сами как будто сосредоточились на том, чтобы выжать максимум из труда евреев. Каждое утро их выводили из гетто на работу в интересах оккупантов. Многие занимались восстановлением разбомбленного немцами военного аэродрома, находившегося в нескольких километрах от Каунаса, другие работали в городе или в мастерских прямо в гетто. Трудившиеся в городе имели больше возможностей проносить в гетто еду и налаживать контакты за его пределами. Но, как и тех, кто работал на летном поле, их чаще обыскивали при возвращении у ворот и могли избить, если находили еду, или сделать что-то похуже[2].

СИОНИСТСКОЕ ПОДПОЛЬЕ

В Каунасском гетто возникли два подпольных движения: во главе одного стояли сионисты, а другое возглавили коммунисты. Многие сотрудники совета старейшин, включая Эльханана Элькеса, его главу, были членами сионистской организации. Совет старейшин в основном занимался организацией еврейского труда внутри гетто и за его пределами и оказанием населению тех услуг, которые были возможны в условиях ограниченных ресурсов. Социальная служба собирала одежду для самых нуждающихся. В гетто работала больница, действовали две школы, пока немцы не закрыли их в августе 1942 года. Кроме того, совет старейшин заведовал библиотекой гетто, пока немцы не конфиско-

---

2   О создании Каунасского гетто и об условиях в нем см. [Gar 1948: 44–59].

вали все книги в феврале того же года. Некоторые члены совета старейшин использовали свое положение для трудоустройства своих родственников и товарищей по организации на сравнительно выгодные позиции. Элькес, как бы то ни было, пользовался всеобщим уважением в силу своей заботы о жителях гетто.

В гетто действовало большое количество сионистских организаций, находившихся на полулегальном положении. Поначалу они фокусировались на выполнении социальных и образовательных функций для своих членов и занимались улучшением бытовых условий в гетто. Позже некоторые из этих организаций стали участвовать в Сопротивлении, но в качестве прикрытия продолжали выполнять свои социальные, образовательные и благотворительные функции.

В гетто сформировались две зонтичные организационные структуры сионистов. Первая называлась Иргун брит Цион (Союз друзей Сиона), и в ней преобладали представители центристской партии общих сионистов, отказывавшиеся сотрудничать с членами левых сионистских организаций, в частности с Ха-шомер ха-цаир. Позже возникла более широкая организация под названием МАЦОК (на иврите Мерказ Циони Вильямпола Ковна) — сокращенно от Вильямпольский сионистский центр Каунаса (на иврите matzok женского рода и переводится как «беда»). В нее вошли Ха-шомер ха-цаир и другие левые сионистские движения[3].

В гетто Вильнюса, Варшавы и Белостока молодые сионисты, особенно левого толка, быстро отмежевались от взрослых сионистских организаций из-за нежелания следовать осторожной и соглашательской политике старших. Членами подпольных движений в этих гетто были почти исключительно молодые люди в возрасте около 20 лет. В Каунасском гетто различия между сионистами имели скорее организационный, чем поколенческий характер и никогда не становились настолько острыми, чтобы помешать сотрудничеству различных групп.

---

[3] О сионистском подполье в гетто см. [Brown, Levin 1962: 70–108; Gar 1948: 397–400].

Летом и осенью 1943 года новости о поражениях немецкой армии достигли гетто. По мере того как немцы ужесточали свой контроль, в гетто была создана всеобщая подпольная сеть, ведущую роль в которой стали играть коммунисты.

Посредником между сионистами и коммунистами выступила марксистско-сионистская молодежь из Ха-шомер ха-цаир. Некоторые молодые сионисты призывали к восстанию в гетто, но делали это, скорее, из противоречия коммунистической стратегии ухода в лес, не предлагая конкретного плана. Серьезной поддержки идея восстания никогда не имела, а когда возглавляемая коммунистами единая подпольная организация начала посылать евреев в лес, молодые сионисты стали требовать, чтобы их включили в эти группы. Старшее поколение сионистов в администрации гетто сотрудничало с коммунистами, обеспечивая им поддержку еврейской полиции и подкупая немцев, чтобы в определенное время они держались подальше от ворот гетто. Параллельно сионисты устраивали в гетто малины. Многие из них погибли в этих малинах вместе с другими узниками гетто, когда в него вошли немцы. Восьмого июля 1944 года они депортировали тех, кого смогли заставить, и подожгли гетто.

КОММУНИСТИЧЕСКОЕ ПОДПОЛЬЕ

На заре существования гетто некоторые коммунисты выступили инициаторами создания подпольных групп на встречах со своими однопартийцами и сочувствующими. Одна из таких групп стала настоящим магнитом для остальных. Ее возглавлял молодой человек по имени Хаим Елин, который до войны был известным идишским писателем и активистом коммунистической партии. Для Елина и многих других членов этого расширяющегося подпольного кружка первостепенной задачей было налаживание контактов с людьми за пределами гетто, причем не только с коммунистами, но и со всеми, кому они могли доверять. Вдоль забора гетто на определенном расстоянии друг от друга дежурили полицейские, но некоторых охранников можно было подкупить. Кроме того, существовали места, за которыми часовым было тяжело наблюдать. Елин часто пользовался этим, проскальзывая под проволокой. Он надевал одежду, которую подпольщики собрали специально для его вылазок в Каунас, что позволяло ему походить на респектабельного молодого человека из среднего класса и отводить ненужные подозрения. Во время одной из таких вылазок Елин вступил в контакт с группой беглых красноармейцев, которые не успели уйти из города до прихода немцев. После этого Елина во время его вылазок встречала у забора связная — столь же хорошо одетая молодая женщина, с которой они переходили под ручку мост и гуляли по улицам Каунаса, разговаривая и смеясь, словно любовники [Yelin, Gelpern 1948: 31].

Но попытки Елина наладить регулярную связь с этой группой лишь положили начало целой череде разочарований. Ячейка, на которую он вышел, готовилась отправиться в лес и создать там партизанский отряд. К ней должна была присоединиться группа из гетто, но немцы раскрыли городскую группу, и ей пришлось уходить в одиночку. Подпольщики гетто ждали инструкций из леса, но так их и не получили. Позже они узнали, что все бывшие красноармейцы были убиты, столкнувшись на выходе из города с полицией [Yelin, Gelpern 1948: 32].

В последний день 1941 года в гетто состоялась тайная встреча всех коммунистических и прокоммунистических подпольных групп, на которой была создана подпольная Антифашистская боевая организация (на идише Антифашистише Кампфс Организацие, АКО), хотя даже среди сионистов ее чаще называли антифашистской организацией или просто организацией. Ее цель заключалась в создании боевых групп для отправки в лес к партизанам и в мобилизации движения Сопротивления в гетто, прежде всего — посредством диверсий на немецких заводах и фабриках и в любых других местах, где это способствовало подрыву военного потенциала немцев. Антифашистская боевая организация состояла из небольших групп, связанных через представителей с центральным комитетом из пяти, а позже — семи человек. Секретарем комитета выбрали Елина. Руководство Антифашистской боевой организации не менялось вплоть до октября 1943 года, когда у нее наконец-то появились надежные

связи за пределами гетто, а лидеры вместе с подпольщиками
стали уходить в лес.

Вскоре по местам, где евреи работали за пределами гетто,
прокатилась волна диверсий. Ответственность за большинство
из них несли члены Антифашистской боевой организации и их
помощников. Один из членов организации, рабочий на железнодорожной станции, поджег три вагона следовавшего на фронт
поезда, и их содержимое было уничтожено. В немецком арсенале
на территории IX форта произошел взрыв, за которым почти
наверняка стояли члены организации. Двое из них погибли, еще
одному оторвало руку. В ответ немцы казнили всех членов работавшей здесь еврейской бригады[4].

Помимо этого, Антифашистская боевая организация собирала
оружие, но не для того, чтобы использовать его в гетто, а для того,
чтобы отнести в лес, когда будет налажена связь с партизанами.

Одним из членов организации была Сара Гинайте — молодая
девушка, работавшая уборщицей на железнодорожной станции
в Каунасе, где немцы оборудовали временный госпиталь для
раненых солдат. Здесь раненые проводили несколько дней после
прибытия с фронта, после чего их отправляли в постоянный
госпиталь. Однажды, убирая в только что освободившейся пала-
те, Гинайте нашла пистолет, забытый, по-видимому, лежавшим
там солдатом. Она положила оружие в мешок, засыпала его
картошкой и после работы забрала с собой в гетто. Подойдя
к воротам, девушка поняла, что, если мешок обыщут, ее ждет
смерть. Ворота охранял еврейский полицейский, другие полицаи
стояли неподалеку. «У меня в мешке кое-что очень трефное [то
есть некошерное]», — прошептала она стражнику. «Хватит меш-
кать! Шевелись!» — сердито крикнул он ей в ответ. Полицейский
погнал ее через ворота, продолжая кричать. Стоявшие рядом
литовцы не стали вмешиваться. Оказавшись внутри, Гинайте
тихонько поблагодарила спасшего ей жизнь полицейского и в нарушение подпольных правил отправилась прямиком к Елину.
Когда она показала ему пистолет, Елин обнял ее и сказал, что это

---

[4] О диверсиях в гетто см. [Brown, Levin 1962: 114; Yelin, Gelpern 1948: 39–41].

первое оружие, которое удалось пронести в гетто. Правда, затем он отчитал девушку за то, что она так рисковала жизнью, и рассказал ей о квартире за пределами гетто, куда нужно нести оружие, если оно вдруг еще ей попадется. Позже, когда Гинайте уходила в лес, ей вернули тот самый пистолет, девушка забрала его с собой [Feitelson 1993: 297].

Гинайте смогла пронести в гетто оружие благодаря целой сети связей, объединявшей антифашистскую организацию с сионистами, советом старейшин и как минимум частью еврейской полиции. Антифашистская боевая организация отправила Гинайте работать на железнодорожную станцию: ей было поручено взять на себя роль связной между подпольем и его контактами в Каунасе. Организации удалось устроить ее на эту должность благодаря помощи членов совета старейшин, отвечавших за распределение рабочих. Еврейская полиция официально подчинялась совету, и между их членами существовали тесные связи, так как они входили в одни и те же сионистские организации. Один из полицейских был также членом Антифашистской боевой организации. Моше Левин, глава еврейской полиции, симпатизировал деятельности подполья[5]. Гинайте не сама придумала использовать так слово «треф»: этим термином подпольщики и их сторонники называли незаконные и опасные предметы, которые проносили в гетто. Девушке повезло, что в тот день у ворот стоял еврейский полицейский, достаточно близкий к подполью, чтобы понять значение этого слова, и довольно сообразительный, чтобы отреагировать должным образом.

ПЕРВЫЕ КОНТАКТЫ КОММУНИСТИЧЕСКОГО ПОДПОЛЬЯ ЗА ПРЕДЕЛАМИ ГЕТТО

Антифашистская боевая организация продолжала искать в Каунасе коммунистов и других потенциальных союзников и пытаться вступить с ними в контакт. Некоторые подпольщики

---

[5] Отношения между антифашистской организацией, альтстенратом и еврейской полицией описаны у [Yelin, Gelpern 1948: 59–60].

связались со своими довоенными друзьями, и те согласились стать связными для организации или регулярно приносить в гетто информацию и передачи. Елин и другие члены организации какое-то время жили в городе и успели установить контакты с настроенными в их пользу литовцами. Некоторые из них симпатизировали коммунистам; другими (вроде доктора Елены Куторгене, которая была готова на все, лишь бы помочь подполью) двигал ужас перед тем, как немцы обращались с евреями. Правда, за пределами коммунистического подполья таких людей было очень немного [Yelin, Gelpern 1948: 68–69].

Первым серьезным контактом Антифашистская боевая организация обзавелась в марте 1943 года, когда один из ее членов, Яша Давидов, познакомился с портным Важковисом Томашейтисом, который свел его с литовской антифашистской организацией, возникшей в Каунасе в январе того же года. Давидов и Томашейтис обменялись информацией о своих организациях, и эти данные были переданы соответствующим группам. Первого мая 1943 года Елин отправился в город на собрание литовской организации, проходившее под прикрытием первомайского митинга. Его представили собравшимся как нового товарища по имени Владас. После праздника состоялось еще одно собрание — для более узкого круга людей, которым сообщили, что Владаса на самом деле зовут Хаим и что он прибыл из гетто. Елин рассказал о целях и работе Антифашистской боевой организации и договорился с присутствовавшими о тесном сотрудничестве. В течение следующих месяцев Дмитрий Гельперн, представлявший еврейскую организацию, регулярно встречался в городе, на заросшем берегу реки Нярис, с литовцем Влатсовасом Матошейтисом. Чтобы добраться до места встречи, Гельперн пролезал под забором гетто, а Матошейтис переплывал реку на лодке. На этих встречах согласовывали планы диверсий, Гельперн принимал от Матошейтиса политические листовки и газеты, напечатанные в Каунасе или полученные с Большой земли, а сам передавал ему штампы из линолеума, которые производились в гетто из украденных у немцев материалов для печати воззваний обеих подпольных организаций [Yelin, Gelpern 1948: 70–71].

Главные усилия подпольщиков были направлены на создание совместного партизанского отряда за пределами Каунаса. Было выбрано место для будущей базы, создан схрон с оружием, после чего туда отправили нескольких членов литовского подполья. Антифашистская организация собрала необходимые вещи вроде теплой одежды и медикаментов, а в городе и в гетто были сформированы группы для отправки на базу. Но прежде, чем это произошло, ее нашли немецкие полицейские. Командир литовского отряда был убит в бою, остальные бежали. Немцы активизировали поиски противников оккупации и обнаружили в городе подпольную группу. Они арестовали тех, кто не успел скрыться, и подвергли их пыткам. Жену портного Томашейтиса, благодаря которому состоялся первый контакт между литовской и еврейской организациями, немцы привели в гетто и потребовали показать евреев, с которыми сотрудничал ее муж. Несмотря на пытки, она никого не выдала [Yelin, Gelpern 1948: 73]. Антифашистской боевой организации гетто удалось спрятать своих членов, имевших отношение к этому плану, и никто из них не был арестован. Но городское подполье было уничтожено, оставив евреев без организационных связей за пределами гетто.

ЕДИНАЯ ПОДПОЛЬНАЯ ОРГАНИЗАЦИЯ ГЕТТО

Летом 1943 года представители Антифашистской боевой организации и сионистского объединения МАЦОК приступили к обсуждению создания единой подпольной организации. Осенью они пришли к соглашению и сформировали общую руководящую структуру Всеобщей еврейской вооруженной организации. Интерес к объединению был вызван ужесточением немецкого контроля над гетто на фоне поражения немцев под Сталинградом 2 февраля 1943 года и перехода инициативы к союзникам. Признаки грядущего поражения германской армии были встречены в гетто ликованием, но по мере того, как перспективы немцев тускнели, становилось ясно, что это приведет лишь к усилению репрессий. За поражением под Сталинградом последовала казнь 44 евреев под предлогом того, что они занимались контрабандой.

И антифашистской, и сионистским организациям было понятно, что, какой бы ни была стратегия Сопротивления, для продолжения борьбы обоим лагерям, а также совету старейшин и еврейской полиции придется объединить усилия.

Вопрос стратегии как раз и стал главной темой переговоров: нужно ли отправлять евреев в лес, готовить восстание или приступать к реализации сразу обоих планов. Кроме того, обсуждался вопрос, какую степень автономии удастся сохранить евреям в партизанском движении с точки зрения их национальности и принадлежности к определенным еврейским организациям. Многие сионисты понимали, что восстание приведет лишь к массовой бойне. Но некоторые из них были против отправки евреев к советским партизанам и призывали к восстанию отчасти всерьез, а частично потому, чтобы им было что противопоставить плану ухода в лес. Нехемия Эндлин, один из участников переговоров, вспоминал, что, хотя некоторые подпольщики и выступали за создание малин и подготовку к вооруженной борьбе, идея отправки людей в лес обладала куда более широкой поддержкой. Несмотря на то что Хаим Елин был сторонником второго варианта, он, по словам Эндлина, понимал важность объединения двух лагерей [Endlin 1975: 44].

В итоге был разработан план, учитывавший интересы обеих сторон, согласно которому часть бойцов должна была разбиться на группы и отправиться в лес, а часть — остаться в гетто, чтобы организовать массовый исход жителей, когда немцы придут его уничтожить. Предполагалось, что они подожгут некоторые районы гетто, проделают в заборе проход, через который смогут уйти люди, и при необходимости вступят в бой с немцами.

В вопросе еврейской автономии некоторые сионисты настаивали на том, что у определенных еврейских групп должно быть право действовать обособленно в рамках партизанского движения, говорить между собой на иврите и соблюдать обычаи своего народа, например петь песни на своем языке. Но представители Всеобщей еврейской вооруженной организации напомнили, что обсуждать этот вопрос надо не с ними: на что бы они ни согласились, партизанское командование, скорее всего, распределит евреев по смешанным отрядам, руководствуясь установкой на борьбу с национализмом и/или военными соображениями. Стороны договорились о создании партизанских баз за пределами Каунаса, где, если захотят, могут остаться группы из гетто.

На практике к созданию боевых групп, которые должны были остаться в гетто, так и не приступили. Восстания не случилось, и в окрестностях Каунаса не появилось партизанских баз.

Всеобщая еврейская вооруженная организация сконцентрировала свои усилия на отправке в лес групп, в которые вошли многие молодые сионисты, а сионистское руководство сосредоточилось на создании малин.

КОНТАКТ С АЛЬБИНОЙ

Интерес к объединению подполья был вызван не только ожиданием усиления немецких репрессий, но и тем, что осенью 1943 года Всеобщей еврейской вооруженной организации после нескольких лет бесплодных попыток наконец-то удалось выйти на связь с партизанами. На протяжении лета организация несколько раз отправляла в лес группы на поиски партизанских отрядов. Прогресса не было. В сентябре группа работавших за пределами гетто евреев сообщила подполью, что в городе к ним подошел литовец, который попросил их связать его с писателем Хаимом Елиным. Поначалу подпольщики решили не отвечать. Но через некоторое время с этим мужчиной случайно столкнулся один из членов организации, занимавшийся в городе подпольной работой, и он вспомнил, что встречал этого человека в тюрьме: они оба были арестованы как коммунисты. После этого руководство Всеобщей еврейской вооруженной организации решило рискнуть и связаться с этим мужчиной. На встречу с ним отправили Дмитрия Гельперна, а Елин с товарищем с оружием в руках спрятались неподалеку — на случай, если окажется, что это засада. Мужчина представился Юозасом Тубялисом и заявил, что является членом коммунистического подполья Вильнюса, которое поручило ему вступить в контакт с коммунистическим подпольем Каунаса. После нескольких неудачных поездок в Каунас вильнюсские подпольщики решили, что им нужно попытаться связаться с находившимся в гетто Елиным, потому что Елин знал в коммунистическом движении всех. Гельперну показалось, что Тубялис говорит правду. Встреча закончилась тем, что Тубялис обнял Гельперна, сказал, что чувствует, что они на правильном пути, и пообещал вернуться на следующий день с доказательствами того, что он действительно представляет коммунистов Вильнюса.

На следующий день Тубялис пришел с письмом на идише, адресованным Янклу Леви, члену Всеобщей еврейской вооруженной организации, с которым Тубялис встречался в тюрьме. В нем содержалась просьба прислать в Вильнюс представителя организации на встречу с лидерами местного коммунистического подполья. Подписано оно было буквой еврейского алфавита «гимель» (G). Эта подпись и различные содержавшиеся в письме намеки указывали на то, что его автором была Геся Глазер.

Глазер, которая пользовалась агентурной кличкой Альбина, была хорошо известна членам подполья. До войны эта литовская еврейка была видной коммунисткой, а в 1943 году ее забросили на парашюте в Рудницкие леса (которые литовцы называли Руднинкайским лесом) на восточной окраине Литвы, недалеко от границы с Белоруссией. Она командовала базой, где шло формирование сразу нескольких партизанских отрядов. Кроме того, Глазер занималась пропагандой подполья в Литве. Эта голубоглазая блондинка говорила по-литовски без малейших признаков еврейского акцента и при желании могла сойти за литовку. Поверив, что письмо было от Альбины, Всеобщая еврейская вооруженная организация отправила Елина в Вильнюс, где он встретился с лидерами местного коммунистического подполья и самой Глазер [Yelin, Gelpern 1948: 75–77].

Следующие несколько месяцев Альбина посвятила созданию прочной и надежной связи между подпольем Каунасского гетто и партизанским движением. Она отвела Елина на базу в Рудницких лесах, где он встретился с командиром партизан Юргисом (Енохом Зиманом, евреем-коммунистом из Каунаса). Тот обучил его основам партизанской борьбы. После этого Альбина вернулась с Елиным в Каунас. Она попросила отвести ее в гетто на встречу с другими руководителями Всеобщей еврейской вооруженной организации. Эта встреча потребовала особых приготовлений, потому что у Альбины был с собой револьвер, который она отказалась оставить снаружи. Если бы у ворот ее обыскали и нашли пистолет, это поставило бы под угрозу не только саму женщину и подполье, но и все гетто. К осени 1943 года подпольщикам стало относительно легко проходить через ворота благодаря связям обоих крыльев организации и их сторонников в совете старейшин с еврейской полицией. В силу непрерывного потока взяток и услуг немецкие и литовские полицейские в нужный момент всегда были готовы отвести взгляд в другую сторону. Единственной реальной опасностью был неожиданный визит кого-нибудь из высших немецких руководителей. Но этого не случилось, и Альбина без проблем прошла в гетто.

За те 10 дней, что она провела внутри, Альбина встретилась не только с лидерами Всеобщей еврейской вооруженной организации, но и с Моше Левиным, главой еврейской полиции, после чего тот присоединился к подполью. Альбина провела встречу и с представителями Ха-шомер ха-цаир, которая уже тогда играла важнейшую роль в обеспечении единства между коммунистической и сионистской организациями гетто.

Визит Альбины укрепил связи между различными частями подполья и повысил авторитет Всеобщей еврейской вооруженной организации. Ее приезд подтвердил, что коммунисты поддерживают планы организации по отправке евреев в лес, и вселил в ее членов уверенность в возможности реализации этих планов [Yelin, Gelpern 1948: 79–80].

К тому моменту прошло больше года с тех пор, как в Каунасском гетто побывала связная из Варшавского гетто, молодая полька по имени Ирена Адамович. Она встретилась с руководством МАЦОК, с Элькесом, главой совета старейшин, и с лидерами левых сионистских молодежных групп. Девушка рассказала о расправах, которые немцы устраивали в гетто Вильнюса и в других городах Восточной Европы. Она уведомила лидеров каунасских сионистов о том, что подпольщики Варшавы и Вильнюса планируют поднять в своих гетто восстания, и призвала их последовать той же стратегии.

Визит Адамович вдохновил многих членов Ха-шомер ха-цаир и других левых сионистских молодежных организаций на то, чтобы потребовать перехода от образовательной и культурной деятельности, на которую в то время делали упор сионистские группы, к подготовке восстания в гетто. Но вместо этого многие сионисты сосредоточились на строительстве малин, считая восстание обреченным на провал [Brown, Levin 1962: 80–83].

Приезд Адамович заставил сионистские ячейки задаться вопросом, каким должен быть активный отпор, но именно визит Альбины воплотил в жизнь самый популярный на него ответ, впервые сделав бегство в лес реальной возможностью.

ОТПРАВКА ЕВРЕЕВ В ЛЕС

На встречах с Альбиной руководство антифашистской организации решило начать отправку групп в лес и попытаться убедить сионистов присоединиться к этой инициативе. К тому времени оба крыла движения Сопротивления в гетто были организационно связаны двумя комитетами, чья задача заключалась в том, чтобы обеспечить подполье единым руководством[6]. Альбина передала лидерам Всеобщей еврейской вооруженной организации указание установить контакт с партизанским отрядом под командованием человека по фамилии Соломин, базировавшимся в Яновских лесах в 15–20 км к северу от Каунаса, чтобы отправить туда несколько групп. Кроме того, она призвала начать подготовку к отправке большего числа людей в Августовские леса, протянувшиеся через границы Литвы, Пруссии и Восточной

---

[6] Браун и Левин приводят несколько отличающиеся сведения о совместном органе, связывавшем Антифашистскую боевую организацию и МАЦОК. По одной из версий, были созданы два органа: Ваад Цибур, или общественный комитет, который обладал высшей властью в подполье и определял общую политику, и координационный комитет, планировавший и претворявший в жизнь решения общественного комитета, см. [Brown, Levin 1962: 117–118].

Польши примерно в 130 км к югу от Каунаса. К Соломину послали Миру Лан, члена ЦК Всеобщей еврейской вооруженной организации. В гетто она уже не вернулась. Позже члены подполья узнали, что Соломин не хотел принимать в свой отряд группы добровольцев из гетто, но предложил Лан остаться, и она согласилась [Brown, Levin 1962: 132]. После этого Всеобщая еврейская вооруженная организация предложила объединенному командованию подполья отправить отряды на юг, в Августовские леса.

Это вызвало споры. Ха-шомер ха-цаир, как ближайший союзник коммунистов среди сионистов, поддержала этот план. Остальные группы выступили против и вместо этого призвали к созданию вооруженных отрядов, которые останутся в гетто и дадут бой немцам, когда те придут его уничтожить. Неизвестно, в какой степени они считали свое предложение реальной альтернативой, а в какой — просто пытались помешать плану, согласно которому евреи должны были присоединиться к связанным с Красной армией партизанам. Моше Левин, глава еврейской полиции, который участвовал в этой дискуссии, позже вспоминал, что один из присутствовавших сказал: «Лучше умереть, чем сражаться под красным флагом»[7]. Многие сионисты отмечали, что отправить в лес только молодежь — значит бросить большинство населения, которое останется в гетто, на произвол судьбы. Из-за этого некоторые призывали к созданию в гетто собственных вооруженных сил, которые вступят в бой с немцами, когда те придут уничтожить гетто, и помогут населению спастись. Другие отмечали, что призывы молодых сионистов умереть с честью не имеют смысла, и утверждали, что, хотя они и не имеют ничего против создания боевых отрядов в гетто, подполье должно сосредоточиться на организации малин. Против предложения антифашистов выдвигались и практические возражения: Августовские леса находились слишком далеко от гетто, что делало поход к ним слишком опасным, а у жителей гетто не было ни оружия, ни военной подготовки, чтобы создать свой партизанский отряд. На это члены Всеобщей еврейской воору-

---

[7] Цит. по: [Brown, Levin 1962: 135].

женной организации отвечали, что их заверили в поддержке Красной армии, которая отправила в Августовские леса парашютистов для помощи группам из гетто в организации партизанских отрядов. В итоге был достигнут компромисс: помимо отправки людей в Августовские леса, подполью предстояло заняться созданием боевых отрядов, которые должны были помочь евреям бежать, когда немцы придут уничтожить гетто. Но эти отряды так и не были созданы.

Подпольщики отправили на юг несколько молодежных групп общей численностью около 150 человек, но большинство из них были перехвачены по пути. Те же, кому удалось добраться до Августовских лесов, оказались предоставлены сами себе: никаких парашютистов там не было. Им пришлось вернуться назад — в гетто. Партизанских отрядов создано не было.

Кампания по уходу в Августовские леса стала большой неудачей для всего подполья. Она также усилила подозрения сионистов насчет информации, поступавшей от коммунистов из-за пределов гетто. Но идея восстания не вызывала у них большого энтузиазма, и, несмотря на провал, молодые подпольщики, включая многих членов сионистских групп, решили связать свои надежды с возможностью уйти в лес [Yelin, Gelpern 1948: 82–83].

Альбина теперь жила в Каунасе у доктора Куторгене, литовской сторонницы подполья гетто, и работала над созданием в городе нового коммунистического подполья. Она оставалась в контакте с еврейскими подпольщиками и после провала с уходом в Августовские леса связала их лидеров с Юргисом, командиром Литовской партизанской бригады в Рудницких лесах (каунасским евреем-коммунистом Генриком Зиманасом). По всей видимости, ранее именно Юргис призывал Елина к созданию отряда в Августовских лесах и заверял его, что евреи найдут там парашютистов. Теперь он согласился принять людей из Каунасского гетто в недавно созданный на его базе отряд под названием «Смерть оккупантам».

Провал с уходом в Августовские леса убедил подпольщиков в том, что им нужны опытные проводники. Партизаны прислали своих проводников, и 23 ноября 1943 года первая группа ушла из гетто в Рудницкие леса. Правда, лишь немногим из них удалось добраться до цели. По пути они несколько раз натыкались на немецких солдат. В этих стычках погибло несколько человек, а еще один, раненый, вернулся в гетто.

Из-за потерь, которые понесла первая группа, подполье решило в дальнейшем отправлять людей в лес на автомобиле. С помощью контактов за пределами гетто был найден водитель, готовый отвезти к партизанам грузовик с евреями. Четырнадцатого декабря из гетто выехала машина, в кузове которой сидело 30–35 молодых людей — якобы рабочая бригада, которую отправили в лес. Спереди, рядом с водителем, сидели два подпольщика, переодетые в немецкую форму. Благодаря помощи администрации и еврейской полиции автомобиль благополучно миновал ворота гетто. В 8 км от города водитель остановился и подобрал трех партизанских проводников, поджидавших на обочине. После этого грузовик продолжил свое движение, пока не достиг точки в 110 км от Каунаса, где заканчивалась дорога. Последние 40 км группа проделала пешком по Рудницким лесам, пока не достигла базы партизанского отряда «Смерть оккупантам» [Yelin, Gelpern 1948: 88–89]. Вместе с ней в лес ушла Сара Гинайте — молодая женщина, которая принесла в гетто первое оружие[8].

Эта успешная поездка стала образцом для многих, что последовали за ней. Молодые люди из самых разных организаций, в том числе находившихся на периферии подполья, стремились попасть в уходившие отряды. Елин сопровождал их до леса, после чего возвращался в гетто с водителем. Он проводил много времени за пределами гетто в поисках грузовиков, которые подполье одалживало для этих целей.

Между тем в самом гетто подпольщики тайно шили на фабриках одежду и изготавливали другие вещи, которые понадобились бы уходящим. Другие в меру способностей занимались их военной подготовкой. Городские подпольщики готовили машины и предоставляли водителей. Люди из администрации гетто занимали посты у ворот, когда через них должны были проходить так

---

[8] Интервью с Сарой Гинайте. Торонто, 6 июня 1999 года.

называемые трефные грузовики. Для этого подполье выбирало моменты, когда из гетто выходило или, наоборот, в него возвращалось большое количество рабочих, когда должны были дежурить литовские и немецкие охранники, которых было проще всего отвлечь в таком хаосе. Еврейские полицейские проносили через ворота оружие, которое прятали в мешки с рабочим инвентарем, и возвращали их в грузовики, когда те проходили проверку. Паролем для них служила фраза «Утюг да ножницы, простой народ». Эти слова были взяты из произведений Шолома-Алейхема, воспевающего борьбу говоривших на идише портных и бедных евреев[9]. Стоявшие у ворот еврейские полицейские знали, что любой водитель, который шепнет им фразу, везет молодых мужчин и женщин в лес [Yelin, Gelpern 1948: 90][10].

За несколько месяцев в Рудницкие леса было отправлено восемь групп. Все они благополучно добрались до цели. Родственники и друзья уезжавших часто знали, когда уходили грузовики, и некоторые начинали собираться у ворот, просто чтобы постоять, пока машина проезжает мимо, и молча пожелать удачи тем, кто сидел внутри. Вскоре провожающих стало настолько много, что они стали представлять угрозу безопасности. Подпольщики положили конец этим молчаливым демонстрациям, настояв на том, чтобы уезжающие никому не говорили, когда уходит грузовик. После того как группа покидала гетто, сторонники подполья в администрации вычеркивали имена ушедших из всех списков, чтобы немцы не обнаружили их отсутствия и не наказали их семей.

С ноября 1943 года по март 1944 года Всеобщая еврейская вооруженная организация переправила в Рудницкие леса сотни молодых женщин и мужчин (но в основном все-таки последних) [Yelin, Gelpern 1948: 88–91].

---

[9] Выражение встречается в рассказе Шолома-Алейхема «Заколдованный портной» («Наш брат мастеровой... Утюг да ножницы»), в пьесе «Крупный выигрыш» («Наш брат — простой народ, утюг да ножницы!»). — *Примеч. ред.*

[10] В качестве пароля использовалась фраза Sher un aizen, undzer folk, amkho, сочетавшая в себе идиш и иврит. Amkho переводится с иврита примерно как «(еврейский) простой народ» и широко использовалось в качестве кодового слова для евреев во время немецкой оккупации.

РАЗГРОМ ПОДПОЛЬЯ И УНИЧТОЖЕНИЕ ГЕТТО

Тем временем немцы ужесточили свой контроль над гетто. Первого ноября 1943 года его территория была официально объявлена концлагерем. Его вывели из-под управления СА и передали в юрисдикцию СС[11]. Комендантом гетто был назначен Вильгельм Гекке, оберштурмбаннфюрер СС. Под его руководством возобновились депортации и массовые убийства. Помимо этого, немцы начали зачищать расположенные неподалеку малые гетто, что в некоторых случаях подразумевало под собой ликвидацию практически всего населения, а иногда касалось только тех, кто не мог работать, включая детей, стариков, больных и инвалидов. Когда новости об этом достигли Каунаса, многие родители сделали все возможное, чтобы отправить своих детей за пределы гетто. Бóльшую их часть разместили в литовских семьях.

Гекке был уверен, что в каждом гетто существует тайное движение. Поиски подполья в Каунасе привели его в еврейскую полицию. Двадцать шестого марта 1944 года он приказал 130 сотрудникам полиции собраться — якобы для получения инструкций, связанных с подготовкой к воздушным налетам. На следующее утро, когда бригады рабочих ушли из гетто, а полицейские выстроились для получения своих инструкций, немцы окружили гетто. Полицейских погрузили в машины и отвезли в IX форт, чтобы допросить о деятельности подполья. Немцы особенно интересовались вывозом молодых людей в лес и строительством убежищ в гетто. Мало кто предоставил им хоть какую-то информацию. Тридцать шесть полицейских были расстреляны, включая Моше Левина, главу полиции, и двух его помощников.

Параллельно немцы устроили акцию, которая станет известна как детская: из гетто вывезли и уничтожили около 1 300 евреев, большинство из которых были детьми и людьми старше 55 лет [Gar 1948: 204–206].

---

[11] СА — штурмовые отряды (нем. Sturmabteilung, SA), СС — охранные отряды (нем. Schutzstaffel, SS). С 1 сентября 1939 года начали создаваться боевые дивизии СС. — *Примеч. ред.*

Еврейская полиция и совет старейшин были расформированы. Функции полиции передали тем, кто был готов выполнять немецкие приказы. Эльханан Элькес сохранил звание еврейского старосты, но теперь эта должность была лишь номинальной. На смену прежней квазиавтономии администрации гетто пришло прямое немецкое управление.

Но, несмотря на то что охрана вокруг гетто была усилена, подпольщики продолжали отправлять молодежь в лес. Шестого апреля 1944 года был арестован Елин, который ушел в город, чтобы подготовить следующую поездку. На допросе, чтобы отвлечь внимание от гетто и подполья, он заявил, что является русским десантником. Елин умер, ничего не рассказав оккупантам [Gar 1948: 226–228]. С потерей лидера и в условиях все более строгого немецкого контроля подполье гетто распалось.

Восьмого июля 1944 года, на фоне наступления Красной армии, немцы вошли в гетто, чтобы депортировать оставшихся жителей в концлагеря на территории Германии. Перед уходом они подожгли гетто. В этом пожаре погибло большинство тех, кто прятался от депортации в малинах.

Первого августа 1944 года, когда Красная армия вошла в Каунас, в гетто оставалась лишь горстка выживших.

Заключение

Восстание в Варшавском гетто и стратегия внутреннего восстания в гетто, которой оно руководствовалось, стали считаться золотым стандартом отпора холокосту. Несмотря на то что сразу после войны Гирш Смоляр опубликовал свой короткий рассказ о движении Сопротивления в Минском гетто, за которым спустя много лет последовала более обширная публикация, история Минского гетто так и не стала частью народной памяти о Сопротивлении, как и тот факт, что в некоторых гетто оно принимало форму не восстания, а бегства в лес для участия в партизанском движении. Подпольные движения, следовавшие стратегии восстания, получили широкое внимание научного сообщества, остальные по большей части были им проигнорированы.

В годы войны преимущества и недостатки обоих подходов обсуждались во многих гетто. Даже в Вильнюсе и Белостоке, где большинство поддержало стратегию восстания, небольшие ячейки подпольщиков все же предпочитали вариант с уходом в лес. Но эти дебаты занимают незначительное место в литературе о Сопротивлении в гетто. Специалисты в этой области, конечно, знают о существовании других вариантов, как и о том, что споры о стратегии велись во многих гетто. Но внимание к восстаниям настолько затмило альтернативу, что в памяти о холокосте остались только они. Если в нарратив вклинится другая форма Сопротивления, к ней, вероятно, отнесутся как к феномену, требующему дополнительных разъяснений: видимо, обстоятельства сделали невозможным восстание в гетто, слабое чувство еврейской идентичности (а то и влияние на членов подполья коммунистической идеологии) помешало им пойти по этому возвышенному пути.

Главная причина столь чрезмерного внимания к одной форме Сопротивления заключается в том, что в послевоенные годы участники Варшавского восстания и попыток восстаний в других гетто имели больше возможностей рассказать о своем опыте, чем те, кто ушел в леса и присоединился к партизанам. Противостояние между коммунизмом и сионизмом наложило свой отпечаток на послевоенные свидетельства о Сопротивлении холокосту, и бóльшая часть литературы была написана теми, кто представлял в этом конфликте сионистскую сторону. Память о Сопротивлении формировалась под влиянием предположений и повесток, которые имеют больше общего с этим конфликтом, чем с тем, что на самом деле происходило в гетто Восточной Европы во время войны. Еврейское Сопротивление стало настолько прочно ассоциироваться с сионизмом и восстаниями в гетто, что легко забыть, как много сионистов и других евреев выступало против восстаний, на что у них были причины, которые стоит воспринимать всерьез. Некоторые еврейские старейшины, в том числе сионисты, считали тех, кто призывал к восстаниям, горячими головами, которых славная смерть интересовала больше возможности помочь людям в гетто пережить войну. Для многих из тех, кто придерживался этой точки зрения, единственным выходом стало сотрудничество с врагом. Но тот факт, что в их глазах стратегия восстания не подразумевала под собой выживания, все равно заслуживает внимания. Кроме того, легко забыть, что для многих евреев выбор между восстанием и уходом в лес был связан скорее с актуальными для них практическими проблемами, чем с идеологией. Евреи гетто хотели отомстить нацистам и по возможности содействовать их поражению, но они также надеялись пережить войну. Там, где выбор между восстанием и уходом в лес был реален, подавляющее большинство предпочитало второй вариант.

Эта книга является попыткой воскресить в памяти модель отпора холокосту, примером и главным воплощением которой стало подполье Минского гетто. Лесная/партизанская модель отпора основывалась на мнении, что борьба с нацистами была в общих интересах евреев и неевреев, предполагала создание таких союзов. Эта форма отпора не могла быть реализована повсеместно, но тот факт, что в Минске она достигла подобных масштабов, заставляет несколько по-иному взглянуть на историю холокоста и бросает вызов версии, что евреи повсюду находились в изоляции и не могли найти сильных союзников.

Попытка возродить в памяти модель отпора Минского гетто поднимает два важных вопроса. Во-первых, почему в истории холокоста наблюдается такой перекос в пользу модели Варшавского гетто? Во-вторых, что изменится, если в ней появится альтернатива, представленная Минским гетто? Рассуждая о важности минской модели для понимания холокоста, следует обратить внимание на форму противодействия в Варшавском гетто, особенно на обстоятельства, которые привели к тому, что после войны они стали стандартом борьбы против холокоста.

Восстание в Варшавском гетто занимает так много места в памяти о противостоянии холокосту, потому что это необычайно драматичная и вдохновляющая история. Было бы даже странно, если бы после войны ее не пересказывали снова и снова, если бы она не привлекла к себе такого внимания историков. Не стоит удивляться и тому, что их интерес распространился на подпольные движения, пытавшиеся реализовать ту же стратегию в других гетто. Феномен оппозиции в Варшавском гетто заключался в том, что все его население решило сражаться насмерть. Как это произошло, как молодым сионистам и другим лидерам восстания удалось заразить жителей своей решимостью, как возглавившая движение молодежь добилась такой сплоченности в своих рядах — все эти вопросы более чем достойны изучения. Но проблема того, почему стратегия вооруженного восстания сработала в Варшаве и провалилась в других гетто, где подпольщики пытались ее реализовать, тоже представляет большой исторический и аналитический интерес. Вопрос не в том, что эта форма противодействия слишком хорошо изучена, а в том, что память о холокосте сконструирована таким образом, что в ней практически не осталось места другим формам борьбы, а сионисты и все остальные, сомневавшиеся в мудрости идеи восстания, считаются либо трусами, либо предателями еврейского народа — независимо от обстоятельств в каждом конкретном гетто.

При всей драматичности истории Варшавского гетто история Минского гетто представляет особенный интерес. Прекращение контактов между евреями и неевреями было главной целью нацистских оккупантов, что подкреплялось угрозами смерти в адрес тех, кто осмелится нарушить этот запрет. Но минское подполье, а также многие белорусы и евреи не позволили немецким угрозам возобладать над их отношениями. Евреи и неевреи вместе боролись против нацистского режима, и многие неевреи рисковали жизнью, чтобы помочь евреям бежать из гетто и добраться до партизан. Белорусы, особенно те, кто достаточно стар, чтобы проникнуться риторикой советского интернационализма, часто воспринимают историю еврейско-белорусской солидарности военного периода как нечто само собой разумеющееся. Но в случае с западными людьми, которые и 50 лет спустя остаются в шоке от того, что евреев бросили на произвол судьбы, можно было ожидать, что история подпольного движения, построенного на солидарности евреев и неевреев, тронет их по-особенному и займет центральное место в памяти о противостоянии холокосту. Тот факт, что этого не произошло, требует вдумчивого объяснения.

Столь односторонней память о препятствовании холокосту сделал послевоенный контекст. После войны у выживших в Варшаве, в других польских и литовских гетто было гораздо больше возможностей рассказать свои истории, чем у тех выживших, которые уходили в леса из Минского и других гетто на оккупированных советских территориях. Кроме того, послевоенную публику на Западе и в Израиле куда больше интересовали рассказы о еврейских восстаниях или попытках восстаний, чем истории евреев, уходивших в лес, чтобы сражаться вместе с советскими партизанами. Подавляющее большинство выживших в польских и литовских гетто эмигрировали либо в Палестину/Израиль, либо на Запад, чаще всего — в США. И в Соединенных Штатах Америки, и в Израиле бывшие участники восстаний опубликовали свои рассказы о пережитом. Сионистские организации, члены которых стояли во главе этих восстаний, следили за тем, чтобы память о движении против захватчиков не была стерта. Следующее поколение еврейской молодежи, не только в Израиле, но и в США, узнавало о Варшавском восстании из образовательных курсов, посвященных холокосту. Его история разошлась и среди неевреев, и многие стали считать ее эталоном противодействия жестоким репрессиям. Но у него были и сомнительные стороны, о которых знали в самих гетто. Спустя десятилетия мир, в котором все чаще возникают конфликты, показывает нам, что борьба с угнетением, как правило, требует создания союзов, выработки совместных стратегий, поиска способов договориться с соперниками. Смерть в защиту чести своего народа уже не кажется самым эффективным образцом отпора.

В то время как варшавская модель закреплялась не только в еврейском, но и в более массовом сознании, попытки рассказать о форме оппозиции, воплотившейся в Минском гетто, столкнулись со множеством препятствий. Во-первых, подавляющее большинство переживших немецкую оккупацию советских евреев осталось после войны в СССР. Какое-то время им было нежелательно (а то и просто опасно) писать или публично говорить о том, что они пережили в гетто. Сразу после войны советское руководство приступило к попыткам сконструировать общую советскую идентичность вокруг нарратива о войне как об общей национальной травме, от которой разные народы СССР страдали одинаково и с которой они боролись вместе. В этом, конечно, была своя доля правды: все страдали под немецкой оккупацией, и очень многие погибли в годы войны — как евреи, так и неевреи. В этом смысле история Минска была лишь примером более масштабного совместного антифашистского движения, в котором участвовали представители разных национальностей. Но не стоит забывать о том, что нацисты хотели полностью уничтожить евреев и с этой целью загоняли их в гетто, что, конечно, отличало их опыт от опыта других советских народов. В послевоенные годы любой советский еврей, о котором было известно, что он побывал в гетто, с большой долей вероятности мог столкнуться с дискриминацией при приеме на работу, поиске жилья и в других сферах. Позиция советской власти, согласно которой всякий, кто остался под немецкой оккупацией, был потенциальным коллаборантом, превращала выживших узников гетто и многих других людей в подозреваемых. Кроме того, существование гетто не вписывалось в советский миф о войне. В послевоенные годы евреи шли на определенный риск, если пытались привлечь внимание к своей истории. Еще больше ситуация обострилась с началом кампании по борьбе с космополитизмом, когда мишенью государственных репрессий стали все советские евреи — вне зависимости от того, находились ли они на оккупированной территории во время войны. В годы этой кампании наказание могло ждать любого человека, привлекавшего слишком много внимания к своей еврейской идентичности. В таких условиях рассказы о специфическом еврейском военном опыте вряд ли могли увидеть свет.

Некоторые советские евреи, в том числе бывшие узники Минского гетто, эмигрировали либо в Палестину/Израиль, либо на Запад, главным образом — в США, и кое-кто из них даже написал о своем опыте военных лет, включая пережитое в гетто. Но в Соединенных Штатах Америки набирала ход холодная война, и уже к концу 1940-х годов была развернута антикоммунистическая кампания, которую позже назовут маккартизмом. Превращение недавнего союзника во врага привело к резкому развороту народной памяти о войне в сторону Запада. Целое поколение молодых американцев выросло под впечатлением, что Вторая мировая война была в первую очередь сражением между нацистами и западной демократией, которую олицетворяли США, а Советскому Союзу отводилась в ней какая-то неясная второстепенная роль. Согласно этой точке зрения, холокост случился в Германии и Восточной Европе, под которой в первую очередь подразумевались Польша и Литва, но, так как в СССР народы томились под властью другой разновидности зла, о том, что происходило там во время войны, старались не думать, потому что тогда все становилось слишком запутанным. Истории о евреях, которые боролись с фашизмом вместе с советскими партизанами, не вписывались в контекст мировоззрения, определявшего нацизм и коммунизм как две стороны одного и того же тоталитарного зла. В умеренных еврейских кругах США такие истории встречали еще больший отпор. В послевоенные годы евреи были допущены в общественную жизнь США на условиях абсолютной лояльности, под которой подразумевалась полная поддержка американской политики холодной войны. Лидеры еврейского мейнстрима меньше всего хотели, чтобы им напоминали о тесных (хотя и противоречивых) отношениях между еврейством и коммунизмом в Восточной Европе, включая Советский Союз и оккупированные советские территории, до и во время войны.

В Израиле препятствия нормальному обсуждению Минской, или «лесной», модели противодействия фашистской оккупации были другими, но результат был примерно тем же. Варшавская модель отпора считалась чисто еврейской, в то время как «лесная» предполагала вступление евреев в партизанские отряды, в которые входили представители разных национальностей, и поддержку партизанского движения, где евреям отводилась не самая заметная роль. Социал-демократы и умеренные левые доминировали в израильской политике по крайней мере до конца 1960-х годов. Коммунизм не демонизировался в Израиле так же, как в Соединенных Штатах Америки, хотя и пользовался очень ограниченной поддержкой. Но израильская национальная идентичность основывалась на концепции коллективных еврейских интересов и необходимости предоставить евреям убежище от мира, который закрыл свои двери, когда их выживание оказалось под угрозой. Варшавская модель героической борьбы евреев с превосходящими силами врага на фоне окружающего ее безразличия хорошо вписывалась в этот нарратив, минская же модель с ее союзами между евреями и неевреями, которые вместе боролись с фашизмом, нет. Послевоенная романтизация, что евреи боролись в одиночку, была не слишком справедлива по отношению к молодым сионистам, которые стояли во главе этих восстаний. Уж они-то, особенно левые, прекрасно понимали важность союзов с нееврейскими силами и делали все возможное для их создания. Но в Польше и Литве таких союзников, к сожалению, почти не нашлось.

Послевоенные взгляды израильтян на холокост формировались под влиянием надежды привлечь в Израиль больше евреев, а также сионистской риторики, которая десятилетиями противопоставляла Палестину диаспоре вместо того, чтобы принять тот факт, что евреи веками жили не только в Палестине, но и в других местах (и так, скорее всего, будет и впредь, хотя пропорции могут меняться). Довоенная риторика сионистского движения в Восточной Европе была спорной и догматичной, но, вероятно, не более, чем риторика движений, с которыми оно конкурировало. Для идеологов Бунда выход из диаспоры был немыслим, а любой другой путь, кроме совместной борьбы еврейского и нееврейского рабочих классов, неприемлем. Во время войны польские бундовцы одинаково горячо выступали как против сионизма, так и против коммунизма: в первом их не устраивал отказ от диаспоры, а Советский Союз, по их мнению, предал революцию. Еврейские коммунисты, напротив, не видели других вариантов, кроме поддержки СССР и революции в большевистском стиле. В их глазах сионизм был не более чем еврейской формой буржуазного национализма. У сионистов диаспора ассоциировалась лишь с длинной чередой унижений, которую нужно было как можно быстрее оставить позади, и вся еврейская история указывала на единственный выход — возвращение в Палестину, в котором должны принять участие все евреи. Сионистская предвоенная риторика была не более идеологизированной, чем риторика Бунда или коммунистов, но обладала несомненным преимуществом: она предлагала евреям, зажатым в тисках все более антисемитского окружения, практическое решение — уехать в Палестину. Зато после войны в память о холокосте и движении Сопротивления вплелась не только вполне очевидная сентенция о том, что было бы лучше, если бы как можно больше евреев уехало, пока это было возможно, но и куда более радикальная и менее обоснованная гипотеза, согласно которой холокост стал неизбежным следствием жизни в диаспоре (и только Израиль может обеспечить евреев надежным будущим).

Холокост не был неизбежен. Нацистам помогли прийти к власти немецкие элиты, которые могли их не поддержать, а Германии позволили расшириться за счет соседних стран, чего можно было избежать. Тезис о том, что диаспора привела лишь к угнетению евреев, не объясняет богатства еврейских культур по всей территории их расселения и не учитывает множества времен и мест, в которых евреи жили в относительной гармонии со своими нееврейскими соседями. Однако верно и то, что антисемитизм демонстрирует удивительную живучесть на протяжении очень долгого исторического периода. Его формы меняются по мере того, как трансформируются окружающие сообщества, но он всегда сохраняет способность вдохновлять людей на дискриминацию и ужасающее насилие. В этом смысле холокост был, по мнению сионистов, лишь верхушкой айсберга. В долгой истории диаспоры было немало моментов, когда жизнь в тех или иных местах становилась для евреев невыносимой. Решение всегда заключалось в том, чтобы сняться с места и поселиться где-нибудь еще. Но в этом и состояло отличие холокоста, что от него нельзя было уехать. У подавляющего большинства восточноевропейских евреев не было других вариантов, кроме Палестины, но и она не была полностью открыта для еврейской эмиграции. Тем убедительнее смотрелись доводы в пользу создания еврейского государства, но это вовсе не значило, что в него должны были переехать все евреи или что они захотят это сделать.

Модель борьбы Варшавского гетто привязана к той версии еврейской истории, которая считает, что диаспора насквозь пронизана антисемитизмом и что единственным спасением является переезд всех евреев в Израиль. Такой была риторика основных течений сионизма до и после войны, но в реальности ей не следовали ни евреи, ни сам сионизм, который стал массовым движением в довоенной Польше и послевоенных США, апеллируя к тем представителям общины, которые поддерживали право других на переселение в Палестину/Израиль, но не собирались эмигрировать туда сами. Утверждение, что все евреи должны переехать в Израиль, строится на двух предпосылках: во-первых, все неевреи либо ненавидят евреев, либо безразличны к нападкам на них; во-вторых, евреи обретут безопасность, только если соберутся в собственном государстве. Но обе эти предпосылки неверны. Прежде всего антисемитизм является плодом сложной социальной динамики, которая по-разному воздействует на различные группы и по-разному преломляется через призмы идеологии, культуры и политики, что может привести как к сотрудничеству, так и к напряженности. Интересы евреев и неевреев нередко во многом совпадают. Да и если бы евреи действительно сталкивались только с ненавистью и безразличием со стороны неевреев, создание собственного государства вряд ли бы им помогло. Евреи составляют небольшой процент от общемировой популяции. Это вынуждает их искать пути к мирному сосуществованию — как в рамках еврейского государства, так и за его пределами.

Я вовсе не пытаюсь поставить под сомнение важность Варшавского восстания. Весной 1943 года, когда немцы планировали уничтожить последние остатки гетто, вооруженное восстание оставалось единственной возможной формой противостояния. Жители не побоялись вступить на этот путь, несмотря на то что он вел к гибели. Важность истории Минского гетто заключается в том, что она напоминает нам о существовании других форм борьбы, а также о том, что даже в самый недобрый час можно найти союзников. Модель Минского гетто также помещает еврейский отпор холокосту в более широкий исторический контекст противодействия всему фашизму. Она напоминает о том, что борьба евреев с нацизмом была частью более масштабного антифашистского движения и что ужасные обстоятельства иногда в состоянии пробудить в людях лучшие качества, которые помогут им преодолеть этнические и прочие барьеры ради взаимовыручки.

Еврейское движение Сопротивления в годы войны не исчерпывается варшавской и минской моделями. Помимо подготовки восстаний и отправки людей в леса, оно также включало в себя контрабанду еды и тайное перемещение евреев из гетто в укромные места. Всякий раз, когда подпольным движениям гетто удавалось спасти евреев от гибели или хотя бы отсрочить ее, это невероятно способствовало их массовой поддержке.

Восемнадцатого января 1943 года немцы впервые после великой депортации пришли с арестами в Варшавское гетто. Подполье вступило с солдатами в бой, и ему удалось отбить часть евреев. Это заметно укрепило отношения между ним и жителями гетто. Минское подполье и юденрат делали все возможное, чтобы предупредить население гетто, когда им становилось известно о надвигающихся погромах. Когда юденрат узнал, что немцы планируют разместить специалистов и неквалифицированных рабочих в разных частях гетто, что должно было стать прелюдией к ликвидации последних, подполье изготовило огромное количество фальшивых документов. Немцы отказались от своих планов, узнав, что почти все население гетто состоит из специалистов. Подобные акции способствовали массовой поддержке подполья и связанных с ним членов юденрата.

Для всех политических течений, представленных в подпольных движениях гетто, вооруженная борьба и содействие ей (неважно, в гетто или в лесу) были важнее спасения жизней. Белорусские и еврейские женщины, участвовавшие в минской кампании по спасению детей, рисковали собой каждый раз, когда пересекали границу гетто, и подполье поддерживало их, несмотря на сопутствующие угрозы. Но немногие выжившие участники той кампании лишь вскользь упоминают о ней в своих мемуарах, уделяя куда больше внимания другим видам деятельности. Когда читаешь эти воспоминания, складывается впечатление, что их авторы понимали важность спасения жизней с моральной и человеческой точек зрения, но считали, что на политическом уровне куда важнее их вклад в вооруженную борьбу. В начале войны такое отношение было вполне объяснимо, по крайней мере в Минске, где многие верили, что Красная армия сможет быстро разгромить немцев, особенно если ей помогут оставшиеся на оккупированной территории. Но война продолжалась, и по мере того, как становилось понятно, что ее исход в основном решается в других местах, спасение евреев из ловушки гетто могло бы стать более приоритетной задачей, если бы сионисты, коммунисты и все остальные не считали вооруженную борьбу высшей формой неповиновения.

Г. Паулссон предполагает, что подпольщикам Варшавского гетто стоило приложить больше усилий для вывода евреев из гетто и поиска мест, где они могли бы спрятаться, пусть даже это пошло бы в ущерб подготовке восстания [Paulsson 2002: 57–61]. По его подсчетам, около 70 000 евреев пережили войну в укрытиях на арийской стороне Варшавы, и он уверен, что в ней нашлось бы место для еще нескольких тысяч. Если бы подполье пошло по этому пути, отмечает Паулссон, оно бы смогло спасти еще много жизней. Но в то время ни подполье Варшавского гетто, ни практически любое другое движение Сопротивления не было готово положить спасение жизней на одну чашу весов с вооруженной борьбой.

Однако с высоты рубежа XX–XXI веков вооруженная борьба уже не кажется такой вдохновляющей. Тот факт, что в Минском гетто главной целью было спасение людей (пусть даже для того, чтобы они взялись за оружие), безусловно, делает ему честь.

Указатель имен

Перечисленные ниже лица занимают видное место в обсуждении Минского гетто в этой книге. Люди, связанные с другими гетто, не представлены в этом списке.

Альтман Роза: член подполья гетто, секретарь коллаборанта Наума Эпштейна, возглавившего биржу труда после ареста Гирша Рудицера.

Ботвинник-Лупьян Циля: член подполья гетто, которая вместе с Екатериной Цирлиной и при помощи Арона Фитерсона доставляла в гетто части оружия, вынесенные из немецких оружейных мастерских, где она работала.

Быстров (Сергеев), капитан: командир партизанского отряда, установивший связь с подпольной группой в гетто и принявший у себя многих евреев.

Воронов Михаил Михайлович: член городского подполья, печатавший подпольные материалы, часть из которых набирал Борис Пупко при помощи Брони Гофман.

Воронов Михаил Петрович: отец Михаила Михайловича Воронова; член городского подполья, печатавший подпольные материалы.

Воронова Елена: жена Михаила Михайловича Воронова, которая участвовала в спасении детей из гетто.

Ганзенко Семен: военнопленный, спасенный подпольем гетто из лагеря на Широкой улице и отправленный в лес, где он стал партизанским командиром и поддержал создание еврейского семейного лагеря, который помог сотням бывших узников Минского гетто пережить войну.

Гебелев Михаил: руководитель подпольной организации гетто и связной с городским подпольем; арестован летом 1942 года, умер в тюрьме.

Герасименко Назарий: руководитель городской подпольной организации, поддерживавший связи с подпольем гетто.

Герасименко Татьяна: жена Назария; участвовала в спасении из гетто еврейских детей.

Герциг Давид (псевдоним — Женька): еврейский подросток, оставшийся жить за пределами гетто и ставший посредником между подпольными организациями гетто и города.

Голанд Сара: член подпольной организации гетто, участвовавшая в организации многих групп для отправки из гетто в лес.

Горохова Мария: член подпольной организации гетто, спрятавшая Гирша Смоляра после того, как он бежал из гетто, и служившая для него связной.

Гофман Броня: девушка из гетто, получившая работу в городе, где она помогала с набором шрифтов для подпольных изданий, включая первый номер подпольной газеты «Звязда».

Гринштейны Яков и Белла: евреи из западной части Минска, которых привезли в Минское гетто, где они вступили в подполье при посредничестве Сары Голанд.

Гуткович Лея (Лиза): молодая еврейка, помогавшая организовать побег 25 евреев, включая ее и Ильзу Штейн, которых вывез в лес немецкий офицер Вилли Шульц.

Дольский Борис: член минского юденрата, возглавлявший его жилищный департамент.

Езубчик Анна: член городского подполья, которая сопровождала Хасю Пруслину по дороге на базу Коммунистической партии Белоруссии в Любанских болотах к югу от Минска.

Зорин Шолом: минский еврей, который стал партизанским командиром и создал отряд Зорина — семейный лагерь, в котором сотни минских евреев пережили войну.

Иванов Николай Иванович (подпольный псевдоним — Подопригора Андрей Иванович): военнопленный, работавший в немецкой типографии в Минске, где он вошел в контакт с коллегами-подпольщиками из гетто и помог создать первую подпольную типографию.

Иоффе Моше: второй глава минского юденрата; его сын, Зелик, эмигрировал после войны в Израиль и взял фамилию Яфо, под этим именем он участвовал в интервью о Минском гетто.

Кабушкин Иван (подпольный псевдоним — Жан): руководитель минского подполья, который был арестован и посажен в тюрьму; Мира Рудерман выступала связной между ним и подпольщиками.

Казинец Исай (подпольные псевдонимы — Славек, Победит): первый глава минского подполья, арестованный в сентябре 1942 года.

Лионд Реувен: молодой еврей из города в Восточной Польше, который бежал в Минск и жил в гетто, где участвовал в работе подполья.

Липская Роза: глава подпольной группы, действовавшей в гетто, члены которой доставляли в гетто части оружия.

Лисс Нина: член подпольной организации гетто, которая ушла из него в поисках безопасных мест для отправки евреев; убита после возвращения в гетто.

Лифшиц (Бойко) Татьяна: молодая еврейка, которая ушла из гетто и стала партизанской связной.

Лосик (Рейзман) Фрида: ребенок из гетто, дочь члена подполья.

Майзлес Елена (Ента): член одной из первых подпольных групп в гетто, позже возглавила другую группу.

Маркевич Александр: глава второстепенной подпольной организации в Минске, в состав которой, как и в случае с основным минским подпольем, входили как евреи, так и белорусы.

Мушкин Илья (Элиас): первый глава минского юденрата.

Нехамчик (Тассман) Гинда: девочка из гетто, которая стала партизанской связной и вывела многих евреев в лес.

Никитин (Штейнгарт) Николай: еврей, член подпольного Военного совета, который стал командиром партизанского отряда и позже был арестован советскими властями.

Орлов Василий: чиновник минской городской администрации (управы), помогавший укрывать еврейских детей в детдомах Минска во время войны.

Пономаренко Пантелеймон: первый секретарь ЦК КПБ, возглавлявший во время войны Центральный штаб партизанского движения; считал минское подполье немецкой спецоперацией.

Пруслин Матвей (Мейр): брат Хаси Пруслиной и один из руководителей подпольной организации гетто до своего ухода к партизанам.

Пруслина Хася: лидер подпольной организации гетто, выезжавшая в Любанские болота к югу от Минска для установления контактов между минским подпольем и КПБ; после войны отстаивала легитимность минского подполья.

Пупко Борис: еврей, работавший наборщиком за пределами гетто; с помощью Брони Гофман набирал шрифты для подпольных изданий, включая первый номер подпольной газеты «Звязда».

Ревинская Елена (Леля): член подпольной организации гетто и подруга Исая Казинца, участвовала в спасении еврейских детей из гетто.

Стронгина Мира: член подпольной организации гетто и секретарь Наума Эпштейна, коллаборанта, возглавившего биржу труда после ареста Гирша Рудицера.

Суслова Глафира: белорусская женщина, помогавшая подпольным организациям гетто и города при создании подпольной типографии.

Таубкин Давид: еврейский ребенок, бежавший из гетто и переживший войну в минском детдоме № 7, директором которого была Вера Спарнинг, а шефство над ним держал Антон Кецко.

Трейстер Михаил: еврейский подросток, бежавший из лагеря на Широкой улице, вернулся в гетто и вывел группу евреев к партизанам.

Фельдман Наум: руководитель подпольной организации гетто, позднее ставший командиром партизан.

Фитерсон Арон: член подполья гетто, служивший в еврейской полиции.

Фитерсон (Водинская) Сима: девочка из гетто, которая стала партизанской связной и вывела много еврейских групп в лес.

Хаймович Борис: выживший заключенный лагеря в Дроздах, который вступил в гетто в подпольную группу Нехамы Рудицер и помогал ею руководить, а позже стал партизанским командиром.

Хасеневич Раиса: молодая еврейка, которая жила в гетто, но была членом городского подполья и при помощи своих многочисленных белорусских друзей занималась подпольной работой, постоянно перемещаясь между гетто и городом.

Цирлина Екатерина: член подпольной организации гетто, вместе с Цилей Ботвинник-Лупьян и при помощи Арона Фитерсона доставляла в гетто части оружия.

Цукерман Любовь (Люся): член довоенной компании друзей, которые продолжали помогать друг другу в гетто и за его пределами во время войны.

Цукерман (Зеленко) Роза: сестра Любови (Люси) Цукерман из той же компании.

Черненко Алексей: молодой белорусский коммунист и член подпольной группы в Минске, которая помогала укрывать евреев во время погромов и переправила многих из них к партизанам.

Чипчин Михаил: член подпольной организации гетто, управлявший подпольной типографией после того, как ее перенесли за пределы гетто.

Шедлецкий Федор: еврейский подросток, оставшийся жить за пределами гетто и ставший связным между подпольными организациями гетто и города, а также партизанским отрядом капитана Быстрова (Сергеева).

Штейн Ильза: еврейка из Германии, в которую влюбился немецкий офицер Вилли Шульц и которую вывез вместе с ее подругой, Леей (Лизой) Гуткович, и группой евреев из гетто к партизанам.

Шульц Вилли: немецкий офицер, влюбившийся в немецкую еврейку из гетто Ильзу Штейн; вывез ее вместе с 24 другими евреями к партизанам.

Шунейко Наталья: белорусская женщина, рассказавшая Йохевед (Ёхе) Рубенчик, с которой вместе работала на немецком заводе, как добраться до партизанской территории.

Щербацевич Ольга: член городского подполья, которая помогла многим военнопленным бежать к партизанам.

Эпштейн Наум: коллаборант в минском юденрате, возглавлявший биржу труда.

Янулис Александра (Шура): член городского подполья, которая при помощи Миры Рудерман установила контакт с арестованным руководителем подполья — Иваном Кабушкиным.

Ясинская Маня: белорусская женщина, которая помогала многим евреям из гетто, включая членов подполья.

Источники

В этом разделе представлены основные источники данной работы. Помимо них, я использовала многочисленные документы из Национального архива Республики Беларусь, которые не так легко классифицировать, как мемуары выживших, а также материалы из архива В. Б. Карпова, хранящиеся в Белорусском государственном архиве-музее литературы и искусства, документы из архива Хаси Пруслиной, материалы о Минском гетто из Федерального архива Германии и архива Яд Вашем, стенограммы интервью, взятых в рамках проекта «Устная история» (Oral History Project), которые хранятся в архивах Института современного еврейства в Еврейском университете в Иерусалиме, и фотографии из Белорусского государственного архива кинофотофонодокументов в Дзержинске.

Личные интервью

В Минске
Бывшие узники гетто

Альперович Дора
Аслезова Фрида Давидовна
Астромецкая Фаня Ефимовна
Генделевич Берта
Герасимова Роза Абрамовна (урожденная Юлевич)
Голдберг Евгений
Гофман Броня
Гуткович Лея (Лиза) Залмановна
Долгин Владимир Семенович
Дорский Григорий Анатольевич
Залесская Соня (Партнова)
Кантор Гирш Менделеевич
Кантор Эстер
Канторович Михаил Михайлович
Каплан Юра Яковлевич

Кисель Эсфирь
Кравец Лев Абромович
Кракова Мария Хановна
Крапина (Левина) Майя
Могильницкий Яков Рувенович
Никодимова Зинаида Алексеевна
Новодворский Михаил (Мейр) Тимофеевич
Рейзман (Лосик) Фрида Вульфовна
Розовский Абрам Ильич
Рубенчик Хана
Рудерман Мира
Свирновская Фира Борисовна
Смернова Вера
Соломонов Гендель
Трейстер Михаил
Хасеневич Раиса Григорьевна (урожденная Рива Шерман)
Хосид Григорий (Цви, Гриша)
Цукерман Любовь (Люся) Ефимовна
Цукерман (Зеленко) Роза Ефимовна
Элентух Израиль
Неевреи, помогавшие евреям бежать
Башкевич Лидия Антоновна
Глазьева (Симон) Ольга
Казак Галина Антоновна
Простак Ирина Степановна

В Израиле

Бывшие узники гетто
Бойко (Лифшиц) Татьяна
Голанд (Голан) Сара
Голдин Хаим
Гордон Гила
Горелик Майсей
Гринштейн Яков
Нехамчик (Тассман) Гинда
Окунь Леонид
Перевозкина Ева
Рубенчик Абрам
Рубенчик (Иберман) Йохевед

Таубкин Давид
Фитерсон (Водинская) Сима
Юдович Ефим Яковлевич

В других местах
Бывшие узники гетто Каунаса
Гинайте Сара

Бывшие узники гетто Вильнюса
Бранцовская Фаня
Гурдус Рахиль
Коварская Хана (Голдман)
Кремер Алекс
Кремер Анна
Марголис Рахиль
Рапух Люся
Розенвальд (Каган) Дина
Шнейдман Ноа

Стенограммы интервью

Взяты на идише в рамках проекта «Устная история» (Oral History Project) Еврейского университета в Израиле, хранятся в архиве проекта.
Гринштейн Яков
Давидсон Фрума
Иберман-Рубенчик Йохевед
Киршенбаум Хана
Лионд Реувен
Рубенчик Ривка
Рубенчик Цви
Смоляр Гирш
Тассман Гинда
Требник Двора
Тукарски Мириам
Мистер Тукарски
Яфо (Иоффе) Зелик

Взятые на идише и хранящиеся в Архивах Яд Вашем
Смоляр Гирш
Яфо Зелик

Личная переписка и документы

Гвоздев Александр Матвеевич
Пруслина Хася Менделеевна

Официальные документы
Досье КГБ
Барановский Леонид Семенович
Бромберг Рафаэль Моносович
Будаева Елена Игнатьевна
Григорьев Константин Денисович
Драгун-Пастревич Лидия Даниловна
Кунский Иван Романович
Лейзер Ирма Ивановна
Ливенцов Михаил Львович
Лягушевич Евгения Викентьевна
Мартыновский Георгий Георгиевич
Никитин (урожденный Штейнгарт) Николай Михайлович
Никифорова Антонина Гавриловна
Плавинская Варвара Владимировна
Простак Федор Терентьевич
Радецкий Стефан Рафаилович
Сайчик Василий Иванович
Скоморохов Петр Тимофеевич
Скоморохова Мария Александровна
Фитерсон Арон Гершович
Юшкевич Василий Михайлович

Опубликованные работы

Алексиевич С. А. У войны не женское лицо. Минск: Мастацкая літаратура, 1985.

Altshuler M. Soviet Jewry on the Eve of the Holocaust: A Social and De-mographic Profile. Jerusalem: Yad Vashem, 1998.
Bitter Legacy: Confronting the Holocaust in the USSR / Ed. by Z. Gitelman. Bloomington: Indiana University Press, 1997.
Chaim Yelin, Geto Shreiber un Kemfer. Tel Aviv: Igud Yotsei Litah be'Yisrael, 1975. In Yiddish.

Cholavsky Sh. Minsk be'Ma'avaka ve'Kilyona — ke'Petax le-Havanat Matzvam shel Yehudei Brit ha'Moetzot be'Shoah ve'le'Axareyha // Yalkut Moreshet. 1974. № 18. P. 100–112. In Hebrew.

Cholavsky Sh. Ha-Shoah v'ha-Lxima — be-Historiografia ha Sovietit u'be-Sifrut ha-Emigratzia ha-Byelorusit // Yalkut Moreshet. 1984. № 38. P. 101–111. In Hebrew.

Cholavsky Sh. The Jews of Bieolorussia during World War II. Amsterdam: Harwood Academic Publishers, 1998.

Cooper M. The Phantom War: The German Struggle against Soviet Partisans 1941–1944. London: MacDonald and Jane's, 1979.

Garfunkel L. Kovno ha'Yehudit be'Xurbanah. Jerusalem: Yad Vashem 1959. In Hebrew.

Gartenschlaeger U. Die Stadt Minsk während dem deustchen Besatzung (1941–1944). Dortmund: IBB, 2001.

Hem Hayu Rabim: Partizanim Yehudim be'Brit ha'Moetzot be-Milxemet ha'Olam ha'Sheniya / Ed. by B. Vest. Tel Aviv: Workers' Archive, Division of Research on Russian Jews, 1968. In Yiddish.

Hidden History of the Kovno Ghetto. United States Holocaust Memorial Museum. Boston: Little, Brown and Company, 1997.

Kaganovitch M. Der Yidisher Onteil in der Partizaner-Bavegung fun Sovyet Rusland. Rome: The Zionist Workers' Committee for Help and Reconstruction in America, 1948. In Yiddish.

The Holocaust in the Soviet Union: Studies and Sources on the Destruction of the Jews in the Nazi-Occupied Territories of the USSR, 1941–1945 / Ed. by L. Dobroszycke and J. S. Gurock. Armonk: M. E. Sharpe, 1993.

Shvartz 1967 — Shvartz Sh. Di Yidn in Sovietn-Farband: Milkhome un NokhMilkhome Yorn, 1939–1965. New York: Yidishe Arbeter Komitet, 1967. In Yiddish.

Smilovitsky L. A Demographic Profile of the Jews in Belorussia from the Pre-war Time to the Post-war Time // Journal of Genocide Research. 2003. № 5 (1). P. 117–129.

Smilovitsky L. Anti-Semitism in the Soviet Partisan Movement, 1941–1944: The Case of Belorussia // Holocaust and Genocide Studies. 2006. Vol. 20. № 2. P. 207–234.

Soviet Partisans in World War II / Ed. by J. A. Armstrong. Madison: University of Wisconsin, 1964.

Suhl Y. The Resistance Movement in the Ghetto of Minsk // They Fought Back: The Story of the Jewish Resistance in Nazi Europe / Ed. by Y. Suhl. London: MacGibbon and Kee, 1968. P. 258–267.

Библиография

Адамушко и др. 1998 — Адамушко В. И., Кнатько Г. Д., Редкозубова Н. А. «Нацистское золото» из Беларуси: Документы и материалы. Мн.: НАРБ, 1998.

Аркадьева и др. 2001 — Аркадьева О. М., Геллер-Мартынова Л. Л., Курдадзе Т. С., Русаковская Д. И. На перекрестках судеб: из воспоминаний бывших узников гетто и Праведников народов мира. Мн.: Четыре четверти, 2001.

Аронсон 2016 — Аронсон И. М. Еврейские погромы в России в 1881 году // Погромы в российской истории Нового времени (1881–1921) / под ред. Дж. Клиера, Ш. Ламброзы; пер. с англ. В. Ванникова. М.: Книжники, 2016. С. 62–78.

Гросс 2002 — Гросс Я. Т. Соседи: история уничтожения еврейского местечка / пер. с польского В. С. Кулагиной-Ярцевой. М.: Текст, 2002.

Гроссман, Эренбург 2015 — Гроссман В., Эренбург И. Черная книга: о злодейском повсеместном убийстве евреев немецко-фашистскими захватчиками во временно оккупированных районах Советского Союза и в гитлеровских лагерях уничтожения на территории Польши во время войны 1941–1945 гг. М.: АСТ: CORPUS, 2015.

Дин 2008 — Дин М. Пособники холокоста: преступления местной полиции Белоруссии и Украины, 1941–1944 гг. / пер. с англ. М. И. Беккера. СПб.: Академический проект, 2008.

Джонсон 2000 — Джонсон П. Популярная история евреев / пер. с англ. И. Л. Зотова. М.: Вече, 2000.

Добин 1965 — Добин Г. И. Сила жизни / авторизованный пер. с еврейского. М.: Советский писатель, 1965.

Иоников 2020 — Иоников Е. Алексей Котиков. Минское антифашистское подполье в рассказах его участников. Издательские решения, 2020.

Иоников 2022 — Иоников Е. Сайчик. Минское антифашистское подполье в рассказах его участников. Издательские решения, 2022.

Кенез 2016 — Кенез П. Погромы и идеология белых в Гражданской войне в России // Погромы в российской истории Нового времени (1881–1921) / под ред. Дж. Клиера, Ш. Ламброзы; пер. с англ. В. Ванникова. М.: Книжники, 2016. С. 298–316.

Клиер, Ламброза 2016 — Клиер Дж., Ламброза Ш. Погромы в российской истории Нового времени (1881–1921) / пер. с англ. В. Ванникова. М.: Книжники, 2016.

Кнатько 1999 — Кнатько Г. Д. Гибель Минского гетто. Мн.: НАРБ, 1999.

Красноперко 1989 — Красноперко А. Письма моей памяти / пер. с белорусского Г. Куреневой // Дружба народов. 1989. № 8. С. 71–118.

Кульбак 2008 — Кульбак М. Зелменяне / пер. с идиша Р. Л. Баумволь. М.: Текст, 2008.

Медведев 1990 — Медведев Р. А. О Сталине и сталинизме. М.: Прогресс, 1990.

Никодимова 2010 — Архив ХасиПруслиной: Минское гетто, антифашистское подполье, репатриация детей из Германии / сост. З. А. Никодимова; под ред. К. И. Козака. Мн.: И. П. Логвинов, 2010.

Новиков 1977 — Новиков И. Г. Руины стреляют в упор // Новиков И. Г. Минский фронт / пер. с белорус. И. Г. Новиков. Мн.: Мастацкая літаратура, 1977.

Подъячих 1957 — Подъячих П. Г. Всесоюзная перепись населения 1939 года (методология и организация проведения переписи и разработки итогов). М.: Госстатиздат, 1957.

Поляков 2009 — Поляков Л. История антисемитизма. Эпоха знаний / пер. с франц. В. Лобанова и М. Огняновой. М.: Мосты культуры, 2009.

Поляков 1992 — Поляков Ю. А. Всесоюзная перепись населения 1939 года: Основные итоги. М.: Наука, 1992.

Рубенчик 1999 — Рубенчик А. Правда о Минском гетто. Тель-Авив: Кругозор, 1999.

Рубенчик 2006 — Рубенчик А. В Минском гетто и партизанах. Дфус офсет Исраэли Лийтцу ЛТД. Израиль, 2006.

Рубин 1977 — Рубин А. Страницы пережитого // Мой путь в Израиль. Вып. 45. Иерусалим: Библиотека-Алия, 1977. С. 83–250.

Розинский 2004 — Розинский Г. Б. Дети Минского гетто. Тель-Авив: б. и., 2004.

Романовский 1990 — Романовский Д. Советские евреи под нацистской оккупацией (на материалах Северо-Восточной Белоруссии и Северной России) // Ковчег: Альманах еврейской культуры. Вып. 1. М.: Художественная литература; Иерусалим: Тарбут, 1990. С. 283–312.

Романовский 1995 — Романовский Д. Холокост в Восточной Белоруссии и Северо-Западной России глазами неевреев // Вестник Еврейского университета в Москве. 1995. № 2(9). С. 93–103.

Садовская 1970 — Садовская С. Искры в ночи // Сквозь огонь и смерть: сборник воспоминаний об обороне Минска / сост. В. Карпов. Мн.: Беларусь, 1970. С. 73–85.

Смоляр 1947 — Смоляр Г. Мстители гетто / пер. М. Шамбадал. М.: Дер Эмес, 1947.

Таубкин 2005 — Таубкин Д. А. Минуло шестьдесят лет... // Мишпоха. 2005. № 16. С. 85–94.

Черноглазова 1999 — Черноглазова Р. А. Judenfrei! Свободно от евреев! История Минского гетто в документах. Мн.: Асобны Дах, 1999.

Черноглазова 2003 — Черноглазова Р. А. Военнопленные. Kriegsgefangene. 1941–1956. Документы и материалы. Мн.: Скакун: Гилф, 2003.

Шестая сессия 1946 — Шестая сессия Верховного Совета БССР, 21–24 марта 1944 г.: стенографический отчет. Минск: Государственное издательство БССР, Редакция политической литературы, 1946.

Ainsztein 1974 — Ainsztein R. Jewish resistance in Nazi-occupied Eastern Europe: With a historical survey of the Jew as fighter and soldier in the Diaspora. London: Paul Elek, 1974.

Aronson 1992 — Aronson M. The Anti-Jewish Pogroms in Russia in 1881 // Pogroms: Anti-Jewish Violence in Modern Russian History / Ed. by J. D. Klier and Sh. Lambrozo. Cambridge: Cambridge University Press, 1992.

Бараноўскі и др. 1995 — Мінскае антыфашысцкае падполле / аўт.-укл. Я. І. Бараноўскі, Г. Дз. Кнацько, Т. М. Антановіч і інш. Мінск: Беларусь, 1995.

Brown, Levin 1962 — Brown Z., Levin D. Toldoteha shel Maxteret: Ha'Irgun ha'Loxem shel Yehudei Kovno be'Milxemet ha'Olam ha'Sheniya. Jerusalem: Yad Vashem, 1962. In Hebrew.

Brzezinski 1956 — Brzezinski Z. The Permanent Purge: Politics in Soviet Totalitarianism. Cambridge, Mass.: Harvard University Press, 1956.

Conquest 1990 — Conquest R. The Great Terror: A Reassessment. Oxford: Oxford University Press, 1990.

Cholavsky 1988 — Cholavsky Sh. Be'Sufat ha'Kilayon: Yaxadut Byelorussia ha'Mizraxit be'Milxemet ha'Olam ha'Sheniya. Jerusalem: Institute of Contemporary Jewry, Hebrew University, 1988. In Hebrew.

Endlin 1975 — Endlin N. Derhoibene Gvure // Chaim Yelin, Geto Shreiber un Kemfer. Tel Aviv: Igud Yotsei Litah be'Yisrael, 1975. In Yiddish.

Even-Shoshan 1975–1985 — Minsk, ir ve-em: korot, ma'asim, ishim, havai. In 2 vols / Ed. by Sh. Even-Shoshan. Tel Aviv: Irgun yotse Minsḳ u-benoteha be-Yisrael, 1975–1985. In Hebrew.

Feitelson 1993 — Feitelson A. In Shturem un Gerangl. Vilna: Lituanus Press, 1993. In Yiddish.

Gar 1948 — Gar Y. Umkum fun der Yidisher Kovne. Munich: Farband fun litvishe yidn in der amerikaner zone in Daytshland, 1948. In Yiddish.

Grinstein 1969 — Grinstein Y. Ud me' Kikar ha'Yovel. Israel: Beit Lox-amei Ha Getaot, 1969. In Hebrew.

Gross 1991 — Gross J. T. The Sovietization of Western Ukraine and Western Byelorussia // Jews in Eastern Poland and the USSR, 1939–1946 / Ed. by N. Davies and A. Polonsky. London: MacMillan, 1991.

Guthier 1977 — Guthier S. L. The Belorussians: National Identification and Assimilation, 1897–1970, Part I // Soviet Studies. 1977. Vol. 29. № 1. P. 37–61.

Kaganovich 1956 — Kaganovich M. Di Milkhome fun Yidishe Partizaner in Mizrakh Eyrope. Buenos Aires: Tzentral Farband fun Poilishe Yidn in Argentine, 1956. In Yiddish.

Kenez 1992 — Kenez P. Pogroms and White Ideology in the Russian Civil War // Pogroms: Anti-Jewish Violence in Modern Russian History / Ed. by J. D. Klier and Sh. Lambrozo. Cambridge: Cambridge University Press, 1992.

Lambrozo 1992 — Lambrozo Sh. The Pogroms of 1903–1906 // Pogroms: Anti-Jewish Violence in Modern Russian History / Ed. by J. D. Klier and Sh. Lambrozo. Cambridge: Cambridge University Press, 1992.

Levin 1995 — Levin D. The Lesser of Two Evils: Eastern European Jewry under Soviet Rule, 1939–1941. Philadelphia: The Jewish Publication Society, 1995.

Liond 1993 — Liond R. Partizan Yehudi ba-ya'ar. Tel Aviv: Sifrut Poalim, 1993. In Hebrew.

Lubachko 1972 — Lubachko I. S. Belorussia Under Soviet Rule, 1917–1957. Lexington: University Press of Kentucky, 1972.

Marples 1996 — Marples D. R. Belarus: From Soviet Rule to Nuclear Catastrophe. New York: St. Martin's Press, 1996.

Paulsson 2002 — Paulsson G. Secret City: The Hidden Jews of Warsaw, 1940–1945. New Haven: Yale University Press, 2002.

Romanovsky 1997 — Romanovsky D. Soviet Jews under Nazi Occupation in Northeastern Belarus and Western Russia // Bitter Legacy: Confronting the Holocaust in the USSR / Ed. by Zvi Gitelman. Bloomington: Indiana University Press, 1997. P. 230–252.

Romanovsky 1999 — Romanovsky D. The Holocaust in the Eyes of Homo Sovieticus: A Survey Based on Northeastern Belorussia and Northwestern Russia // Holocaust and Genocide Studies. 1999. Vol. 13. No. 3. P. 355–382.

Rubin 1977 — Rubin A. Magafayim Xumim, Magafayim Adumim: Me'Geto Minsk ad Maxanot Sibir. Tel Aviv: Dvir, 1977. In Hebrew.

Slepyan 2000 — Slepyan K. The Soviet Partisan Movement and the Holocaust // Holocaust and Genocide Studies. 2000. Vol. 14. № 1. P. 1–27.

Slukhovsky 1975 — Slukhovsky A. Fun Geto in di Velder. Paris: Farlag Oyfsnai, 1975. In Yiddish.

Smilovitsky 1997a — Smilovitsky L. The Jewish Farmers in Belarus during the 1920s // Jewish Political Studies Review. 1997. Vol. 9. № 1–2. P. 59–71.

Smilovitsky 1997b — Smilovitsky L. Righteous Gentiles, the Partisans, and Jewish Survival in Belorussia, 1941–1944 // Holocaust and Genocide Studies. 1997. Vol. 11. № 3. P. 301–329.

Smolar 1966 — Smolar H. Resistance in Minsk. Oakland: Judah L. Magnes Memorial Museum, 1966.

Smolar 1989 — Smolar H. The Minsk Ghetto: Soviet-Jewish Partisans against the Nazis. New York: Holocaust Library, 1989.

Tec, Weiss 1997 — Tec N., Weiss D. A Historical Injustice: The Case of Masha Bruskina // Holocaust and Genocide Studies. 1997. Vol. 11. № 3. P. 366–377.

Vakar 1956 — Vakar N. Belorussia: The Making of a Nation. Cambridge, Mass.: Harvard University Press, 1956.

Yelin, Gelpern 1948 — Yelin M., Gelpern D. Partizaner fun Kaunaser geto. Moscow: Der emes, 1948. In Yiddih.

Zaprudnik 1993 — Zaprudnik J. Belarus: At a Crossroads in History. Boulder, Colo.: Westview, 1993.

Zhits 2000 — Zhits D. Gito Minsk ve'Toldotav le'Or ha'Teud he'Xadash. Ramat-Gan: Bar Ilan University, 2000. In Hebrew.

Предметно-именной указатель

Оглавление

Научное издание

Барбара Эпштейн
МИНСКОЕ ГЕТТО, 1941–1943
Еврейское Сопротивление и советский интернационализм

Подписано в печать 01.07.2025.
Формат издания 60 × 90 $^1/_{16}$. Усл. печ. л. 27,4.
Тираж 300 экз.

Academic Studies Press
1577 Beacon Street, Brookline, MA 02446 USA
https://www.academicstudiespress.com